はじまりのアートマネジメント

芸術経営の現場力を学び、未来を構想する

はじめに

　本書は、アートマネジメントに関心を持つ人たちに向けてわかりやすく解説した入門書である。『はじまりのアートマネジメント』を書名にした気持ちは２つある。最新の情報を盛り込みながら初学者向けに編纂したうえ、さらにはアートマネジメントが新たな時代を迎えて「これから学び直したい」との気持ちを込めた。新型コロナウイルスの感染拡大に伴い、アートマネジメントも新たな社会と向き合うことになったからだ。

　本書の特色は主に４つある。

　１つには、近年相次いだ文化に関する重要な法整備（2003年の地方自治法改正、2012年の劇場法、2017年の文化芸術基本法など）を丁寧に踏まえて展開したことである。公益法人改革にも触れた。特に2017年に制定・施行された文化芸術基本法は「観光、まちづくり、国際交流、福祉、教育、産業」などの関連分野にも文化政策の対象を拡大した動きだった。政策（Policy）と経営・運営（Management）は「コインの表裏」の関係であるため、文化政策の対象が広くなれば、おのずからアートマネジメントの対象も広がっていく。このため本書では文部科学省や文化庁の所管分野に限らず、他省庁の所管分野についても積極的に言及する。

　２つには、現場の話を豊富に盛り込んだこと。既存のアートマネジメント関連書籍は理念的な傾向があったので、現場の生の声をより広く伝えたいと願った。関係者のインタビューも掲載した。「文化の現場」における、お金のやりくり、管理運営の苦心、達成感などリアルな声を聞き取った。

　３つには、営利な文化産業についても丁寧に目配りした点である。わが国におけるアートマネジメント研究は、非営利な文化事業の運営、非営利な文化団体の経営に主眼が置かれてきたように思われ、関連書籍においても公立文化施設等に関する記述が中心を占めていた。編者自身、公立文化施設の調査研究が主だった。民間文化産業に対する記述が薄かったのではないかとの問題意識から、文化産業についての記述を増やした。２章で触れるように、営利であれ、非営利であれ、組織のマネジメント、事業のプロデュース、ファンづくりのマーケティング等について、共通点を見いだ

せると考えたからだ。

　4つには、日本アートマネジメント学会に所属する若手・中堅研究者が中心になって執筆したことを申し添えたい。アートマネジメントを取り巻く今日的な課題に取り組む気鋭のアートマネジメント研究者が「まさに今」の課題をつづっている。筆者は同学会会長を拝命しており、以前からアートマネジメント入門書籍の必要性を感じていた。学縁を得て、気鋭の若手・中堅研究者と知り合うことができ、執筆を呼びかけた。

　本書が想定する読者は多様である。文化芸術の現場で働きたいと希望する大学院生や学部学生、あるいは文化に関わる仕事への転職を希望する若者たちなどを中心的な読者層に想定して、わかりやすい記述を心がけた。一方で、公立文化施設を管理運営する自治体文化財団職員、文化事業を企画運営するスタッフ、公立文化施設の指定管理者に選定された企業の社員や非営利団体の職員、文化行政を担当する自治体職員、アートNPO職員、アートプロジェクト関係者、図書館・博物館・美術館・文化会館等の文化施設職員、運営に関わるボランティア、文化プロデュースを志す定年退職者……などの幅広い読者にも心配りした。年齢層を問わず、研修等に活用していただきたい。

　複数の人物を登場させる工夫をして書いたので、アートマネジメントの現場で働く人々の物語としても読むことができる。「文化の現場」に携わる仕事の魅力、やりがいが少しでも伝われば幸いである。

　2020年に入って「文化の現場」が大きく揺れた。新型コロナウイルスの感染拡大が「文化の現場」を直撃し、文化事業やイベントが中止に追い込まれた。公立・私立を問わず、多くの文化施設が臨時休館を迫られた。一方で、緊急事態下においても文化芸術には社会的な公共性があり、国民を勇気づけるものであることが叫ばれた。文化産業の盛衰は人々の心だけでなく、地域経済に大きな影響を与えることも痛感した。公的な保護の必要性が指摘された。非正規雇用が少なくない「文化の現場」の脆弱性も改めて浮き彫りになった。

　しかし、本当に問われたのは従来のアートマネジメント（文化芸術の経

営・運営)のありよう自体である、と編者は受け止めた。文化の現場に、真の意味でのアートマネジメントが欠如していたのではないか。行政職員であれ、文化芸術関係者であれ、これまで、ぼんやりとは感じ取りつつも現実を直視してこなかった。

　アートマネジメントの重要性を安易に言うけれど、口先だけのものだったのではないか？　という反省を込めて本書を編纂した。「文化の現場」が中央政府や自治体からの補助金に依存してきたこと。民間からの寄附集めの努力が不十分だったこと。きちんとした経営者を育ててこなかったこと。これらの諸課題が今、まさに問われているのだ。

　だからこそ、編著者自身、「勉強し直したい」と考えて、「はじまりのアートマネジメント」という書名を思いついた。文化施設や文化芸術団体が「危機」を乗り越えるためには、マネジメントを根本から見つめ直さなくてはならない。こうした問題意識をもとに編纂された本書には2020年度に出版される意義と価値があると考えている。

　少し硬いことを書いてしまったが、本書では豊富な事例を盛り込んだので、「施設を運営したい」「文化事業を企画したい」「アートマネジャーになりたい」などの幅広い思いにこたえることができると期待する。いずれにしろ本書の読み方は自由である。気になる文化芸術分野に絞って読み進めたり、現場の息づかいを聞くためにインタビューから読み始めたりしてもかまわない。さあ、ページを自在にめくってみよう。

　(本文に登場する関係者は、原則として敬称略とさせていただいた。聞き取り調査等へのご支援に心より御礼申し上げたい)

松本　茂章

《注》
書名あるいは本文中の言葉に「アートマネジメント」を用いた。「Art Management」は、しばしば「芸術経営」という訳語が用いられる。しかし「アートマネジメント」は日本語になってきたと思われるので、書名をカタカナ表記にした。さらに芸術より広い概念である文化のマネジメントも含めたい気持ちも込めた。
　一方で「アーツマネジメント」「アーツマネージメント」などの表記があることも承知している。執筆者の大半が所属する「日本アートマネジメント学会」は設立されて20年余りになり、名称が定着してきた実態を考慮して、本書では「アートマネジメント」と表記する。

目　次

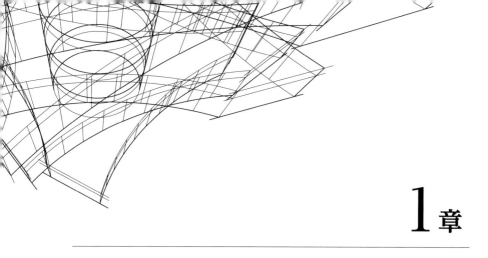

1章

アートマネジメント新時代

静岡文化芸術大学　松本 茂章

1　アートマネジメントのありようと学会活動

1-1　アートマネジメント概念の変遷

　アートマネジメントという概念は1960年代以降の欧米で発達した考え方である。日本語でいえば「芸術経営」と訳せよう。この概念が日本へ本格的に導入されたのはバブル経済の前後だった。バブル経済の崩壊に伴い、長期の景気低迷に陥ったとき、芸術文化にも経営が欠かせないという考え方がわが国でも急速に広まった。いわゆる「ハコモノ行政」によって各地に建設された文化ホールなどでは、たとえ建物が立派でも、文化事業の費用にこと欠く事態に悩まされたからだった。

　このようにアートマネジメントのありようは年代によって区分されると筆者は考えている。未曾有の好景気に沸いた1980年代は「ハコモノの時代」である。自治体の税収が潤沢だったことから、文化施設の建設が全国各地で計画されたり、着工されたりした。1980年代に計画された文化施設は設計や工事を経て、1990年代前半に開館する。このため1990年代は開館した施設でどのように文化事業を展開していくかが問われた。「イベントの時代」である。そして2000年代は「経営を見つめ直す」時代である。低成長のなか、文化芸術の組織や団体の経営をいかに行うか、持続可能にするか、を考えることが急務となったからだ。このように時代の移り変わりに伴い、アートマネジメントのありようは変容していった。

　2020年代は新たな段階に移行すると筆者は受け止めている。東日本大震災（2011）や新型コロナウイルス感染拡大に伴う緊急事態宣言（2020、2021）を体験したことで、アートマネジメントは一層「持続可能な組織・団体運営」を目指さざるを得ない。同時に組織や団体を経営できる「人材」の育成が急がれる。事業を企画するだけでなく、後述する劇場、音楽堂等の活性化に関する法律（以下、劇場法）で指摘されたように「経営者」が求められるのだ。文化政策の対象が拡大する分、アートをマネジメントできる人材の活躍の場も広がり、アートマネジメント人材の需要は高まると思われる。

　振り返ってみると、わが国におけるアートマネジメントは当初、行政か

らの補助金をいかに獲得するか、企業による助成金をいかに得るか、などの技術的なことが問われていた。主に大学の文学部や芸術系学部を中心にしてアートマネジメントコース等が誕生したので、人文科学の関係者が多かったように振り返る。近年は経営学等の社会科学系研究者や海外留学経験者らが新たに加わってきた。「アート」から研究に入った人材と「マネジメント」の視点から研究に加わった人材のバランスが均衡してきたように思える。

　わが国におけるアートマネジメント研究者の先駆けである伊藤裕夫（2001）によると[1]、アートマネジメントとは「芸術活動が今日の社会において自律的に維持・存続していくための経営戦略として要請されてきたもの」であり、それゆえにアートマネジメントは「芸術を観客に紹介する」だけでなく、「芸術家の活動を保証し」創造を可能にすること、並びに芸術によって「社会の持つ潜在能力の向上を支援する」ことまでを含むものとして考えられている、とされた。さらに伊藤はアートマネジメントについて「今日の芸術文化をとりまく諸環境の変化の中で、芸術の社会的な意義を明らかにすることにより、社会の支持を獲得してその活動を継続・発展させていくという、いわば自らの存在条件を切り拓いていく戦略的な思考かつ実践[2]」であると指摘した。

　アートマネジメントが求められる組織として、伊藤は大きく分けて、「実演団体」（楽団、劇団、舞踊団、合唱団など）、「文化施設」（美術館、劇場、コンサートホールなど）、「推進支援団体」（協会や協議会、鑑賞組織やサポーター組織、官民の助成財団や振興財団、文化行政を司る政府機関など）の3つのタイプがあると述べた[3]。

　その後、社会情勢は急速に動いた。2003年の地方自治法改正によって指定管理者制度が導入され、実演団体が文化施設を運営する側にも回るようになったのだ。たとえば公益財団法人日本センチュリー交響楽団（大阪府豊中市）は2017年、豊中市立文化芸術センターの指定管理者に選定された。実演団体である一方で、公立文化施設を運営する役割を担っている。

　アートマネジメントは、非営利に限らず文化産業や企業活動の現場でも求められてきている。2020年の新型コロナウイルス感染拡大に伴って文

化施設が休館を迫られ、実演団体の活動が制約されたなか、アートマネジメントの概念もさらなる変容に迫られている。

1-2 日本アートマネジメント学会の設立 (1998年)

筆者が会長を務める日本アートマネジメント学会は1998年、仙台市内で設立された。未曾有の好景気に沸いたバブル経済の崩壊後、景気低迷に見舞われた日本では経営の効率化が迫られた。芸術文化の世界も例外ではなく、アートマネジメントの概念が持ち込まれた。震災ボランティアが活躍した阪神・淡路大震災 (1995年) から3年後の1998年は、特定非営利活動促進法 (以下、NPO法) が成立した年なので、アートマネジメントとNPO活動の促進は重なってくる。こうした激動の20世紀末に同学会が誕生した。

同学会会則の第2条に本学会の目的が次のように掲げられている。「芸術文化に関するマネジメントの研究を行い、芸術文化にかかわる地域活動の発展に資することを目的とする」。この考えをもとに同学会は主に2つの特色を有する。

1つには連邦制の採用である。北から北海道部会 (部会長：宇田川耕一・北海道教育大学岩見沢校教授)、関東部会 (部会長：伊東正示・株式会社シアターワークショップ代表)、中部部会 (部会長：梶田美香・名古屋芸術大学教授)、関西部会 (部会長：三戸俊徳・宝塚市文化財団事務局次長)、九州部会 (部会長：古賀弥生・九州産業大学教授) の5部会が設立され、定期的な例会や研究会を開催するなど精力的な活動を続けている。

会員が一堂に会する機会は年に2回ある。毎年11～12月に開かれる全国大会と、春の講演会である。第20回記念全国大会は2018年12月に静岡文化芸術大学を会場に開かれ、第21回大会は2019年12月、金沢市の金沢21世紀美術館と北陸大学で開催された。大会には全国各地の会員が集い、分科会で日ごろの研究成果を報告している。学会での発表内容も時代の要請に応じて次第に変容してきた。

特色の2つには多彩な会員が所属していることである。研究者が中心であるものの、アートマネジメント現場の実務家も加わる。文化行政部署の

公務員、文化ホールの職員、博物館・美術館の学芸員、実演団体の職員、企業メセナの関係者、フリーのプロデューサー・コーディネーターなど、多彩な顔ぶれが参加する。それぞれの立場や肩書を超えて交流を重ねてきた。同学会活動等を通じて優れたアートマネジメント人材を育てていきたいと筆者は願っている。

2 文化政策とアートマネジメントをめぐる法整備

　ここでは3つの文化関連法を中心に記述していく。2003年の地方自治法第244条改正、2012年の劇場法制定、2017年の文化芸術基本法制定である。

2-1 地方自治法改正に伴う指定管理者制度の導入（2003年）

　地方自治法第244条は2003年6月に改正され、同年9月に施行された。この結果、「公の施設」をどのように運営するかについて、新たに指定管理者制度が導入された。

　従来、公立文化施設は自治体の職員で運営されてきた。自治体による「直営」と呼ぶ。しかし公務員は頻繁に異動するので専門知識が不足したり、人脈に精通しなかったりする。そこで自治体が出資する公共団体等に運営を「委託」していた。自治体の文化振興財団（あるいは文化振興事業団）である。

　株式会社や市民団体は運営に関わることができなかったが、政府のなかで規制緩和を進める動きが始まり、「直営」や「委託」をやめて民間に市場開放する方向性が示された。景気低迷のなか、巨額のマーケットが新たに出現すると騒がれた。

　指定管理者制度は「公の施設」を対象に導入された。「公の施設」について、同法第244条で「住民の福祉を増進する目的をもってその利用に供するための施設」と位置づけている。具体的にいうと、「公の施設」は博物館・美術館、文化会館、市民会館、図書館などの文化施設のほか、公民館、学校、保育所、幼稚園、児童館、高齢者福祉施設、障害者福祉施設、

国際交流会館、コミュニティセンター、体育館、プール、公園、広場、駐車場、駐輪場など、広く市民が利用する施設である。

　同法改正に伴い、「法人その他の団体」が指定管理者に選定され得るようになった。改正以前は「公共団体」「公共的団体」「地方公共団体が2分の1以上出資する法人」の3つに限られていたので、企業、非営利法人、地域団体などに広く「門戸開放」された。

　同制度導入の真意は、行政と民間が協働しながら、より施設を巧みに運営していくはずだった。しかし財政事情の厳しい自治体側にとってはコストダウンの手法としてとらえられがちになった。導入当時の様子は中川幾郎・松本茂章編著『指定管理者は今どうなっているのか』（水曜社、2007）につづられている。制度導入後10年余りを経た現状は、松本茂章編著『岐路に立つ指定管理者制度——変容するパートナーシップ』（水曜社、2019）に詳述されている。ご覧いただきたい。

　どのぐらいの公立文化施設に同制度が導入されているのだろうか？ 総務省の「公の施設の指定管理者制度の導入状況等に関する調査結果」（2018年4月1日現在）によると、同制度が導入された施設は全国に7万6,268施設あり、全国の導入率は公営住宅を含めて59.6％だった。

　一般財団法人地域創造の『公立文化施設の管理運営状況に関する調査研究　報告書』（2018年3月公表）は、文化会館・市民会館、博物館・美術館等の公立文化施設に絞った全国調査で、これによると、文化施設等のある自治体820団体のうち直営は50.8％、指定管理は49.2％と拮抗していた。指定管理期間は「5〜6カ年未満」71.1％、「3〜4カ年未満」13.9％、「4〜5カ年未満」6.4％。平均すると「4.9年」だった。

　指定管理者の団体種別では、「財団法人・社団法人」が51.2％で最も多く、次いで「株式会社・有限会社など（営利法人）」が20.5％。「共同企業体（JV）等のコンソーシアム」が17.2％、「NPO法人」が6.0％だった。

　公募か非公募か、では「公募等により指定した」が55.9％。「公募等によらず随意指定した」が41.7％だった。

　施設別の状況を知るには、総務省の「地方行政サービス改革の取組状況等に関する調査等」（2020年3月27日公表）がある。2019年4月1日現

在における施設別に指定管理者の導入状況が明らかにされている。図表1-1をご覧いただきたい。

図表1-1　総務省調査による施設別の指定管理者制度導入状況

	都道府県	指定都市	市区町村
体育館	97.2%	92.5%	39.8%
競技場	93.5%	65.5%	47.6%
プール	97.9%	95.0%	50.2%
海水浴場	67.1%	33.3%	13.6%
宿泊休養施設	92.9%	92.9%	86.5%
休養施設	96.4%	94.7%	76.0%
キャンプ場等	96.8%	85.7%	58.1%
産業情報提供施設	53.1%	86.7%	75.0%
展示場・見本市施設	97.6%	92.0%	64.2%
開放型研究施設等	28.6%	87.5%	52.0%
大規模公園	88.7%	51.9%	42.6%
公営住宅	64.0%	70.5%	14.3%
駐車場	87.1%	87.6%	38.0%
大規模霊園・斎場等	100.0%	32.0%	21.8%
図書館	12.9%	23.7%	19.4%
博物館	50.3%	47.3%	27.8%
公民館・市民会館	――	54.6%	23.0%
文化会館	92.2%	86.1%	51.8%
合宿所・研修所等	69.2%	62.3%	48.0%
特別養護老人ホーム	100.0%	91.7%	73.5%
介護支援センター	100.0%	100.0%	50.4%
福祉・保健センター	72.0%	86.3%	53.2%
児童クラブ・学童館等	86.7%	70.9%	23.0%

総務省「地方行政サービス改革の取組状況等に関する調査等」（2020年3月27日公表）をもとに筆者作成

　生活に身近な市区町村の文化施設に注目すると、文化会館の導入率は51.8％で過半数を占める。一方、図書館は19.4％、博物館は27.8％で、

司書資格や学芸員資格の必要な両施設は低い。体育施設では、プールが50.2%、競技場が47.6%、体育館が39.8%だった。

　日本文化政策学会初代会長の中川幾郎（帝塚山大学名誉教授）は、こうした実態に対して「自治体自体が、文化会館に関しては専門家のいる『機関』とは思わず、貸し館中心の『施設』であるという前提で臨んでいるからではないかと推測できる。対して司書や学芸員が必要な図書館や博物館には、指定管理者制度の導入にきわめて慎重である様子が浮き彫りになってくる」と指摘し、「驚いたことに文化会館は体育・スポーツ系施設よりも導入率が高かったのである」と述べた[4]。

　中川は、同制度が導入された「公の施設」について、「物的サービスが主体のもの」なのか、「人のサービスが主体のもの」なのか、自治体担当者は両者の境界を丁寧に交通整理しなくてはならない、と考えている。前者は「ファシリティ」（施設）で、単純な反復サービスを行うところ、後者は「インスティチュート」（機関）と訳され、建物だけでなく専門家がサービスを行うところなのだと指摘する。そして中川は「本来、文化施設はすべてが『インスティチュート』であるべきなのだが、不幸にも1980年代以降に建てられた自治体文化ホールの大半は貸し館業務が中心だった。この好ましくない前例によって文化ホールは『ファシリティ（単なる貸し施設）』扱いされてしまってきたのだった」と語った[5]。「施設」から「機関」に移行するためにはアートマネジメント人材の存在が不可欠になる。

2-2 劇場、音楽堂等の活性化に関する法律（劇場法・2012年）

　2012年には、劇場法が制定された。これまで公立の劇場や音楽堂等には特別な法的根拠はなく、先述した地方自治法第244条の「公の施設」が唯一の支えだった。対して劇場法の前文には、劇場、音楽堂等について次のことが盛り込まれている。

- 文化芸術を継承し、創造し、及び発信する場。
- 人々が集い、人々に感動と希望をもたらし、人々の創造性を育み、人々が共に生きる絆を形成するための地域の文化拠点。
- 人々の共感と参加を得ることにより「新しい広場」として、地域コミュ

ニティの創造と再生を通じて、地域の発展を支える機能。

　これからの劇場、音楽堂等は、文化事業の充実だけでなく、地域政策の文脈でとらえる必要がある。地域政策に通じた人材の登用が求められる。

　さらにアートマネジメント研究のうえでも劇場法は際立って重要だ。第2条に大切な言葉が盛り込まれたからだ。劇場、音楽堂等の定義を行う第2条では「文化芸術に関する活動を行うための施設及びその施設の運営に係る人的体制により構成されるもののうち、その有する創意と知見をもって実演芸術の公演を企画し、又は行うこと等により、これを一般公衆に鑑賞させることを目的とするもの」と述べられている。

　逆に言えば、劇場、音楽堂と名乗るためには、①運営に係る人的体制があること、②創意と知見があること、③公演を企画して行うこと、が欠かせない。となれば劇場、音楽堂はもはや「単なる貸し館」ではすまない。地域の発展を支える専門的人材の育成が急務である。

　専門的人材とはいかなるものなのか？　第13条では「専門的能力を有する者」として「制作者、技術者、経営者、実演家その他」と具体的に紹介された。注目したいのは「経営者」という3文字である。これはアートマネジメント人材と理解できる。筆者は以前から、アートマネジメント人材の定義として「行政とタフな交渉を行い、民間企業と交流する。地域の人々や団体と連携する」ことなどをあげていた。21世紀の劇場、音楽堂等には地域に精通し、地域政策を理解し、作品制作を可能とする人材が必要不可欠なのだと考える。アートマネジメント人材の確保や育成を考えるうえで劇場法はきわめて重要な法律なのである。

2-3 文化芸術基本法（2017年）

　文化芸術基本法は、わが国で初めての文化に関する基本法である。2017年6月、議員立法で制定された。いくつかの特色がある。1つには霞が関の縦割り行政を排して総合政策として臨むこと。2つには2001年に制定された文化芸術振興基本法が、推進法なのか、基本法なのか、曖昧な点があったことから、同法を改正して基本法に改めたうえで、文化芸術推進基本計画を定めるように求めたこと。3つには食文化の振興、沖縄の

組踊の継承、芸術祭の参加、高齢者や障害者の活動支援、文化芸術団体の活動支援などを盛り込んだこと。

　総合政策化に関しては、文化芸術に関する施策の推進に当たって「文化芸術の固有の意義と価値を尊重しつつ、観光、まちづくり、国際交流、福祉、教育、産業その他の各関連分野における施策との有機的な連携が図られるよう配慮されなければならない」(第2条)と明記された。各省庁にまたがる文化政策に横串を刺し、横断的にとらえようという試みである。

　基本計画について、政府は「文化芸術に関する施策に関する基本的な計画(以下「文化芸術推進基本計画」という。)を定めなければならない」(第7条)と明記した。2001年の旧振興基本法では「基本的な方針」と表現していたが、新基本法では「基本計画」と改めたことで意味合いは一段と重くなった。第36条では文部科学大臣が同基本計画を定めるときには文化芸術推進会議を設けて連絡調整を図ることがうたわれ、同会議の新設が求められた。

　第12条の「生活文化」のなかに茶道、華道、書道と並んで「食文化」を新たに明記した。2001年の旧振興基本法になかった「食文化」を盛り込んだのは、和食がユネスコ(国際連合教育科学文化機関)の世界無形文化遺産に認定されたことも背景にあったとされている。

　政府の文化芸術推進会議のメンバーを示しておく。顔ぶれをみると、いかに多くの省庁が関わっているかがわかる。情報やコンテンツをいかに海外に流通させるのか、どのように子育て支援を行うのか、食文化をどんなふうに振興するのか、高齢者や障害者とどう向き合うのか、国立公園をいかに活用するのかなど幅広い社会課題と直面していることがわかる。これからのアートマネジメント人材は、こうした現代的課題の解決を担うことが期待される。

図表1-2　文化芸術推進会議のメンバー

文化芸術推進会議	文化芸術推進会議　幹事会
内閣府知的財産戦略推進事務局長	内閣府知的財産戦略推進事務局企画官
総務省大臣官房審議官 (情報流通行政局担当)	総務省情報流通行政局情報通信作品振興課 放送コンテンツ海外流通推進室長
外務省大臣官房国際文化交流審議官	外務省大臣官房文化交流・海外広報課長
文部科学省大臣官房総括審議官	文部科学省大臣官房政策課長
文化庁長官 (議長)	文化庁長官官房政策課長
文化庁次長	文化庁長官官房企画調整官
厚生労働省子ども家庭局長	厚生労働省子ども家庭局子育て支援課長
厚生労働省社会・援護局 障害保健福祉部長	厚生労働省社会・援護局障害保健福祉部 企画課自立支援振興室長
農林水産省食料産業局長	農林水産省食料産業局食文化・市場開拓課長
経済産業省商務・サービス審議官	経済産業省商務・サービスグループ クールジャパン政策課長
国土交通省総合政策局長	国土交通省総合政策局政策課長
観光庁次長	観光庁観光地域振興部観光資源課長
環境省大臣官房審議官	環境省自然環境局国立公園課長

文化庁ホームページをもとに筆者作成

2-4 特定非営利活動促進法 (NPO法・1998年) と公益法人改革

　前記3つは文化に直接的に関わる法律だが、文化関連団体に影響を与えた法律にも触れておこう。1つには1998年に成立したNPO法である。同法によって認められたのがNPO法人である。同法に示された20の活動のうち6つ目に「学術、文化、芸術又はスポーツの振興を図る活動」が盛り込まれ、その後、数多くのアートNPO法人が誕生した。同法設立の背景には阪神・淡路大震災 (1995年) の際、行政の機能が低下したなかで、駆けつけたボランティアが活躍したことを指摘したい。

　NPO法の成立と日本アートマネジメント学会の誕生が同じ1998年である。単なる偶然ではない。この年、政府系の日本長期信用銀行が経営破綻したように、日本社会が景気低迷のために税収が伸び悩むなか、中央政府や自治体が公共政策の全てを引き受ける訳にはいかず、民間と連携しな

がら国家や地域をガバナンス（統治）していく官民協働の実現が必須となってきたのだった。すなわち新たな公共性が問い直された。

2つには、21世紀に入って行われた公益法人改革である。2006年に制定・施行された公益法人制度改革関連3法を中心とした動きで、3法とは、一般社団・財団法人法、公益法人認定法、関連法律整備法のことだ。これらの成立・施行に伴い、一般財団法人や一般社団法人を設立しやすくなった。財団法人では純資産300万円以上、社団法人では社員2人以上で設立できる。

従来は主務官庁が強い権限を有していた。財団や社団の設立は主務官庁の許可する制度だったものの、法人の設立と公益性の認定が分離されたことが改革の大きな柱の1つとされた。一般財団法人や一般社団法人は、有識者で構成される委員会の審査に基づき、内閣総理大臣や知事の認可で、公益財団法人や公益社団法人になることができる。

自治体文化財団でいえば、税制上の優遇を受けられる公益財団法人に移行した場合が少なくない。文化財団の多くは行政から文化施設の指定管理者に選定されている。これからの自治体文化財団が、官民協働によって地域のガバナンスを担うことのできる団体に育つのか、自治体の「出先」同様の団体にとどまるのか？　大きな分岐点にさしかかっている。

自治体文化財団やアートNPO法人に勤める職員は、地域における貴重なアートマネジメント人材である。それだけにNPO法や公益法人改革とアートマネジメントの関連性に注目したい。

3 文化政策とアートマネジメント

マネジメントという言葉をわかりやすく言えば「何とかうまくやっていく」ことに尽きる。マネジメントには3つの分け方があろう。1つには文化組織・団体の経営、2つに文化事業のプロデュース、3つにはファンづくりのマーケティングである。本書ではこの3つに注目し、第2章で理論的な解説を試みる。

第2章に入る前に、アートマネジメントとともによく用いられる言葉で

ある「文化政策」について言及しておきたい。なぜ両者は密接な関係にあるのだろうか？

アートマネジメントが「何とかうまく文化や芸術を経営していく」取り組みだとしても、何でも自由にやれる訳ではない。一定の枠のなかで「うまくやっていくこと」を模索するのだ。この一定の枠が、法律、条例、組織の決まり、ルールなどの政策である。このため政策とマネジメントはコインの表と裏の関係にある。学問の世界では「Policy&Management」と総称される。政策があってこその実践だからだ。実践なくして政策もあり得ない。文化政策が「戦略」ならば、アートマネジメントは「戦術」と位置づけられる。

読者は「文化政策」とともに「文化行政」という言葉も聞いたことがあるだろう。世間では両者を混同して使いがちであるが、両者は何が違うのか？　中川は自治体の文化政策について「主体的かつ戦略的な政策志向とこれにもとづく施策展開を指すもの」と述べ、文化行政については国モデル受容型あるいは他自治体事業モデル追随型の「従来の思考および施策展開」としている[6]。

筆者は中川の考えに共鳴して、本書では「文化政策」という言葉を主に用いている。自治体の文化政策はまさに戦略的な公共政策であると思うから、国の追随でなく主体性が問われるのである。対して「文化行政」という場合、行政組織しか関与できない。先に触れてきたNPO法人などは行政組織ではないので、その取り組みは「文化行政」にはならない。このように「文化行政」は追随型で、狭い範囲の話になる。

本書の各章で述べられるように、もはや文化の取り組みは行政と民間の協働なくしてあり得なく、行政だけが担当する訳ではない。まちづくり、観光、社会包摂など、民間が担当できる文化政策の領域には限りがない。

だからこそ、文化政策人材は、実践であるアートマネジメントを理解し、逆にアートマネジメント人材は文化政策を理解したい。文化芸術をめぐる「Policy&Management」のいずれをも学び、心を傾けたい。双方への精通なくして、文化芸術を経営・運営することはできない。

一方で、「ガバナンス」という言葉もしばしば聞くことがある。英語で

は「統治」という意味なのだが、「地域ガバナンス」と言うとき、ニュアンスが変わる。「共治」と訳される。これまでの社会は行政が主導して地域を経営してきた。しかし今後は行政だけでなく、市民、非営利団体、営利企業などの民間を含めて地域が経営されていく。

「地域ガバナンス」の考え方も、文化政策やアートマネジメントと密接に関係する。先に触れたように、文化政策はこれから省庁の壁に横串を刺す形で、総合政策化されていく。今後、民間が一定の重みを持って地域政策の主体に浮上してくるだろう。

観光・まちづくり・国際交流・福祉・教育・産業の分野に文化政策の対象が拡大する時代に、「Policy&Management」の関係を考えるとき、アートマネジメントの対象が広がっていくことに異論はないであろう。文化芸術に関連する分野にアートマネジメントの取り組みが進出していくことは自明の理だ。たとえば食文化の振興でいえば、文化ホールや博物館・美術館のレストランの役割は、芸術鑑賞に訪れた観客・聴衆の飲食を提供するにとどまらない。地域の農産物を提供して地域産業の振興を図ったり、まちの誇り形成、特産物づくりを目指したりするなど、幅広く貢献することが求められる。アートマネジメント人材の活躍場所は一層広がり、職を得る場も豊富になると筆者は期待している。

文化政策がパラダイムシフト（構造転換）を求められる時代には、アートマネジメント人材にも新たな活躍場所が用意される。製造業に依存してきた日本経済だが、機械組み立て産業等が人件費の安い海外の国や地域に移転していくならば、わが国の産業は文化的付加価値をつけていくことを迫られる。産業だけでなく、政治力、経済力、軍事力だけで国の力を測ることができない新時代においては、文化というソフトの力が国家の盛衰を分ける。アートマネジメントは、産業に文化的価値を付加することにも貢献でき、ソフトパワーという国力の増進にも役立つ。

筆者が、松本茂章編著『文化で地域をデザインする──社会の課題と文化をつなぐ現場から』（学芸出版社、2020）を編纂した動機はここにある。中央政府なら「文化で国家をデザインする」姿勢が、地方政府なら「文化で地域をデザインする」姿勢が急務となってきた。

アートマネジメント人材たちの仕事は、文化ホール、博物館・美術館などの文化施設や実演団体等に勤務するだけではない。文化政策の関連分野である「観光・まちづくり・国際交流・福祉・教育・産業」等でも同人材が活躍する機会や場所が拡大していく。いや「地域ガバナンス」の到来にあたり、同人材は地域経営にも何らかの役割を担うことが期待される。こうなれば「アートマネジメント新時代」と呼びたい。このときに備えて、文化芸術に関する知識や視野に加え、政策的な知識、経済・経営的な知識、他者と意思疎通を図る交渉力などを備えておく必要がある。

　劇場法では、劇場や音楽堂等に求められる人材として「実演家」や「制作者」などに加えて「経営者」という3文字が盛り込まれたことを先に述べた。あるいは文化芸術基本法の第16条では、芸術家等の養成及び確保を求め、具体的職種として「文化芸術活動に関する企画又は制作を行う者、文化芸術活動に関する技術者、文化施設の管理及び運営を行う者その他の文化芸術を担う者(以下「芸術家等」という。)」と明記したことも思い出したい。

　こうした職種が法律で示された意味は大きい。時代はアートマネジメント人材の養成と確保の大切さを叫んでいるのである。

＊❶は、松本茂章「巻頭言」『アートマネジメント研究』美術出版社、第17・18合併号、2018、4-5頁をもとに全面的に書き直したものである。❷の指定管理者制度に関しては、松本茂章編『岐路に立つ指定管理者制度——変容するパートナーシップ』水曜社、2019に詳しい。❸は書き下ろした。

[1] 伊藤裕夫「序章 アーツ・マネジメントを学ぶこととは」伊藤裕夫・片山泰輔・小林真理・中川幾郎・山崎稔惠『アーツ・マネジメント概論』水曜社、2001、2頁。
[2] 伊藤、前掲書、2頁。
[3] 伊藤、前掲書、6-7頁。
[4] 松本茂章編著『岐路に立つ指定管理者制度——変容するパートナーシップ』水曜社、2019、24頁。
[5] 松本、前掲書、23-24頁。
[6] 中川幾郎『分権時代の自治体文化政策——ハコモノづくりから総合政策評価に向けて』勁草書房、2001、iii頁。

2章

アートマネジメントの理論

1節
組織のマネジメント

静岡文化芸術大学　高島 知佐子

1 アートマネジメント

　欧米の「arts management」（arts and cultural management と記されることもある）は「芸術団体の経営」として、主に公益的な活動を行う非営利な芸術団体を対象に発展してきた。欧米のアートマネジメントの問題意識、発展の契機は文化芸術の生産・供給・消費が都市部に集中していたこと、白人富裕層に偏っていたことにあったため、ショービジネスのような商業目的の芸術団体の経営と一線を画してきた。1970 ～ 1980年代に欧米でニュー・パブリック・マネジメント（New Public Management：以下、NPM）の導入が進んだことも、芸術団体の経営意識を高めたと考えられる。

　公共部門は競争原理が働かないため、経営が非効率になりやすい。NPMとは、公共部門の経営に民間の経営手法を取り入れ、国や自治体の財政負担を軽減しつつ、効率的・効果的経営を実現しようとする考え方である。日本では2000年代に積極的に導入が進められ、指定管理者制度等へとつながった。

　1章で述べられたように、日本のアートマネジメントの出発点は公立文化施設の文化事業であった。しかし、2000年代以降、日本でも文化芸術における不平等の顕在化やNPMの導入など、文化芸術を取り巻く社会が著しく変化し、文化芸術の現場は事業以外に経営面で多くの課題を抱えるようになった。

　たとえば公立文化施設が10年、20年と活動を続け地域に貢献していくためには、1つの公演を成功させれば良いというわけではない。自主制作事業は施設や地域の特徴を出す良い機会になるが、多額の制作費、制作スキルを持った人材が必要になる。自主制作事業が実現したとしても、チ

ケット価格は多くの人が購入できる価格に抑えなければならない。文化芸術に触れる機会の少ない環境にいる子どもたちには無料で提供し、作品への理解を深めるための講座を行うこともある。社会的意義はあるが儲からない活動が多いなか、自治体からの支援だけで専門性を持った人を雇用し、毎月給与を支払うことは難しい。寄附を募り、友の会などの会員を増やし、時には外部に事業を売ることで稼ぐこともしなければならない。スタッフを育成し、彼（女）らが高いモチベーションで働ける職場環境、昇給や福利厚生といった制度も整える必要がある。災害等、不測の事態にも備えなければならない。

　つまり潤沢な資金がないなかで、社会と向き合い活動を続けていくためには、日本の芸術団体においても経営という考え方が必要になってきている。本章では、日本のアートマネジメントを芸術団体の経営ととらえ直し、芸術団体において重要と考えられる組織マネジメント（本節）、事業運営（2節）、マーケティング（3節）をとりあげる。

2　営利組織と非営利組織

　芸術団体に限らず、組織は大きく営利組織と非営利組織に分けられる。ミュージカルを日本に定着させた四季株式会社（劇団四季）のように営利組織として活動を行う団体がある一方、オーケストラによく見られるように公益財団法人といった非営利組織として活動を行うところもある。

　営利組織は、顧客からの対価である売上から利益を得て経営される。商品やサービスは利益が出るよう価格設定し、得た利益は従業員や株主に分配することができる。営利組織である企業が手がける演劇公演などでは、制作費が高額な公演チケットはおのずと高価になる。チケットが完売し多くの利益を得られれば会社の業績が上がり、社員はボーナスの増額などの形で業績に応じた報酬を得ることもある。

　非営利組織は、利益ではない別の目的、広く社会のためになる公益的な目的を持つ。大学の生活協同組合（いわゆる生協）のように、組合会員のために活動を行う共益的な目的の団体もある。公益か共益かといった目的

にかかわらず、非営利組織が利益を得ることは制限されない。営利組織との違いは、得た利益を従業員や出資者に分配することができない「非分配制約」にある。非営利組織では、利益は次の公益的または共益的活動に使用しなければならない[1]。

　日本では非営利組織が利益を得ることをよくないと考える人もいるが、これは問題にならない。なぜなら、その利益は今後の公益・共益的活動に使われ、社会や会員に還元されるからである。しかし、実際には、非営利組織が行う公益的活動で利益を得ることは難しい。たとえば、家庭環境にかかわらずだれでも参加できることを目的にした子ども向けの活動の価格は無料や安価に設定される。この場合、利益どころか活動に係る費用もまかなうことができない。ゆえに、非営利組織は利用者からの対価だけではなく、個人や企業の民間支援、国や自治体からの公的支援を財源に経営しているところが多い。美術館はレストランやグッズ販売等で利益を得て、その利益を企画展やアウトリーチ等の活動に投じているが、グッズ販売等の利益だけで全ての支出をまかなうことはできない。美術館の公益的活動の価値を社会に発信し、その価値に対して国や自治体の支援、企業や個人からの寄附等を受けて活動を継続している。

　営利組織は顧客に商品やサービスの価値を発信し、顧客の対価から利益を得て活動を継続している。一方、非営利組織は、利用者と利用者以外の人々に自らの活動の価値を発信し、利用者以外の人々からも資金調達をしなければ、活動を継続することが難しい。つまり、非営利組織はより多くの関係者を巻き込みながら活動をしなければならない、という難しさを抱えている。こうした営利と非営利の違いから、欧米や日本のアートマネジメントは、非営利組織、公益的活動を対象としてきた。

　しかし、営利と非営利の境界は曖昧になりつつある。営利組織が社会貢献として企業財団をつくり、非営利組織として芸術家を支援したり、美術館を設立、経営したりするといった活動は以前から行われてきた。サントリー美術館はサントリーホールディングス株式会社が設立した非営利組織、公益財団法人サントリー芸術財団が経営している。営利組織が企業の一部門として美術館を持つこともある。たとえば、森美術館は森ビル株式会社、

三菱一号館美術館は三菱地所株式会社の一部門として経営されている。さらに、近年はビジネスとして社会課題の解決につながる活動に取り組む団体、人々が増えつつある。作品制作に欠かせない楽器や衣装等の文化関連産業も含めてアートマネジメント・文化政策が議論されることもある。これまで公益的活動は非営利組織の領域とする考えが強かったが、今は営利・非営利を問わず、文化芸術における公益的活動、それを行う団体や支える団体がアートマネジメントの対象になってきている[2]。

③ 日本の芸術団体

　日本の芸術団体は、公立文化施設、自治体文化財団、実演団体、アートNPOの大きく4つに分けられる。近年は団体の活動が多様化し、この4つに分類できないものもあるが、アートマネジメントを考える第一歩として、以下ではこれら4つについて概説する。

　公立文化施設とは、都道府県や市町村などの自治体が設立した文化施設である。具体的には、劇場やホール、美術館などである。劇場やホールは、音楽や演劇等の作品の公演や講座などを行う。多くは、その施設を拠点に活動する座付の実演団体を持っていないため、他団体が制作した公演を買い取る、またはプロジェクトとして期間限定で人を集めて制作する形をとる。主たる財源は自治体からの運営費で、指定管理者の場合は指定管理料、直営の場合は一般財源と呼んでいる。指定管理者制度を導入している場合、定められた指定管理期間で人を雇用することが多く、公立文化施設の職員は任期付き雇用が多い[3]。なお、兵庫県立芸術文化センター、新潟市民芸術文化会館（愛称・りゅーとぴあ）のように、実演団体を有する公立文化施設もいくつかある。日本では1980年代から1990年代に多くの公立文化施設が建設され、劇場・ホール、美術館、練習場等は2019年時点で全国に3,442館ある（一般財団法人地域創造、2020）[4]。

　自治体文化財団とは、自治体が出捐し設立した文化芸術を専門に扱う団体である。文化振興財団とも呼ばれる。自治体は多岐にわたる領域を扱うため、特定の分野に特化した活動がしにくい。そこで、高い専門性を持っ

て活動できるよう、自治体とは異なる組織として財団を設立してきた。1980年代に公立文化施設が増加した際、これを管理するために設立された自治体文化財団が多く、指定管理者制度が導入された現在も文化施設の管理を主な業務にしている。公立文化施設の管理以外には、地域の芸術家や文化芸術活動に対する支援（助成金の提供や奨励など）、情報発信などを行っている。全国にある○○市文化財団、○○県文化振興財団といった名称の団体がこれに当たる。

　実演団体は、オーケストラや劇団など舞台作品を制作・公開する団体のことを指す。公益財団法人やNPO法人などの非営利組織の法人格で活動しているところが多いが、劇団では「株式会社」や「有限会社」などもよくみられる。実演団体には、演奏家や俳優等を雇用または専属契約し、作品を制作する団体もあれば、作品ごとに必要な人材を集めて制作する団体もある。前者はいつでも使える練習場所や公演場所といった拠点を持ち、演奏家や俳優のほか経営面を担う事務局スタッフを抱え、長期的に活動を行う。後者は、期間限定のプロジェクトとして動くため、拠点を持たないことが多い。制作時のみ練習場所を借り、公演やリハーサルの日数だけ会場を確保する。活動に参加する人々は、作品制作以外の時期は仕事がないため、他の仕事も掛け持ちする。この場合、継続的に活動を続けて行く団体というよりは、短期的なプロジェクトととらえるのが適切だろう。日本の実演芸術の多くは後者の方法で制作されている。

　アートNPOは、市民が設立した文化芸術関係の非営利組織を指す。1998年に市民活動を促進することを目的にNPO法が制定され、NPO法人を設立できるようになった。それまでは、市民が非営利組織や公益的な活動を行うために団体を設立しようとしても、設立に多くの資金や手続きが必要で容易ではなかった。しかし、NPO法人は、それまでに比べると簡易かつ費用負担が少なく設立できる。1998年以降、多くのNPO法人が設立され、2020年7月時点で5万1,058団体ある（内閣府ホームページ）。文化芸術においては、調査研究を目的とした団体、まちづくりを推進する団体など活動内容は多様である。NPO法人の劇団もあるが、アートNPOは、市民の意思によって設立された文化芸術のNPO法人のうち、

実演団体以外のものを指す。また、NPO法人に限らず、社団法人などの法人格であっても、市民が設立し公益的な活動を行う団体をアートNPOと考えることが多い。

 4 組織としての芸術団体

4-1 官僚制組織

芸術団体が長期的に発展していくためには、組織としてのあり方を検討する必要がある。本項では組織の基本的な考え方を概観する。

組織とは「ある目的を持った二人以上の集まり」と定義される。複数人で効率的・効果的に活動を行うことで、1人ではできないような活動を実現することができる。そのため、組織は「分業と統合」で成り立つ[5]。仕事を複数人で役割分担し、分担した仕事を統合することで1つの活動ができあがる。分業だけでは良いものはつくれない。組織が合理的・効率的に活動を継続するために考え出されたのが官僚制組織である（ウェーバー、1960：1962：1970）。

官僚制組織は、一定規模以上の組織が効率的に目的を達成するための合理的な組織の基本形態である。国や自治体をはじめ、企業や学校、病院などの多くが官僚制組織である。ある程度の規模の芸術団体、特に実演団体、自治体文化財団は官僚制組織の形をとるところが多い。

官僚制組織は、以下のような性質を持つ。

- 継続的な経営
- 規則により職位、職務権限、職務内容が定義されている
- 組織は階層化されている
- 専門的知識により組織で働く人々は支配されている
- 規則を適用するための専門的知識と訓練を必要とする
- 公私が分離しており、職位の専有がない
- 行政・調達の手段が職員から分離されている
- 全ての意思決定、処分、指令は文書化されている

官僚制組織は、長く組織が存続し活動し続けるための経営を前提にして

おり、人が交代しても活動に支障が生じないように考えられている。芸術団体では、1人のカリスマ的な人物に注目が集まることが多いが、団体の長期的発展のためには、その人がいなくなっても、活動が継続できる体制を持つ必要がある。

　官僚制組織は階層化され、階層にもとづき職務、権限の範囲、指揮命令系統、意思決定が明確化されている。これらは規則で定められており、文書で示される。規則化、文書化することで、だれもが自らの職務や権限の範囲を理解することができ管理がしやすい。つまり、人が入れ変わっても組織内に混乱が生じないよう、組織の安定を図るための仕組みといえる。

　官僚制組織では、1人の人が同じポジションにい続けるということはない。特定の人物が長期間同じ仕事に従事すると、その人に経験や情報が集中する。経験豊富な人、情報を多く持っている人がいると、皆がその人を頼り、時にはその人の意見が常に採用され、その人には逆らえないという状況も起きる。そのため、1人が長期間同じポジションいることがないよう定期的に人事異動が行われる。文化芸術活動は、専門性を必要とするため、同じ人が同じポジションで同じ仕事を長く続けている場合も多い。専門的な仕事では人事異動がないこともあるが、官僚制組織の考え方に基づけば、1人の人が全ての仕事を掌握し独占することのないよう配慮する必要がある。

　官僚制組織で働く人々には、公私を分けることも求められる。公私の境が曖昧になると、仕事に十分な時間が投入されない、仕事で得た情報を私的に使用するなどの不正にもつながる。人々は専業で働き、仕事の時間は決められ、公私の分離が徹底される。公益的活動を行う芸術団体の多くが、国や自治体からの支援を得ている、つまり税金によって活動を行っていることを踏まえれば、信頼に足る体制を整えることは不可欠である。また、芸術団体では長時間にわたる過重労働が起きやすく、適切な労働環境という意味でも、公私の分離の視点は重要となる。

　組織は活動を続けるために、さまざまなサービス、設備や備品等を調達する。実演団体であれば、衣装や舞台装置、公立文化施設では建物のメンテナンスなど、多様なものを購入する。官僚制組織では、資源を外部から

調達する際は、その理由を明確にし、複数の人々の了解を得て、価格やサービスの内容等を公正に比較して購入する業者を決める。組織で働く個人が、個人の判断で購入先を決められる仕組みにすると、癒着等の不正につながりやすく、属人的になるからである。

　このような性質を持つ官僚制組織で働く人々の雇用と労働は次のような特徴を持つ。

- 非人格的に職務義務に従事する
- 自由な選抜から雇用契約が結ばれる
- 専門性（試験や資格）によって任命される
- 厳格で統一的な規律と統制に従う
- 終身雇用が前提とされる

　官僚制組織では長期的雇用を前提に、働く人々は非人格的に職務を遂行する。規則で一律に判断できないようなケースがあったとしても、規則に従わなければならない。採用に際しては広く機会が与えられ、選抜で決定される。職位の決定や昇進は昇進試験や資格といった客観的に判断できる方法がとられる。特定の職務の権限やその立場にいる人の主観が組織に反映されにくくなっている。

　このような官僚制組織は国や自治体の組織を想像すると理解しやすい。行政組織では、全ては文書に記録され、規則をもとに物事を決定する。職員は公務員採用試験で選抜され、入職後は3～5年単位で人事異動があり、昇進試験もある。

　本来、合理的かつ効率的な組織であるはずの官僚制組織には批判も多い。組織が長く活動を続けていくなかで、手段が目的化することがある。たとえば、皆で情報共有するために文書化していたことが、文書化することが目的となり、文書化するために仕事をするというような事態が起こる。

　官僚制組織が非効率になることを「官僚制の逆機能」と呼び、訓練された無能力、目的の転移、セクショナリズム（縦割り）、繁文縟礼（はんぶんじょくれい）が指摘されている（マートン、1961）。官僚制組織では分業と階層による指揮命令系統が明確なため、他の部署との関わりが希薄になる。新しい仕事や担当がわからないような仕事が生じた場合、どの部署も対応できないため、新

たな部署を設ける。これを繰り返していくと、組織が大きくなりすぎ、組織を維持していくことに費用がかかりすぎ、さらに管理ができないという現象が起きる。組織の肥大化は意思決定が遅くなり、必要な時期に適切な判断が下せなくなるという問題も引き起こす。このような事態が起こったとしても、官僚制組織で働く人は規則のもとに仕事をしているため、問題を解決することはできない。手段であるはずの規則が、規則を守ることが目的になり、規則を守ることで非効率な場合があるにもかかわらず、規則を重んじてしまう。

　官僚制組織は、長期的な組織の継続に役立つ一方で、それが行きすぎると組織が病気にかかったかのように深刻な問題を引き起こす。文化芸術活動に対しては、新たな活動、創造的な活動への社会からの期待も大きい。しかし、官僚制組織の問題点が芸術団体で深刻になると、新しい活動に慎重になり、過去の成功や経験の範囲でしか物事を考えられなくなる。社会からの期待に応えられず、芸術団体の存在意義を問われることにつながりかねない。文化芸術を取り巻く環境はめまぐるしく変化している。官僚制組織は変化への適応を苦手とすることを踏まえ、組織をつくっていくことが芸術団体の経営には求められる。

4-2 組織づくり

　芸術団体が存続し続けるためには、効率的なだけではなく、社会の変化にも適応する組織を考えなければならない。組織は複数の人々の協働によって成り立っているため、そこで働く人に着目して、組織のあり方を考えたい[6]。

　人は常に一生懸命に組織に貢献するわけではない。能力があっても貢献しない場合もあれば、貢献したい気持ちはあっても貢献するに十分な能力がない場合もある。働く人々の貢献したい気持ちを高め、貢献するための能力を得てもらうにはどのようにすればいいのか。組織内の役割分担、コミュニケーションなどを上手く設計する必要がある。

　官僚制組織のように分業と階層で職務が決められている場合、どれだけ能力がある人でもそれを最大限に発揮することはできない。なぜなら、職

務の範囲が決められているため、その範囲でしか能力が発揮できないからである。能力のある人がその能力を最大限に発揮できるようにするためには、分業による職務にしばられすぎず、自由に動ける部分を残すことが有効である。決められた仕事がある一方で、新しいことにチャレンジする機会やまったく別の活動に従事する機会をつくる。これにより、今まで気がつかなかった能力を見いだすことができるかもしれない。適材適所で、限られた人的資源を有効に活用することが可能になる。

　組織の中でのコミュニケーションも同様である。官僚制組織のコミュニケーションは部署内で完結しがちである。また、指示する人、従う人の関係が明確なため、コミュニケーションは縦のつながりに限定されやすい。そこで、立場や部署を超えたコミュニケーションや情報共有の機会をつくることで、幅広い視野で組織全体の状況を考えながら自分の仕事を行う力、状況に合わせて仕事の仕方を変える力などを身につけることができる。これは新しい活動の発案や組織の問題点への気づきを得ることにもつながる。分業やコミュニケーションを見直すことで、官僚制組織に欠けている柔軟性を獲得できれば、それが社会の変化への適応力へとつながっていく。

　しかし、人は組織で長く働けば働くほど、経験から得た考え方にしばられやすく、新しい制度や方法を導入することは難しくなる。また、芸術団体は専門性が求められるため、ジャンルや組織ごとに「当たり前」が多く存在する。しかし、別の組織からみれば、それは非常識と思われることもある。当たり前と思っていることに疑問を持ち、それが本当に組織にとって有益かどうかを考えるには、違う価値観を持つ人々との交流が重要となる。組織内の部署を越えた交流だけではなく、他の組織や異なるジャンルの人々と触れ合う機会をつくることも肝要である。具体的には、スタッフが外で学ぶ機会を増やしたり、違うジャンルの人々と仕事をする機会を設けたりするなどの方法がとられる。

4-3 組織文化

　組織で働く人々が物事をどのように認識するか、その価値観や考え方を組織文化という。組織文化は、朝礼などの行事、創業者等の伝説、組織独

自の用語などを通して、働く人々に染み込んで行く。日本の企業は組織文化を強く意識した経営を行ってきた。例としてよくあげられるのが、松下電器産業株式会社（現・パナソニック株式会社）である。創業者である松下幸之助の考え方は、彼が亡くなった後も長く組織内に浸透し、同社の人々の行動指針になっていた。運動会、企業内クラブ活動などは、部署や立場を超えて皆が集まる場となり、働く人々が同じ価値観を共有する機会として機能した。このような行事は日本の組織の特徴と言われており、皆が同じ価値観を共有し、一体となるために多くの企業で導入された。一時期これらの活動は衰退していたが、近年復活する傾向にある。

　組織文化は、物理的な距離、コミュニケーションのあり方、組織で働く人々の同質性、相互依存性でつくられる。皆が物理的に近い距離でいつでも話ができる環境で仕事をする場合、同じ考え方を共有しやすい。しかし、距離が離れている場合、メール等では要件のみになり、考え方を共有するには至りにくい。増えつつあるテレワークではこの点が課題としてあげられている。規模の小さいアートNPO等では職場としての事務所がない場合も多く、スタッフは在宅で仕事をしていることもある。このような場合、設立時のメンバーは同じ価値観を共有しているが、それを他のスタッフと共有することができず、一体となって仕事に取り組むことや世代を超えて活動を継続することに苦慮するところもある。

　組織で働く人々の属性が似ている場合、強い組織文化がつくられやすい。出身地域や学校、年齢、性別などの属性が同じ人々は、経験してきたことが似ており、同じ考え方を共有しやすい。芸術団体はきわめて同質性が高い組織である。同じ音楽大学や芸術大学出身、同じ人物への師事、同じジャンルの芸術嗜好、似たようなキャリアなどである。大都市圏以外の公立文化施設や自治体文化財団では、同じ地域や学校の出身、自治会でも顔を合わせる関係といったケースもよくある。文化芸術に関わる人や愛好家は、幼少期から青年期にかけて文化芸術に親しんできた人が多い。文化芸術に関する多くの共通認識が活動を円滑に進めることにつながる。しかし、あえて言葉にしなくても自らの経験で文化芸術の価値を理解しているため、それを外に向けて説明することの必要性が理解し難かったり、苦手な場合

も少なくはない。

　職務を遂行する上での人々の関わりの度合いも組織文化に影響を与える。人との関わりが強いほど、相互依存性が高く、コミュニケーションの量は増大するため価値観の共有は進む。実演団体は相互依存性が高いが、自治体文化財団、公立文化施設、アートNPOでは仕事の仕方や分業のあり方によって、相互依存性が低い場合も見られる。

　組織で働く人々が同じ価値観を持っていると、同じ方向に向かって、一致団結して働くことができるが、その価値観が理解できない人は働きづらさを感じ離職を招くこともある。同じ価値観の人ばかりが集まると、さまざまな視点から物事を考えることができず、環境の変化に適応できなくなる危険性を持つ。一方、組織で働く人々が同じ価値観を共有していない場合、皆の考え方が異なるため一致団結や組織内での円滑なコミュニケーションが難しくなる。しかし、多様な考え方から物事を判断し、社会の変化に敏感かつ柔軟に対応できる可能性を持つ。

　組織のマネジメントに唯一無二の正解はない。組織で働く人々、その組織の活動や歴史に応じて、それぞれのやり方がある。多様な価値観に触れ、幅広い視点から客観的に組織を見つめ、問題を解決していくほかない。芸術団体は自由なイメージが持たれやすいが、実は官僚制組織と強い組織文化にしばられ、変化できないでいる団体も多い。社会の変化に応じて、文化芸術の価値を伝え、文化芸術に関わる多くの人が不安なく生計を立てていくことができるようにするためにも、安定しつつ環境に適応できる組織をつくることは欠かせない。

---

[1] 営利組織と非営利組織の違いについては田尾雅夫・吉田忠彦『非営利組織論』有斐閣アルマ、2009を参照。

[2] アメリカのアートマネジメント教育の協会であるAssociation of Arts Administration Educators (AAAE) においても、営利・非営利を問わないことが示されている。

[3] ただし、労働契約法が改正され、5年を超えて非正規で雇用することができなくなった。5年を迎える任期付き雇用は、本人の希望により無期雇用に切り替えることができる。

[4] 1つの館にホールや美術館など複数の文化施設があるものは除く。これを含めると3,671館ある。

[5] 経営学における組織の考え方については桑田耕太郎・田尾雅夫『組織論 補訂版』有斐閣アルマ、2010、塩次喜代明・高橋伸夫・小林敏男『経営管理』有斐閣アルマ、2009を参照。

[6] 組織デザインや組織文化については前掲書桑田・田尾 (2010) を参照。

《参考文献》
一般社団法人地域創造「2019年度地域の公立文化施設実態調査報告書」2020
　　https://www.jafra.or.jp/fs/2/8/1/0/3/_/2019chousaAd.pdf
　　（2020年8月31日閲覧）
内閣府NPOホームページ「認証・認定数の遷移」
　　https://www.npo-homepage.go.jp/about/toukei-info/ninshou-seni
　　（2020年8月31日閲覧）
マックス・ウェーバー『支配の社会学1』世良晃志郎訳、創文社、1960
マックス・ウェーバー『支配の社会学2』世良晃志郎訳、創文社、1962
マックス・ウェーバー『支配の諸類型』世良晃志郎訳、創文社、1970
ロバート・マートン『社会理論と社会構造』森東吾ほか訳、みすず書房、1961

2節
事業のプロデュース

北陸大学　桧森 隆一

1 自らの体験から

　本稿は、1993年から2008年まで筆者がヤマハ株式会社音楽企画制作室長および地域文化貢献ゼネラルプロデューサーを務めていた間に得た知見を基に一般化・理論化した、アートマネジメントおよび事業のプロデュースについての考察である。当時の音楽企画制作室の業務はコンサートや音楽イベントの企画・プロデュースが主なものであり、音楽のジャンルごとに複数のプロデューサーと制作スタッフを擁していた。クライアント（顧客）は主として公共ホールや自治体が設立した文化振興財団、そして博覧会や国体などの大型行政イベントの主催者だった。

　筆者はそこで組織のマネジメントとプロデュースの実務の両方を経験した。ヤマハ株式会社は営利企業だが、クライアントの自治体の文化振興部門や文化振興財団は非営利団体であり、彼らが主催するコンサートや音楽イベントは（有料、無料を問わず）営利目的の事業ではない。筆者の組織のミッションは、コンサートや音楽イベント（事業）の主催者であるクライアントが、事業の目的（営利ではなくたとえば地域の音楽文化の振興だったり、地域経済の活性化だったり）をより良く達成し成果を上げるために、彼らに代わって事業をプロデュースすることであった。

　以上の体験を基にして、アートマネジメントと事業プロデュースの理論を以下各項で展開する。筆者の体験は主として音楽・実演芸術に関するものだが、理論はアート全般に適用できるよう一般化、普遍化されていると信じる。

2 アートマネジメントと事業プロデュースの関係

　アメリカの経営学者ピーター・ドラッカーによれば、マネジメントとは組織の機関である。その役割は「①自らの組織に特有の使命を果たす。マネジメントは、組織特有の使命、すなわちそれぞれの目的を果たすために存在する。②仕事を通して働く人たちを生かす。③自らが社会に与える影響を処理するとともに、社会の問題について貢献する。」とする（ドラッカー、2001）。

　ドラッカーはさらに、「マネジメントは、常に現在と未来、短期と長期を見ていかなければならない」とし、それに加えてマネジメントには管理的活動と起業家的活動があると述べている。そしてドラッカーは、マネジメントの機能は営利組織にも非営利組織にも同じように存在する、と指摘している。それでは、アートに関わる組織に特有の使命、すなわちその目的とは何か。

　アートマネジメントとは「アートと社会をつなぐこと」だと言われることが多い。それは具体的にどういうことなのだろうか。筆者は、実演芸術、視覚芸術、その他新たに生まれるさまざまな芸術分野でアーティストが創り出す「芸術的価値」を、それを損なわずに「何者かにとっての価値」（つまり効用価値）に転換することだと考えている。

　たとえば、2001年にサントリーのテレビコマーシャルで世界的チェリスト、ヨーヨー・マの演奏が流れた。そのとき演奏された曲は、ピアソラのリベルタンゴで、これは当時ヨーヨー・マが取り組んでいた曲だった。つまり彼はサントリーのCMソングを演奏したわけではなく、あくまでも自身の芸術を追及している。しかし彼の芸術は、その価値を損なわれることなくサントリーウィスキーの商品イメージあるいは企業イメージの向上という効用価値に転換された。このCMを実現させた広告代理店およびヨーヨー・マのマネジメント事務所は、彼の生み出す「芸術的価値」をサントリーにとっての企業価値に転換したということができる。

　もう1つ事例をあげよう。2012年、ルイ・ヴィトンは現代美術の巨匠草間彌生とのコラボレーションを実現した。草間彌生のモチーフである水

玉をあしらった商品の販売とともに、世界400店舗以上の直営店のウィンドーディスプレイで草間のアート作品が展開された。この場合も、草間は自身の芸術をルイ・ヴィトンの要求に合わせて変えたわけではない。あくまでも自らの芸術を追求しているだけである。しかしルイ・ヴィトンは草間彌生の生み出す芸術的価値を自らの商品価値・企業価値の向上という効用価値に転換している。このコラボレーションは、当時ルイ・ヴィトンのアーティスティック・ディレクターで草間の熱烈なファンだったマーク・ジェイコブス（現在は自身のブランドを展開する世界的ファッションデザイナー）によって実現した。

　筆者がマネジメントの機能を果たしていた組織も、その目的は演奏家、作曲家その他アーティストの生み出す芸術的価値を、国、自治体、企業、そして市民にとっての価値に転換することであった。そしてその機能を果たすためには、プロデュースという役割が必要だった。それは前述のルイ・ヴィトンにおいてマーク・ジェイコブスが果たした役割である。

　アートマネジメントにおけるプロデュースの役割とは何か。アーティストの創り出す芸術的価値を社会の何者かにとっての価値に転換するためには、何らかの仕組み、あるいは「場」が必要である。その「場」を生み出すのがプロデュースの役割である。

　もし画家が絵を描いたとしても、その絵が画家のアトリエにしまわれているだけでは、芸術的価値はあるかもしれないが、それが社会の何者かにとっての価値にはならない。それが鑑賞者にとっての価値に転換されるためには、美術展という「場」が必要であり、コレクターにとっての価値に転換されるためには、ギャラリーあるいはオークションという「場」が必要である。

　ヨーヨー・マが創り出す芸術的価値をサントリーにとっての価値に転換するためにはテレビコマーシャルという「場」が必要である。クラシック音楽の演奏家が日々研鑽を積み、その演奏には高い芸術的価値があるとしても、コンサートという「場」がなければその価値が聴衆にとっての感動という効用価値に転換されることはない。

　端的に言えば、何もないところからこの「場」を生み出すのがプロ

デュースの役割であり、その仕事を担うのがプロデューサーと呼ばれる人々である。時として「場」はプロデューサーの「作品」と呼ばれることもある。たとえば、映画「バック・トゥ・ザ・フューチャー」のエンディングロールの最後に「製作総指揮スティーブン・スピルバーグ」という文字が出てくる。製作総指揮とはプロデューサー（あるいはエグゼクティブプロデューサー）のことだが、この場合、この映画はあくまでもプロデューサーであるスピルバーグの「作品」であって、映画監督のロバート・ゼメキスの作品でもなければ主演俳優のマイケル・J・フォックスの作品でもない。アーティストとしての監督や俳優はスピルバーグが生み出した「作品」という場の中でそれぞれ芸術的価値を創り出しているが、スピルバーグの「作品」が生み出されなければ、映画を見る観客にとっての効用価値には転換されない。

　しかし、プロデュースされた「場」が全てプロデューサーの「作品」になるわけではない。プロデュースされた「場」がプロデューサーの「作品」になるかどうかは、プロデューサーのあり方・役割による。

　いずれにしろ、アートマネジメントの中では、プロデュースはドラッカーのいうマネジメントの2つの活動のうち、起業家的活動、すなわちイノベーションの部分を担っている。そのことを次項で詳しくみていこう。

③ プロデュースとプロデューサーの2つの類型

3-1 創りたいものがあるプロデューサー

　プロデューサーには2つの類型がある。自分に創りたいもの（「場」あるいは「作品」と言い換えても良い）があるプロデューサーと、それがないプロデューサーである。

　ミュージカルプロデューサーで日本人として最初のSOLT（SOCIETY of LONDON THEATRE）会員となった又平亨はプロデューサーとは何か、について次のように述べている（又平、1997）。

(ア)　すべてのリスクを負って作品をクリエイトするクリエイターである。それゆえすべてを決める。内容にも主導権がある。

42

(イ)　クリエイターを使って金儲けをする商売人ではない。「オペラ座の怪人」は誰の作品かといえばプロデューサーのキャメロン・マッキントッシュであり、演出家ハロルド・プリンスの名前はでない。

(ウ)　はじめに企画ありき。既成概念を打破したときに感動は生まれる。

(エ)　はじめにマーケティングありきではない。

(オ)　個性的な一匹狼の集団を束ねるリーダーシップ（会社とは違う）。

(カ)　必要なのは交渉力。すなわち資金力（制作費としての資金を集める力）。

　この考え方は、自らの「作品」を生み出すというプロデュースの1つの類型である。この場合、プロデューサーには最初に実現したいアイディア（企画）があり、そのためにアーティスト（実演芸術・舞台あるいは映画であれば脚本家あるいは構成作家、演出家あるいは監督、俳優、美術家、音楽家、音響・照明など）を集め、実現のための資金を募る。資金の出し手はスポンサーであったり投資家であったりする。こうしてアーティストの創り出す芸術的価値を何者かにとっての効用価値（スポンサーにとっての価値、投資家にとっての価値そして観客にとっての価値）に転換する「場」としての「作品」が生まれる。

　この類型における歴史的プロデューサーといえば、いうまでもなく20世紀初頭にバレエ・リュスを主催したセルゲイ・ディアギレフだろう。ディアギレフは数々の「作品」（バレエの演目として）を生み出したが、その「作品」で活躍した芸術家は、舞踊家・振付家のミハイル・フォーキンやヴァツーラフ・ニジンスキー等、作曲家のイーゴリ・ストラビンスキー、クロード・ドビュッシー、モーリス・ラヴェル、エリック・サティ等、指揮者のピエール・モントゥーやエルネスト・アンセルメ等、舞台美術や衣装を担当したアンリ・マティス、ジョルジュ・ルオー、パブロ・ピカソ、ジョルジュ・ブラック、モーリス・ユトリロ、ジョルジュ・デ・キリコ、ココ・シャネル、マックス・エルンスト、ジョアン・ミロ等、脚本作家としてのジャン・コクトー等、20世紀を代表する芸術家が集まっている。彼ら大芸術家が創り出す芸術的価値も、モダンバレエの分野においてはディアギレフがプロデュースする「場＝作品」がなければ、観客にとっての感動という効用価値に転換されることはなかったのである。このような

巨匠たちを束ねて1つの「作品」を生み出すディアギレフのプロデューサーとしての力量は想像を絶するものがある。

3-2 創りたいものがないプロデューサー

　以上のように、自身に創りたいものがあるプロデューサーの活動はわかりやすい。資金面も含め全てのリスクを負い、成功すれば「作品」に自分の名が残る。では、創りたいものがないプロデューサーとはどういうことか。それは端的にいえばクライアントが存在するプロデューサーのことである。

　前述したヨーヨー・マをCMに起用したサントリーや、草間彌生を起用したルイ・ヴィトンは、創りたいものがないプロデューサーにとってのクライアントである。つまり、創りたいもの、すなわち創るべきものは、クライアントが実現したい価値としてプロデューサーに示されるのである。

　企業はアーティストが創り出す芸術的価値を、自社の効用価値としての商品価値・企業価値に転換しようとする。地方自治体はアーティストが創り出す芸術的価値を、地域にとっての効用価値（地域の活性化や地域経済の活性化など）に転換することを望むかもしれない。あるいは福祉や教育の現場でも、芸術的価値をそれぞれの現場にとっての効用価値に転換するニーズがあるかもしれない。

　創りたいものがないプロデューサーは、このようなクライアントの意図を実現するための「企画＝場」を生み出すのが職能である。このような職能のプロデューサーにとっては、自分が生み出したものが自分の「作品」であってはならないのである。あくまでもクライアントの意図を実現するか、自らの属する組織の意図を実現するのがその職能である。

　営利・非営利を問わず、アートの分野のマネジメントを機能として持つ組織では、プロデュースという「場」を生み出す役割があり、それを職能とするプロデューサーが存在している。筆者が直接知っている範囲でいえば、大手広告代理店にはイベントプロデューサーがいて政府や企業、自治体からの依頼を受けてイベント（たとえばアーティストを起用した企業の販促イベントや、多種多様なクリエーターを必要とするスポーツ大会の開

会式のような）を企画・制作つまりプロデュースしている。そこまで大型のイベントでなければ、大小さまざまのイベント制作会社があり、大手広告代理店や企業、自治体、つまりクライアントから依頼（発注）を受けてイベントを制作しているが、そこにはアーティストやクリエーターを束ねてクライアントの意図を実現するプロデューサーが存在する。

　2004年に静岡県で開催されたしずおか国際園芸博覧会（浜名湖花博）を会場として筆者がプロデュースした複数の音楽イベントも、主催者である財団法人しずおか国際園芸博覧会協会（実質的には静岡県庁）から依頼され、協会から示された博覧会の意図を実現するために企画・制作したものである。つまり出演するアーティストの創り出す芸術的価値を、協会にとっての効用価値（来場者に対して博覧会の意味を理解してもらう、花と音楽の融合によって生まれる博覧会の雰囲気づくり）に転換する「場」としてのコンサートや音楽イベントをプロデュースしたのである。

3-3　クライアント寄りのプロデューサーと
　　　アーティスト寄りのプロデューサー

　以上創りたいものがないプロデューサーの項で述べてきたのは、クライアントの意図を実現するクライアント寄りのプロデューサーのあり方・役割である。同じ創りたいものがないプロデューサー（自分の「作品」を創るのではないプロデューサー）であっても、アーティスト寄りのプロデューサー、というあり方・役割がある。

　1つ事例をあげよう。クラシック音楽の分野の音楽事務所にもプロデューサー（現実的にはそう呼ばれずに営業の名刺を持っているかもしれないが）がいる。クラシックの音楽事務所は、芸能事務所やポピュラー音楽分野の事務所と異なり、アーティストとの間に「演奏事務契約」を結んでいる。つまりコンサーに関する諸々の事務をアーティスト自身に代わって行い、アーティストが得る収入（チケット売上だったり出演料だったり）から一定の率で手数料を取ることで成り立っている業態である。ということは、そこに企画・制作つまりコンサートのプロデュース業務が発生する。つまり、音楽事務所の社員の仕事はただアーティストを売り込むことでは

ない。クライアント（たとえば自治体の文化ホールを運営する文化振興財団）に対しては、そのホールの目的を把握し、それを実現するために最も効果的なコンサートとアーティストの組み合わせを企画し提案しなければならない。ただ「このアーティストは賞を取っていて有望です」と言うだけでなく、そのホールでコンサートをホール主催の自主事業としてやることの必然性が必要だ。そのようなコンサートを企画・提案し、採用されれば制作・プロデュースしなければならない。そのなかで自身の事務所が事務代行するアーティストの表現、芸術的価値を尊重しなければなければならないのはいうまでもない。ヨーヨー・マはピアソラの曲を弾きたいのであって、サントリーのCMソングを弾きたいわけではないのだ。

　稀代の現代アートのギャラリスト、小山登美夫はプロデューサーの仕事について次のように述べている（小山、2009）。
「・他人の中にある、見えない才能や能力を発見する
　・才能を外へ引き出して、作品／商品という形にまとめる
　・誰も見たことのない、生まれたばかりの新鮮な作品／商品を扱う
　・展示や宣伝によって作品／商品の魅力を顧客に伝える
　・世界標準で、営業・販売・広報活動をする」
　そして自分が歩んできたのは、「つくり手とともに力をあわせ、各々が持てる力を出し合い、ともに進んでいく道」だという。これは、まず第一に小山が自らの作品を生み出すプロデューサーの類型ではない、ということと、次にクライアント寄りではなく、アーティスト寄りのプロデューサーだ、ということである。

　では小山は、自身が手がける現代美術のアーティストが生み出す芸術的価値をだれにとっての効用価値に転換しようとしているのか。つまりクライアントとはだれなのか。それはギャラリーの顧客であるコレクターである。価値を転換する「場」として小山はギャラリーや展覧会、アートフェアの展示空間を生み出しているのである。

④ プロデュースにとっての顧客とは（プロデュースの構造）

　おおよそ全ての、アートに関わる組織のマネジメントがアートマネジメントであり、そのような組織特有の使命は「アートと社会をつなぐ」ことであり、そのための「場」を生み出すのがプロデュースだとしたら、その「構造」つまりプロデュースが成立する要件は何かを考えなければならない。

　その前に、本稿におけるアートの定義について簡単に触れておこう。Artは西欧では日本より狭い意味で使われることが多い。すなわち「芸術」である。したがってたとえばCraftは通常はArtには含まれない。しかしArtの語源はラテン語のarsであり、その意味は技術、美術、腕前、企み、駆け引きなどである。それならば日本語のアートのように広くとらえてもいいのではないだろうか。筆者は日本語の使われ方を整理し、アートを「心（アーティストのイメージ）を何らかのメディア（表現媒体）に載せ、そこに腕前（技術）があるもの」と解釈している。

　アートマネジメントの研究者、ウィリアム・J・バーンズはアートマネジメントが存在する組織として、「arts and entertainment organizations and companies」（バーンズ、2009）としているが、日本ではエンターテインメントを含む概念としてアートを考えてもいいのではないだろうか。

　さて、プロデュースが成立する要件の1つとして、あらためてアートマネジメントが存在する組織の顧客とはだれかを定義しなければならない。ドラッカーは「顧客は誰か、の問いこそ、個々の企業の使命を定義する上で、もっとも重要な問いである」と述べている（ドラッカー、2001、前掲書）。

　たとえば自治体が設置した公立文化施設の顧客とはだれか。多くの人はその施設の来場者、観客や利用者と答えるだろう。しかし本当にそうだろうか。施設にとって第1の顧客は、設置した自治体ではないだろうか。つまり、施設は自治体が設置した目的を果たす使命がある、ということだ。第2の顧客は、設置者の自治体に対してこの施設をつくらせた市民・納税者であろう。そして第3の顧客が利用者である。

アートマネジメントの存在するこのような文化施設ではプロデュースの役割が内在しているだろう。あるいはクラシック音楽事務所や制作会社のプロデューサーが企画を提案しているかもしれない。どちらのプロデューサーもまず考えなければならないことは、アーティストの創り出す芸術的価値を、だれにとっての価値に転換しなければならないか、そのためにどのような「場」を生み出さなければならないか、ということである。

　設置者の目的がたとえば「地域文化の振興」であるならば、そのような設置者にとっての効用価値を生み出す「場」が必要である。もし文化施設の市民・納税者にとっての効用がたとえば「シビック・プライド」を醸成することであったり、「多文化共生社会の実現」であったり「社会的包摂」であったりするのなら、そのための「場」をプロデュースしなければならない。そして、利用者・観客にとっての効用価値がたとえば「感動」であるなら、そのための「場」のプロデュースが必要である。公立文化施設にとってこのような3つの顧客がいるとすれば、それぞれの顧客にとっての効用価値を考え、いずれも満たすようにアーティストの創り出す芸術的価値を転換しなければならない。そのような「場」を生み出すことがプロデュースである。ドラッカーも「顧客は一種類ではない。顧客によって、期待や価値観は異なる」（ドラッカー、2001、前掲書）と述べている。

　以下に考えられるアートマネジメントの顧客とプロデュースの構造を事例としていくつかあげる。これ以外にもさまざまなアートマネジメントにとっての顧客とプロデュースの構造が考えられる。アートマネジメントに携わることを希望するのであれば、まず顧客とはだれか、から考えてほしい。

図表2-2-1　アートマネジメントにとっての顧客とプロデュースの構造 (事例)

顧客	顧客にとっての効用価値	アートマネジメント	プロデュース	アーティスト
クラシックコンサートの観客	感動 教養	コンサートを主催する組織	コンサートの企画・制作・宣伝・販売	芸術的価値＝良い演奏
愛知県西尾市佐久島振興課、島を美しくつくる会 (島民団体)	佐久島の交流人口拡大・活性化	担当するアートコーディネート・プランニング会社	アートの島佐久島としてのプラン策定、アーティスト選定	現地を理解した作品制作、ワークショップなどの活動
ニューヨークの現代美術のコレクター	将来価値の上がる作品のコレクション	ギャラリーあるいはアーティスト自身	作品を西洋美術史上に位置づけるプロモーション、演出	「狙った」作品の制作
サントリー	(低迷していた)ウィスキーの商品イメージ向上	広告代理店	アーティスト・楽曲・映像の提案	ヨーヨー・マがピアソラの「リベルタンゴ」を演奏
クラシック音楽の演奏家自身	自身の芸術的価値 (評価) の向上、観客の感動	演奏家の依頼したクラシック音楽事務所	リサイタルコンサート制作とプロモーション	芸術的価値＝良い演奏

筆者作成

　図表2-2-1の構造 (事例) のように、アートマネジメントにとって、プロデュースするうえで顧客と顧客にとってのアートの効用価値を定義することがいかに重要かを理解する必要がある。

5　プロデュースにとってのアーティスト

　プロデュースが成立するもう1つの要件は、アーティストの存在である。日本にアーティストは何人いるのだろうか。答えは41万3,100人。2015年国勢調査で職業欄に「著述家」「彫刻家・画家・工芸美術家」「デザイナー」「写真家・映像撮影者」「音楽家」「舞踊家・俳優・演出家・演芸家」のいずれかに該当すると記入した人の数である (文化庁文化芸術関連データ)。

この人数はあくまでも職業としてのアーティスト（何らかの組織・企業に属しているか否かを問わず、自己認識として）である。ここで職業としてのアーティストとアマチュアの違いを整理しておこう。

図表2-2-2　プロとアマチュアの違い

	プロ（職業）	アマチュア
生活	自分の芸で生活費を稼いでいる、あるいはそれを目指している。他の生活手段を持たない（アルバイトを除く）。	生活手段は他にある。芸は趣味としてやっているので100％時間を割いているわけではない。
芸への姿勢	自分の芸で客を喜ばせたいと強烈に思っている。そのための苦しさをいとわない。	自分が好きなことを追求している。自分が楽しみたいと思っている。
主催者（クライアント）への姿勢	自分の芸は曲げないが、主催者の意図にはできるだけ応えたいと思っている。	いやなことは無理にやらない。応用はきかない。
プロデュースの心得	主催者の意図を実現するにふさわしいプロを選ぶ。選んだらプロの芸を尊重するが意図は共有する。	わがままなアマチュアが気持ちよくできるように「場」をつくる。

筆者作成

プロデューサー（創りたいものがあろうがなかろうが）がアーティストと仕事をする場合に以下の点に留意する必要がある。
- アーティストは個人営利事業者である。だから競争社会に身を置いている。その立場を理解しよう。
- アーティストの売り物は、作品、実演、著作権、著作隣接権、肖像権である。売り物は尊重しよう。
- プロデューサーは評論家ではない。アーティストとは実演や作品の良し悪しや解釈は話題にしない。
- アーティストには、演奏であれば譜面、演技であれば台本、その他創造のうえで何らかの指針（枠組み）が必要である。それがあってはじめて無から有を生じさせる（芸術的価値を創り出す）ことができる。枠組みはアーティスト自身が自らに課すこともある。

- 出演料あるいは作品の価格はアーティストの創り出す芸術的価値を測る指標の1つである。値切ることは芸術的価値を貶めることになる。
- プロデューサーはアーティストが最大限のパフォーマンスを発揮できる企画、条件すなわち「場」を用意しなければならない。

　以上は筆者が長年アーティストと仕事をする上で学んだことであるが、さらにギャラリスト小山登美夫は「(アーティストの) 現時点での力量を見る必要があります。……実力測定とは、見込んだアーティストの才能が現時点でどの程度開花しているのか、その後の可能性はどうかを判断すること」(小山、2009、前掲書) と述べている。

　さらに小山はアーティストの姿勢について次のように言う。「アーティストのテンションの高さ低さは、残酷なまでに作品にあらわれます。だから、質の高い展示と販売を維持するには、逆説的ですが、売ることを意識しないで制作することが大切になってくるのです」。

　プロデューサーが一緒に仕事をするアーティストは、偶像でもカリスマでもない生身の人間である。だからこそ、プロデューサーはアーティストのモチベーションを維持し、マンネリに陥らないことに心を砕かなければならないのだ。「売れるものをつくってください」「この前うけたあれをまたやりましょう」はプロデューサーにとっての禁句である。

　最後に、小山も言うようにアーティストを「発掘」するのもプロデューサーの役割である。しかしアーティストに実力がつき、評価や知名度が上がった場合、アーティストはたくさんのオファーの中から仕事を選ぶようになる。自ら創り出す芸術的価値を最大限にすること以外は考えていないアーティストにとっては、その観点から興味ある仕事を選ぶのは当然のことである。したがってアーティストのする仕事の選択はオファーが来た順番ではない。このことが、時によってはプロデューサーとの信頼関係を損ねるかもしれない。しかしアーティストを尊重するということは、そういうことを飲み込む度量がプロデューサーにとって必要だということである。

6 プロデュースの手法

あらゆるプロデューサーは基本的に以下のプロセスを踏んでプロデュースする。

図表2-2-3　プロデュースのプロセス

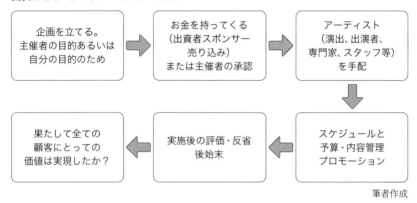

筆者作成

プロデューサーにとって最も大切なことは企画である。企画とは、アイディアや願望を具体的な形にし、他人に理解されるようにすることであり、全ての始まりである。別の言い方をすれば、企画とはクライアントの（あるいは創りたいものがあれば自分自身の）目的を実現するプランである。そのためにクライアントはだれか、その目的と実現すべき効用価値は何かを見極めることがまず第一歩である。

経験を積んだプロデューサーにとっては、企画の方法には自身のスタイルがあり、これを一般化・普遍化することは難しい。アートの分野ではいまだにプロデューサーの「職人芸」に頼っているのが実情である。少しでも一般化するために、筆者が企画のために使用する「企画シート」を紹介する。これはあくまでも筆者のスタイルであるが、筆者が講師を務めた複数の公立文化施設の「市民プロデューサー養成講座」のようなイベントでそれなりの効果があることを確認している。

図表2-2-4　企画シート

企画テーマ：	
企画の目的・与件・課題	引き出し
主催者、クライアントはだれか？ その目的・実現したい価値は何か？ 与件として何を与えられているか？ （日時、会場、予算、出演者の要望など） 実施する上で課題（制約条件）は何か？	企画テーマに関連する自分の知識、経験、人脈、情報その他自分が動員できる資源
企画名：	

筆者作成

　実際の方法はまず企画テーマ、つまり〇〇施設開館記念イベント、あるいは〇〇ホールの夏休み子ども向けコンサート、あるいは筆者が実際にプロデュースした例として「静岡グランシップ開館記念式典＆コンサート」「高輪区民センター初年度自主事業」が設定される。

　次に企画の目的・与件・課題と自分の持っている引き出しの中のものとを戦わせる、つまりぶつけ合うのだが、これは自分の脳内でやってもいいし、チームでブレーンストーミングをしてもいい。そうすればひらめいて自ずと企画コンセプトが浮かび上がってくる（生みの苦しみの果てに）。それをわかりやすい企画名に落とし込むことができれば、あとは企画書（企画名、会場、日時、目的、内容、アーティスト、予算、スケジュール等）を詰めればいい。

　ここで「主催者」という言葉が出てきた。「主催者」とはリスクをとる存在である。前述のスピルバーグや又平であればプロデューサー自身がリスクをとる（売れなければ自腹）主催者となる。創りたいものがないプロデューサーにとっては、リスクをとる主催者がクライアントである。この場合プロデューサーはリスクはとらないが、責任がある立場なので結果は個人として評価される。したがってリスクを最小限に抑えることに努めるのもプロデューサーの役割である。

7 プロデュース人材とは

　プロデューサーとはどういう人たちなのだろうか。どうすればなれるのだろうか。自分が創りたいものがあるプロデューサーはもともとアーティストから出発した人が多い。映画監督、演出家、俳優、音楽家、写真家、美術家など創りたいものが個々の作品から「場」へと広がっていくことによりプロデュースするようになる。

　創りたいものがないプロデューサーは、アートマネジメントが機能として存在する組織に入り、プロデュースの手法とスキルを身につけていくことになる。小山も東京藝術大学卒ながらそのキャリアは画廊の社員からスタートしている。又平が言うように、必要なスキルは交渉力である。つまり営業力、スポンサーを見つける力、資金を集める力、売り込む力、アーティストや制作を束ねる力、これらのスキルを身につけることがプロデューサーになるために必要である。

　本稿で論じているアートマネジメントやプロデュースの姿は、従来言われていることとは異なるかもしれない。しかし、プロデュースは学問ではなく実践である。そしてプロデュースの対象はアートやエンターテインメントの世界だけでなく、地域社会やコミュニティにも存在する。市民がアートで地域を活性化しようとする場合、市民自らプロデューサーのスキルを身につけるのが早道である。

《参考文献》
P.Fドラッカー『エッセンシャル版マネジメント』上田惇生編訳、ダイヤモンド社、2001
又平亨『感動製造業宣言』東京FM出版局、1997
小山登美夫『何もしないプロデュース術』東洋経済新報社、2009
William J. Byrnes *Management and the Arts* 4th ed. Focal Press、2009

3節
ファンづくりのマーケティング

愛知大学　太田 幸治

1 マーケティングの核心

読者の皆さんは、マーケティングと聞いて何を思い浮かべるだろうか。市場調査？ 販売戦略？ それとも広告などのプロモーション？

これらは皆、マーケティングの一部（しかもほんのわずかな）に過ぎない。では、マーケティングの核心は、どこにあるのか。

"Think different"を社のスローガンに掲げたApple社の創業者スティーブ・ジョブズは、まさにマーケティングの核心をついていた。iPhoneに代表されるスマホが発売される前、コンピューターと携帯電話、音楽プレーヤーが一体化された製品を欲しいと思っていた消費者が地球上に一体何人いただろうか。

マーケティングの核心は、売り手が買い手に「お前らは未だ気づいていないだろうが、本当に欲しいものはこれだろ？」という新しい価値（マーケティングでは製品コンセプトという）を提案し市場を創造することである。決して、売り手が市場のニーズに迎合することではない。

本節では皆さんをマーケティングの「ど真ん中」にお連れする。本節ではマーケティングの専門用語を理解してもらうことになる。専門用語の意味を理解すべく丁寧に読み進めて欲しい。最後まできちんと読み、内容を理解できたならば、皆さんはファンをつくり、それを維持できるアートマネジャーになっているはずである。

1-1 企業におけるマーケティング部門の位置づけ

企業のなかで売上高に責任を持つのがマーケティング部門である。だから企業のマーケティング部門の禁じ手は、製品の価格の値下げである。企業のマーケティング部門は、製品やサービスが値下げしなくても売れるよう

な策を練りその策を実行する。ゆえにマーケティングではブランド（brand）という概念が重要視される。ルイ・ヴィトン（LOUIS VUITTON）にはバーゲン・セールはないという。いわゆる高級ブランドはマーケティングを見事に実行している。

1-2 企業にとっての利益

企業の成長には利益が必要である。ゆえに企業にとっての利益は、目的でもあり手段でもある。利益は、売上高からコストを引いたものである。企業が利益を出すためには、売上高を増やし、コストを下げれば良い。売上高は単価×数量である。製品の価格を高くし、その製品をたくさん売れば売上高は増える。コストを下げるには無駄を減らせばいい。マネジャーが経営に使えるものを経営資源（ヒト、モノ、カネ）という。経営資源はすべて有限である。ゆえにマネジャーには経営資源の無駄のない組み合わせが求められる。この無駄のない資源の組み合わせのことを効率性という。

 ## 2 ファンとは何か

ファンづくりのマーケティングは、企業のみならず文化財団などの非営利組織にも不可欠である。

本稿ではファンを「当該製品やサービスに期待を持ち続け、そして期待を更新し続けてくれる消費者のこと」とする。

アートマネジャーの仕事もその作品、イベント、劇場や美術館といった施設のファンを創出し、維持することである。ファンをつくるためにも、そしてファンを維持するためにもマーケティングは不可欠である。

3 マーケティングの基礎知識

3-1 マーケティングとは何か

マーケティング（marketing）とは、「市場のニーズをさぐり、それを満たすことを目指す重要な企業活動」（相原、1989）である。マーケティングで

は市場（market）を、「金を支払うであろう消費者の集まり」と定義する[1]。

　次に、ニーズ（needs）とは人間の感じる欠乏状態のことである。ニーズは抽象的欲望とも言われる。たとえば「綺麗になりたい」「美味しいものが食べたい」「楽しいことがしたい」などがニーズである。ニーズに似た概念にウォンツ（wants）がある。ウォンツとは、ニーズが文化や人格を通じて具体化したものである。ゆえにウォンツは、具体的欲望とも呼ばれる。前述のニーズに照らし合わせて言えば、たとえば「D&Gの香水が欲しい」「ロブションのコース料理が食べたい」「ミュージカル『オペラ座の怪人』が観たい」などがウォンツである。

3-2 マーケティングの根底にある思想

消費者は物体ではなく、製品コンセプトを買っている！

　レビット（1969）は、「ある年1/4インチのドリルが売れた。このとき、消費者はドリルという物体が欲しかったのではなく、1/4インチの穴が欲しかったのである。」と説明した。またレビット（1960）は、企業が自社の事業（business）を売っている物で定義してしまうことを「マーケティング近視眼（marketing myopia）」と呼び批判した。たとえば、鉄道会社が自らを鉄道屋と定義していたならば、その鉄道会社はマーケティング近視眼に陥っているといえる。また映画会社が自らを映画屋と定義したら、それもマーケティング近視眼に陥っている。レビットの主張に共通していることは、消費者が買っているものは物体ではなく便益（benefit）であるということである。

　なぜマーケティングでは、このような考え方をするのだろうか。理由は2つある。

　1つは消費者のニーズは、製品という物体そのものではなく、その製品を消費したときに得られる便益で満たされるからである。

　もう1つの理由は、消費者は便益を買っていると考えないと、企業は競争相手を見誤ってしまうからである。消費者は鉄道に乗ることが目的ではなく、移動や輸送のために鉄道を使用している。鉄道会社が自らの事業を鉄道と定義してしまうと、自社の競争相手を考える際に同業である他の鉄

道会社にしか目がいかず、トラック会社や、航空会社、バス会社に顧客を奪われてしまうのである。

この消費時点に得られる便益を売り手の言葉で表現したものを製品コンセプト（product concept）という。製品コンセプトは「市場のニーズをユニークに充たす当該製品の固有の便益を凝縮的な一言で言い表したもの」（太田、2014）と定義される。ここでのポイントは、コンセプトは、その製品のスペック（成分や性能）でも特徴でもないということ、そしてその製品固有の便益であるということ、である。

消費者は自身の欲しいものをわかっていない！

基本的に消費者は自分で自分の欲しいものをわかっていない。ゆえに、売り手は市場に便益を提案することによって市場のニーズをウォンツに、そして需要[2]に変えることができる。その際に提案される便益が、製品コンセプトなのである。

売り手は、市場が何を欲しているのかを考え、製品コンセプトをつくり、それを市場に提案する。このことが顧客志向の真髄であり、マーケティングの核心である。顧客志向とは、決して市場のニーズに迎合することではない。

マーケティングにおける競争は顧客の奪い合いである。売り手は、消費者がただ欲しいものを提案するだけでは競争には勝てない。売り手が競争に勝つためには製品差別化（product differentiation）が必須となる。製品差別化とは、当該製品と他の製品が違ったものであると消費者が思うことである。製品に差異をつけることが製品差別化ではない。どんなに製品のスペックやパッケージに違いをつけても消費者に他の製品と同じだと思われたら製品差別化は失敗である。

明確な言葉になっていない製品コンセプトは無用の長物

マーケティングを実践する上で、最もこだわるべきものが製品コンセプトの策定である。なぜなら、製品コンセプトこそが、売り手が市場に提案する便益＝価値だからである。

明確に示されていないものは製品コンセプトとは言わない。確かにコンセプトがないアートはない。しかし、先に定義したコンセプトを策定し、

それに基づきマーケティングやマネジメントが行われているのであろうか。というのも、アートに限らず、一般の製品のマーケティングにおいても本稿で言うコンセプトがないままマーケティングもどきがなされていることが多々ある。山田（2016）によれば、サウスウエスト航空の「空飛ぶバス」、岡本太郎の「芸術は爆発だ」という名コンセプトがある一方で、世は贋のコンセプトで溢れているという。山田は、贋のコンセプトの例として牛肉の「和牛革命」、そして高級バイクの「ダイナミック・プレミアム」をあげている。山田は、前者は意味がわからないのでコンセプトにならない、また後者は高級なものはプレミアムだし、バイクはダイナミック（動的）に決まっているからコンセプトになりえないと解説している。

3-3 STP

売り手がマーケティングを策定する際、図表2-3-1のようなマーケティング・マネジメント・プロセスを経る[3]。

図表2-3-1　マーケティング・マネジメント・プロセス

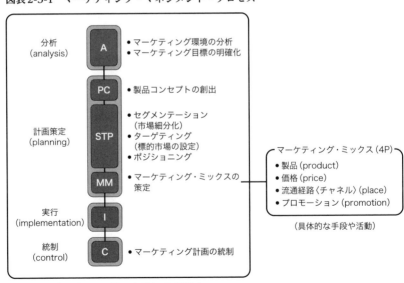

（マーケティング・マネジメントの流れ）

出所：久保田・澁谷・須永『はじめてのマーケティング』、51頁を筆者が加筆修正

ここでは、とりわけSTPについて説明する。STPとは、市場細分化（segmentation）、標的市場の設定 (targeting)、ポジショニング (positioning) の頭文字をとったものである。

　まず、売り手は市場のニーズが多様であることを理解しなくてはいけない。ここでのポイントは人によってニーズは異なること、そしてニーズは時とともに変化することである。

　そして、企業の経営資源は有限であることも忘れてはならない。市場のニーズが多様であるゆえ、市場を1つの塊ととらえマーケティングを行うことは経営資源の無駄遣いとなる。

　売り手は効率性を実現するため、製品を買ってくれそうなニーズを持った消費者群を見つけなければならない。この消費者群を標的市場 (target)という。売り手は標的市場の設定 (targeting) をしなければならない。

　標的市場の設定は、市場細分化 (market segmentation) から始まる。市場細分化とは、多様なニーズを有する消費者の集まりである市場を、同一ニーズを有するグループに分ける作業である。ここでのポイントは、市場を消費者のニーズでグループ分けすることである。市場細分化は、年齢や性別、居住地域、職業ですればいいというわけではない。たとえば、ひとえに大学1年生女子といっても人によってニーズは異なる。大学1年生女子が読んでいるファッション誌は、大学1年生向けにつくられているのではなくニーズごとにつくられている。ゆえに、大学1年生の女子と一口に言ってもその消費者のニーズごとに読む雑誌は異なっているのである[4]。

　実際にやってみるとわかるが、この市場細分化は実に骨の折れる作業である。なぜなら、消費者のニーズはみえないからであり、消費者に自身のニーズを聞いても漠然とした答えしか返ってこないからである。市場細分化は、売り手が売る製品のニーズを確定する過程だと考えて欲しい。消費者のニーズはみつけるものというよりも、売り手が創るものであると思った方がいい。

　市場細分化によってできた市場の各々のグループのことをセグメント (segment) という。セグメントは、ニーズごとにできている。市場細分化が済んだら、売り手が集中的に資源を投入するセグメント＝ニーズを決

めることになる。これを標的市場の設定という。この際、市場規模（セグメントの人数）がマーケティング目標と適合しているかを検討する必要がある。

　標的市場が決まったら売り手は、当該製品がどのような製品差別化を展開するのかを決めなくてはいけない。当該製品に興味を持ったターゲットは、当該製品と競合製品を心の中で比較する。消費者の心の中で競合製品との比較が行われない製品は、マーケティングで苦戦することが多い。なぜなら、かような製品は消費者に理解されにくいからである。消費者にとって比較できる製品がないという状態は、当該製品と似たものを見たことも聞いたこともないということである。大塚製薬のポカリスエットやカロリーメイトは売上高が軌道に乗るまでに相当な年月を要した。なぜなら、これらの製品にはライバルが存在せず消費者に理解しづらい製品だったからである。

　しかし、一方で消費者が他の製品との違いを識別できない、つまり当該製品と他の製品の違いがわからなかったら製品差別化ができていない状態であるといえる。

　ここでポジショニングを定義しよう。ポジショニング（positioning）とは、ターゲットの心の中に当該製品を位置づけることを意味する。ポジショニングとは、当該製品が競合製品とどのような差別化を展開するのかを決めることである。

3-4 マーケティング・ミックス

　STPが決まったら、売り手は標的市場に当該製品のコンセプトを訴求する手段を決める。この意思決定は売り手自身にとっての統制可能変数（なんとかできる手段）の組み合わせを決めることである。この組み合わせのことをマーケティング・ミックス（marketing mix）という。売り手の統制可能変数は4つのPにまとめられる（マッカーシー、1960）。この4つのPは命名した人物の名前を取り「マッカーシーの4P」と呼ばれる。4Pは、製品（product）、価格（price）、流通経路〈チャネル〉（place）、プロモーション（promotion）からなる。

まず、製品政策。これは、製品コンセプトを具現化していくための意思決定である。ここには製品の性能やスタイル、パッケージ、ブランド名の決定のみならずアフターサービスや保証、配達、取り付けといった消費者がその製品を使えるようにするための付随サービスの決定も含まれる。

　価格政策。これは、当該製品をいくらで売るのかについての意思決定である。マーケティングの禁じ手は値下げである。安くないと売れないという発想は、マーケティングとは相いれない。安直に値下げすることが許されるのであれば、マーケティングはいらない。ただマーケティングでは、高すぎても安すぎても製品は売れないと考える。

　流通経路〈チャネル〉政策について。これは、いかに当該製品を消費者に到達させるかについての意思決定である。ここでのポイントは、当該製品をどの店で売るのかではなく、どの売り場で売るのかに注目することである。以前、筆者のゼミナールが「スイーツのことばかりを考えている女子大生」をターゲットにした高級干し柿のマーケティングを実施した際、当該製品を高級スーパーのスイーツ売り場に配架するのと、果物売り場に配架するのでは売れ行きがまったく違った。我々が設定したターゲットは、果物売り場には足を止めなかったのである。

　プロモーション政策について。これは前記3つ（製品、価格、流通経路〈チャネル〉）以外のマーケティング・コミュニケーションに係わる意思決定である。プロモーションは、広告、パブリシティ、人的販売、セールス・プロモーションからなる。広告とは非人格的媒体を使って、自社が自社のこと、および自社の製品・サービスなどについて、自らの責任で市場に訴求することである。パブリシティとは、非人格的媒体を使って、第三者によって、自社のこと、および自社の製品・サービスなどについて、関係者に向けて訴求してもらうことである。人的販売とは、人格的媒体を使って、自社製品・サービスを市場に訴求することである。セールス・プロモーションとは、上記3つ以外のプロモーション（たとえば、店頭陳列、店頭値引き、POP、展示会、クーポンなど）のことを言う。

　マーケティングとプロモーションは同義ではない。プロモーションは、マーケティングの一部分に過ぎない。プロモーションに頼りすぎるマーケ

ティングは、小手先のマーケティングになる恐れがある。マーケティングの中核は、製品コンセプトの策定、そしてそのコンセプトの実現である。このことを忘れてはならない。

3-5 マーケティング・ミックス策定の注意点

　売り手が、マーケティング・ミックスを策定する際、4つのPの間に矛盾がないような意思決定をしなければならない。これをマーケティング・ミックスの内的一貫性という。たとえば、広告をたくさん出稿しているのに、チャネルとなる店舗の売り場を獲得できていないということがあってはならない。

　さらに、売り手は、5つの環境要因（経済環境、競争環境、文化・社会環境、政治・法律環境、自社の目的と資源）に適応するような4Pの組み合わせを策定しなければいけない。これをマーケティング・ミックスの外的一貫性という。たとえば、売り手は法律を無視した広告表現を用いたマーケティングはできないし、また当該企業のトップの意向や、当該企業が有する資源を無視したマーケティングを計画したとしても、その計画の決済は下りない。

 4　アートをマーケティングする

4-1 サービスとは何か？ ～サービスは売り手と買い手の相互制御活動

　サービスは経済的取引を通じて売買される活動そのものである。そしてサービスは売り手と買い手が協働（collaboration）してつくり上げ、さらに買い手は協働プロセスおよびその成果から便益を得る。

　この売り手と買い手の協働は、売り手と買い手の相互制御活動ともいえる。ここで言う相互制御活動とは直接的に売り手が買い手の、買い手が売り手の活動を制限する活動のことである。

　消費者がiPhoneをどのように使おうともApple社はその消費者に何も言ってこない。いわゆる製品の場合は売り手が買い手の消費に直接干渉することはほとんどない。また、買い手が売り手の製品の生産に直接干渉す

ることもない。

しかし、サービスは売り手が買い手に、買い手が売り手に直接的に干渉する。筆者は講義中に居眠りをしている学生をその場で厳しく指導する。また講義中ないし講義後に質問や意見が学生から出た場合、その学生の質問に真摯に答えるように努めている。講義中に質問が出ることで講義の流れが止まることもある。しかし、それが本稿におけるサービスの本質である。売り手から買い手が、買い手から売り手が自由になれないのがサービスなのである。その売り手と買い手の相互制御活動そのものがサービスなのである。

なぜ、買い手がサービスを購入するのか。それは、買い手がサービスを通じて自身ないしは自身が使用・消費する物の状態を変化させ、自身の欲求を満たしたいからである。たとえば、買い手が美容院に行くのは髪の毛を切って綺麗になるためであり、レストランに行くのは食事を楽しみ元気になるためである。

4-2 製品コンセプトに含まれるもの

繰り返し述べているようにマーケティングで最も重要なものは製品コンセプトである。前述した製品コンセプトの定義を何度も見返し、正しく理解してほしい。製品コンセプトは消費者にとっての便益であり、それを明確に示したものでなくてはならない。頭の中にコンセプトがあるとか、コンセプトはアーティストの中にあるとかいう逃げはマーケティングでは許されない。

製品コンセプトには、以下のことが含意されている。それは、1) カテゴリーおよび個別コンセプト、2) 結果志向およびプロセス志向のコンセプトである。

カテゴリー・コンセプト

冷えない冷蔵庫を冷蔵庫とは呼べないように、その便益がなければその製品カテゴリーの製品と認められないものがある。このような便益のことをカテゴリー・コンセプトと言う。たとえば大学のカテゴリー・コンセプトは教育研究だろうし、高級車のカテゴリー・コンセプトは長時間運転な

いし乗車していても疲れない乗り心地だろう。

　先の冷蔵庫の例にようにカテゴリー・コンセプトは、あって当然の便益ゆえに、それがなければ話にならないものである。

　またカテゴリー・コンセプトは時代とともに変化する。携帯電話で考えてみよう。登場当初の携帯電話にあって当然の便益は携帯できることと、通話だけだったろう。しかし、今のスマートフォンを含む携帯電話にはインターネットの通信機能があって当然だし、カメラ機能もあって当然である。あって当然の便益が、なくてもいい便益に変わることもある。携帯電話におけるテレビ受信機能がその例である。

個別コンセプト

　個別コンセプトとは、当該製品固有のコンセプト、すなわちその製品にしかない便益である。製品差別化は個別コンセプトに基づいてなされる。差別化ができなければ競合製品に顧客を奪われるわけだから、売り手は個別コンセプトを明確にしなければならない。

　消費者はカテゴリー・コンセプトと個別コンセプトを渾然一体でとらえる。大学を例にあげるならば、大学は教育研究がなされているのは当然と思われている。これをしていない大学は、大学とは思われない。そして大学ごとに研究と教育に個性があることを消費者は知っている。たとえば、同じ経営学部であってもＡ大学は資格取得に力を入れているとか、Ｂ大学は製品開発教育に熱心だとかである。

結果志向のコンセプト[5]

　結果志向のコンセプトとは、「安定した企業に就職するために大学に入学する」といったような何らかの最終的な対象や状態を獲得したり、達成したり、習得することを志向するコンセプトである。このコンセプトは、当該製品が達成した後に感じる便益に焦点が当たる。

プロセス志向のコンセプト[6]

　プロセス志向のコンセプトとは、当該製品の消費経験や、サービスを経験するプロセスそれ自体から得られる便益である。具体的には、「ゲームを楽しむ」とか、「ゼミナールでマーケティングの研究そのものを楽しむ」といったことである。ゲームなどすぐにクリアできてしまったら大変つま

らない。研究も同様である。かようなコンセプトを有する製品やサービスは、プロセスそのものを楽しむものである。

　結果志向、目的志向のコンセプト双方にはそれぞれに濃淡がある。そして製品やサービスは結果志向のコンセプト、プロセス志向のコンセプトの両方を有する。

4-3 製品コンセプトとアートのマーケティング

　ほとんどの製品やサービスには、この４つのコンセプトをみることができる。これはアートのマーケティングにもいえる。

　鑑賞者がアートを鑑賞するということは、これらのコンセプトを全て楽しむということである。アートに知識のある鑑賞者は、事前に与えられた当該作品の断片的な情報から前記４つのコンセプトを推測することが可能だろう。「このアーティストだから、きっとこういう作品になるだろうな」「○○が出演しているから面白いに違いない」「○○が演出だから、つまらないに違いない」と。

　アートに苦手意識のある消費者は、アートのカテゴリー・コンセプトを知らないことが多い。しかも食わず嫌いで、これらを理解していない。また、多くの物事を結果志向で考える人は、鑑賞するというプロセスが伴うアートについて「アートなんて……」と言ってしまう。「そんなことをして、何になるの？」という思考は、達成性を求める結果志向といえる。

　マーケティングは販売ではない。マーケティングは消費に注目する。それはサービスでも、アートであっても同じことである。アートマネジャーは、カテゴリー・コンセプト、個別コンセプト、結果志向のコンセプト、プロセス志向のコンセプトを製品コンセプトに集約しなければならない。それが作品やイベントを鑑賞した際に鑑賞者が感じる便益となる。そして、そのコンセプトを販売時点で、どのように標的市場に伝え作品ないしイベントに足を運んでもらうかを考えねばならない。そのための手法がSTPでありマーケティング・ミックスなのである。

4-4 アートのマーケティング～アートのサービス的側面

鑑賞者と無関係に存在するアートはない。アートは、鑑賞者が作品を鑑賞することで完成する。本稿が想定するアートのマーケティングは、そのアートが鑑賞者と出合い、鑑賞者が作品を鑑賞し、その後の余韻に浸る、あるいは浸り続ける時間までを含んでいる。この一連の鑑賞者の経験のコンセプトをデザインし、実行するのがアートマネジャーなのである。この議論は、本稿のサービスと重なる。アーティストとアートマネジャー、そして鑑賞者の相互制御活動こそがアートをサービスにすることである。

4-5 アートマネジャーがマーケティングするものは何か

完成した作品のマーケティング

海外でヒットした映画やイベントが、日本の会場で興行的に大失敗ということがよくある。なぜ、このようなことが起こるのか。それは海外と日本の市場が同じニーズを持っているとは限らないからである。どんなニーズを持つ人が何人くらいいるのかを売り手が推計せずに、マーケティングを展開すると興行的に失敗する。

美術展というイベントを考えてみよう。ここでのポイントは美術展ということ。アートマネジャーは有名作品や有名作家をマーケティングするのではない。美術展というイベントをマーケティングするのである。ゆえに、美術展のコンセプトを先の4点から考え、そして美術展のSTPおよびマーケティング・ミックスを策定し、実行しなければならない。

新作の初演のマーケティング

アートマネジャーが新作の初演時に注意しなくてはいけないことがある。それは作品の制作ペースとチケット販売のタイミングが必ずしも一致しないことである。イベントの初演時には、イベントの完成形が見えない段階でのチケット販売が余儀なくされる。ゆえに、アートマネジャーは新作やイベントの初演時ほど、コンセプト策定にこだわらなくてはならない。

新作のアートマネジャーの仕事はアーティストと一緒にこのイベントを計画することから始まる。アートマネジャーはアーティストとともに、前記4つのコンセプトを策定する。そしてチケット販売時にはアートマネ

ジャーが中心となってSTP、マーケティング・ミックスを決定し、それを実行する。

　作品はアーティストによってつくられる。極端なことを言えば、アーティストはイベント初日までに作品を完成させればいいと考える。しかし、当該イベントのチケットは、イベント初日に先駆けて販売される。当該イベントが初演の場合、このチケットの販売時点に作品の実態はない。アートマネジャーは、この実態がないものをマーケティングしなくてはいけない。ゆえに、チケットの販売時点で当該イベントのコンセプトを確定させなくてはいけない。このイベントのコンセプトをマーケティングするのが、初演時のマーケティングなのである。

　確かに、作品の完成はイベント開催の直前まで延期することができる。場合によっては、創作活動の途中で事前に想定していたコンセプトよりもいいコンセプトをアーティストがひらめくかもしれない。つまり、事前にコンセプトを決めるよりもコンセプトの決定を延期したほう方が、いいコンセプトができる可能性もある。事前に決めたコンセプトは絶対ではない。作品やイベントを良くするためのコンセプトの変更は歓迎である。しかし、だからといってチケットの販売時点に当該イベントのコンセプトを決めなくていい、ということにはならない。アートマネジャーは、当該イベントの鑑賞者がイベントから得られる便益をチケットの販売時点に明確にしておかなければならない。もし、チケットの販売時点で当該イベントのコンセプトがなければ、この時点でのマーケティングは混乱し鑑賞者の獲得は失敗に終わる。

5　コンセプト創造のコツ

　本節では、ファンづくりのマーケティングのためのイロハを解説した。

　前述したように、企業のみならず文化財団などの非営利組織にもファンづくりのマーケティングは不可欠である。

　アートマネジャーには当該イベントや施設（劇場、美術館、コンサートホール等）の新しいファンをつくり、そのファンを維持することが求めら

れる。イベントや施設のコンセプトは「あのイベントに行けば、あの施設に行けば、〇〇という気持ちになれる」というものである。

　ここで製品コンセプトを考えるコツを伝授しよう。製品コンセプトを考えるコツは、消費者について、製品について考え抜くことではない。売り手自身が、何が欲しいのか、そしてそれがなぜ欲しいのかを考え抜き、それを明確にすることである。自分について考えることは、自分自身の嫌な部分をも直視しないといけないから製品や市場のことを考えるよりも難しい。しかし、自分自身に嘘をつかず、自分が欲しい便益を明確にすることがコンセプト策定のコツである。

　自分自身が観たい、聴きたい、体験したいアートの便益（コンセプト）は何で、それはなぜか、ということを考え抜く。そして、そのコンセプトを受け入れてくれる標的市場を見つけ、その標的市場に、そのコンセプトが伝わるようなマーケティング・ミックスでアプローチする。興味を持った鑑賞者はチケットを購入し、そのアートを体験する。鑑賞者は、この体験ができたことを喜ぶ。鑑賞者のこの喜びこそが、アートマネジャーのマーケティングの成果であり、アートマネジャー自身の喜びとなる。

---

[1] マーケティングの市場は経済学の市場とは異なる。経済学では市場を「売りたい人と買いたい人が集まる場」ととらえる。

[2] 需要とは、経済力（購買力といってもいい）を伴ったウォンツである。

[3] マーケティング・マネジメント・プロセスは環境分析から始まる。環境分析とは、自社の有する経営資源を検討し自社の強みと弱みを明らかにすること。そして当該製品や企業を取り巻く環境を検討し機会と脅威を明らかにすることである。また、ここには売上高、利益額、市場シェアといった具体的な数値であるマーケティング目標を定めることも含まれる。

[4] 最悪な標的市場の設定は、「若者向けの製品」とか、「高齢者向けの製品」というもの。そもそも若者や高齢者とは、何歳から何歳までのことを言うのか、さらにどんなニーズを標的としているのか。このような標的市場の設定の仕方は愚の骨頂である。

[5] 結果志向のコンセプト、プロセス志向のコンセプトについては、社会心理学の目的のタイプ分けについての知見（池田・村田1991、126頁）に基づいている。

[6] 池田・村田（1991）、127頁を筆者が加筆修正した。

《参考文献》

相原修『ベーシック／マーケティング入門』日本経済新聞社、1989

久保田進彦・澁谷覚・須永努『はじめてのマーケティング』有斐閣、2013

Levitt, T., "Marketing Myopia," *Harvard Business Review*, Vol.38, No.4, 1960, pp.45-56.

（DIAMOND ハーバード・ビジネス・レビュー編集部訳「マーケティング近視眼」〈新訳〉、『DIAMOND ハーバード・ビジネス・レビュー』、2001年11月号、52-69頁）

Levitt, T., *The Marketing Mode*, McGraw-Hill.1969（『マーケティング発想法』土岐坤訳、ダイヤモンド社、1971）

McCarthy, E.J., *Basic Marketing*, Irwin. 1960

池田謙一・村田光二『こころと社会──認知社会心理学への招待』東京大学出版会、1991

太田幸治「製品コンセプトと製品の核に関する一考察」『愛知経営論集』愛知大学経営学会、169号、2014、79-109頁

上原征彦『マーケティング戦略論』有斐閣、1999

山田壮夫『コンセプトのつくり方』朝日新聞出版、2016

インタビュー01

柿塚 拓真さん（1983年生まれ）

豊中市立文化芸術センター事業課プロデューサー
（兼日本センチュリー交響楽団コミュニティプログラム担当マネージャー）

豊中市立文化芸術センターは2017年1月にグランドオープン。地上3階、地下1階延べ1万3,425平方メートルで、阪急宝塚線・曽根駅近くに位置する。指定管理者の1つに選定されている日本センチュリー交響楽団は、前身の大阪センチュリー交響楽団時代、事実上の大阪府立楽団だったが、補助金打ち切りによって存続の危機に陥った。企業や府民らの支援を受けて、2011年、公益財団法人として活動を継続した。

なぜ自治体設置のホールで働くことに？

本来は日本センチュリー交響楽団の事務局職員で、楽団から豊中市立文化芸術センター職員に派遣されている。楽団を含めた3社で構成する共同事業体が同市から指定管理者に選定された。指定期間は5年間。楽団が公共ホールの指定管理者に選ばれたのは全国でもきわめて異例です。

僕の知る限り、オーケストラから公共ホールの指定管理者に派遣された人はほとんどいない。全国で、公共ホールの事業とオーケストラの事業を一緒にやっているのは数人だけだと思う。楽団が指定管理者に選ばれた際、「公共ホールで働いてみたい」と手を挙げた。

交響楽団に入るまでの歩みは？

生まれたのは宮崎県宮崎市。父は信用金庫職員で、母はフリーアナウンサーだった。音楽が身近にある家庭ではなかった。小学6年から吹奏楽クラブでサックスを吹いた。中学校でチューバを吹き始めた。福岡第一高校音楽科を経て、相愛大学音楽学部（大阪市）の管弦打楽器専攻に進学した。演奏の上手な学生は、プロの楽団が臨時編成を組むときにエキストラの仕事をもらえる。しかし僕に声はかからなかった。卒業後に就職できないと奨学金を返済できないので「公務員試験を受けてみよう」と考えた。公務員予備校に通い、国家公務員2種（行政職）、裁判

所事務官、防衛庁職員の試験を受験した。一次試験に合格したあと官庁訪問に臨み、最初に声をかけてくれた社会保険庁に決めた。2006年4月に採用され、1年9か月間勤務した。東福岡や直方の社会保険事務所で国民年金、厚生年金などの担当を務めた。しかし不正年金問題が起きた。仕事に疑問を抱き、2007年12月に退職した。

宮崎市内の実家に戻り、ホテルでアルバイトをしながら人生を考えた。2008年の年明けに大阪府文化振興財団（当時）が大阪センチュリーの「広報担当」職員を公募したので書類を送った。楽団職員の募集はめったになかったから。幸いにして2008年6月、同財団に採用された。面接の際に「楽団存続」の署名を求めるチラシが目に入った。

「広報担当」で募集されていたはずが、新しい会員制度を設立したり、ファンクラブを立ち上げたりするなど、聴衆開拓の仕事に専念した。商店街やショッピングセンター、病院などに出向いて無料の演奏活動を企画した。募金箱を置いて寄附をいただいた。府職員が楽団から引き上げたあとの2012年、僕は事業課から総務課に異動した。

存続運動は実に得難い体験だった。僕自身「危機のなかのオーケストラはどうあるべきか」を考え続けた。これからどのように進んでいくのか。自分は何をするべきか？「社会実験」を見る思いだった。

公共ホールに勤める魅力は？

楽団事務局職員の多くは公共ホールを単なる「営業先」として見ている場合がある。しかし公共ホールは地域と密接に関係しており、大きな可能性がある。

仕事の内訳はホールの仕事が70％、楽団の仕事が30％ぐらい。同センターではプロデュース業務を引き受けている。プロモーターが持ってくる事業を引き受けることもある。完全な自主事業の場合、自らでイチからつくる。たとえばイギリスの音楽家を招き、市民を対象にワークショップを行う。市民と音楽をつくったり、日本センチュリーのリサイタルを企画運営したりする。

コミュニティプログラムの実施に力を入れている。豊中市南部の庄内

地区を対象にした音楽ワークショップ「世界のしょうない音楽祭」や、シニア世代を対象にしたコミュニティプログラム「お茶の間オーケストラ」などを行っている。同事業は認知症予防のために市営住宅の集会所で実施している。

同センターと楽団が共催する事業とは別に、楽団が独自で行うコミュニティプログラムは同センターの許可を得て行う。自分の籍はあくまでもセンターにあるので。楽団と公共ホールの橋渡しも業務の1つです。

公務員経験から、今でも法律を読むことが苦にならない。行政からの通知、行政特有の言葉遣いがよくわかる。役所の人がどういうことを考えて何を根拠に話しているか、がよくわかる。さらに公務員生活では自分で働いたお金でコンサートの切符を買う経験をした。食費や家賃を除いた可処分所得は10万円程度なので購入可能なチケットは3,000～4,000円。高い席は買えなかった。今も音楽会を企画する際、値決めの参考になっている。

🎤 コミュニティプログラムに取り組むきっかけは？

2013年にブリティッシュ・カウンシルの研修に参加した。日本の文化財団が楽団やホールの中堅職員を対象に公募して、コミュニティプログラムを学んだ。BBC交響楽団やロンドン交響楽団の楽団員らが真剣にコミュニティプログラムや音楽教育プログラムと取り組んでいる実態を知った。「コミュニティプログラムに取り組まないと公的なお金は出せない」という助成の仕組みに驚いた。各楽団は地域の学校、文化施設、行政と密なパートナーシップを築き、これが私たちのミッション（使命）だと主張していた。新鮮だった。この研修で僕の考えが変わった。

楽団存続の危機のなか、楽団が社会から必要とされるロジック構築や活動をどうするか、ずっと考えていた。楽団組織は役所よりずっと保守的で、「つぶれるかもしれない」ときなのに発想は従来のまま。教育プログラムや外に出るアウトリーチ活動をもっと充実させなければ、と思うに至った。

当時の専務理事はIT起業家だった。「オーケストラは音楽愛好家のた

めだけのものじゃない。やんなさい」と言って背中を押してくださった。そこで2014年度の事業計画にコミュニティプログラムを盛り込み、音楽家の野村誠さんにコミュニティプログラム・ディレクターに就任してもらった。同年、就労支援の取り組み「The Work」を実施した。就活したけれど失敗した若者、引きこもりがちの若者らを支援する取り組みで、6回のワークショップを行い、楽器を鳴らしてメロディ、リズム、演奏の仕方を話し合い、「ハローライフ協奏曲」を仕上げた。ワークショップ参加の若者たち、日本センチュリーの楽団員で合同バンドを結成し、最後にJR大阪駅の南ゲートで演奏した。

　楽団の演奏家は「音楽」と思う許容範囲が限定的だった。当初は「貴重な資金は楽団存続のために使ってほしい」との声だった。しかし今では楽団員の考えが変わった。市民と接する機会が増えると自分の楽譜の先にどんな聴衆がいるのかを意識するようになった。

●🎤アートマネジャーを目指す人たちへの助言を。

　ミッションを自分でつくれる人がほしい。ミッションを持っていないと市民との関係が深くなればなるほど、声の大きな市民に影響され、軸がぶれてしまう。ロジックや思考にはタフさが必要。しっかりした思考があれば組織や地域のなかでやっていける。

　同時に「読み書きそろばん」の能力がほしい。数字を読める。文章が書ける。外国語ができる。辞書を使えば英文を読める。そんな力は不可欠だと思う。

　「人脈が大事」「人付き合いが大切」って言うけれど、「しがらみ」「世渡りの技量」にすぎない。もっと純粋にプロデュースの能力や物事を進める力が求められている。アートマネジメントの仕事は、現状を維持しようとしたら、力が落ちていく。自分の好奇心のために、常に外にアンテナを張っていく人がいい。

（松本 茂章　インタビュー：2020年1月26日）

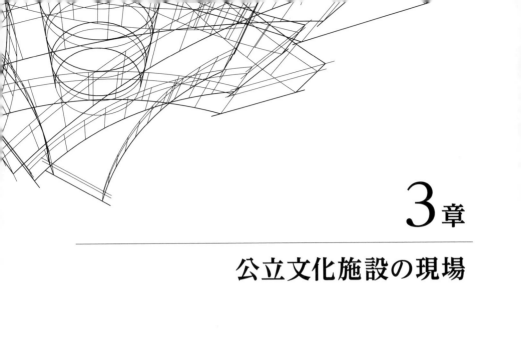

3章

公立文化施設の現場

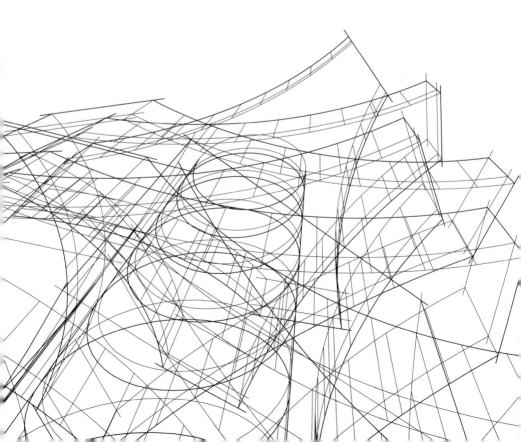

1節
公立文化ホール

1 文化ホール系施設の概要

　日本において劇場、音楽堂等の数はどのぐらいあるのだろうか？　文部科学省の「平成30年度社会教育統計」（2020年3月23日公表）によると全体で計1,827か所だという。同統計は3年に1度行われており、劇場、音楽堂等は前回2015年の1,851か所に比べると、24か所の減少だった。最も多かった2008年の1,893か所に比べると66か所が減少していた。増えている図書館・博物館・生涯学習センターとは対照的である。平成の市町村合併に伴い、統廃合が進んだとみられる。

　文化ホール系の施設は、バブル経済に沸いた1980年代後半に計画され、1990年代に入って開館したところが目立つ。当時は4日に1館が開館したと指摘する声もあった。建物建設に多額の行政予算が使われる反面、事業費や人件費は抑制される傾向にあったので、「ハコモノ行政」の批判が出された。そこでアートマネジメントの必要性が叫ばれた。

　同社会教育統計によると、公立の劇場、音楽堂等は1,725か所で、このうち指定管理者制度導入率は58.78％。指定管理者の内訳は「一般社団法人・一般財団法人（公益財団を含む）」が最も多くて全体の31.59％を占める。次いで「会社」が19.07％と続く。社会教育施設の公民館9.86％、図書館18.90％、博物館25.86％と比べると、導入率の高さが際立つ。

　公益社団法人全国公立文化施設協会（東京）がまとめた「令和元年度劇場、音楽堂等の活動状況に関する調査報告書」（2020年3月）の調査対象は国公立施設（1,374）と私立施設（117）である。国公立施設の平均値は職員数12.96人。ホール稼働率58.9％、主催事業数年間平均15.1件（公演数34.7回）だった。事業の内訳では音楽71.6％、演劇39.6％、伝統芸能33.9％、演芸31.9％、舞踊19.8％などである。普及啓発事業は年間9

件だった。

　1章で言及したように、劇場法は公立ホール系施設の法的根拠を明確にしたことに意義がある。図書館法の図書館、博物館法の博物館・美術館などに比べて、劇場、音楽堂等は地方自治法第244条の「公の施設」を根拠にしていただけに、明確な根拠法を欠いていた。舞台関係者にとって劇場法の制定・施行は待望されたものだったので、「施行以前か、以後か」の節目になった。

　劇場法の第3条に注目したい。劇場、音楽堂等の事業について次の8つを示したからだ。①実演芸術の公演を企画し、又は行うこと、②実演芸術の公演又は発表を行う者の利用に供すること、③実演芸術に関する普及啓発を行うこと、④他の劇場、音楽堂等その他の関係機関等と連携した取組を行うこと、⑤実演芸術に係る国際的な交流を行うこと、⑥実演芸術に関する調査研究、資料の収集及び情報の提供を行うこと、⑦前各号に掲げる事業の実施に必要な人材の養成を行うこと、⑧前各号に掲げるもののほか、地域社会の絆の維持及び強化を図るとともに、共生社会の実現に資するための事業を行うこと——である。これらを踏まえながら、筆者は文化ホール系施設をめぐる喫緊の課題を5つに整理した。

　1つには、文化ホール系施設が地域社会といかに連携し、コミュニティ構築の拠点になっているかどうか、である。従来、館内で行う事業の充実には力を入れるものの、地域との協働や連携が十分だったかどうかは心もとなかった。

　2つには、指定管理者制度といかに対応するか。図書館・博物館・美術館等の公立文化施設に比べて文化ホール系施設は同制度の導入率が高く、増収努力がより求められる。財政難の自治体は経費節減に迫られ、指定管理料が削減傾向にあるからだ。

　3つには、建物のハード整備にも心を配らなければならない。開館から一定の年月を経て、設備や建物の躯体自体にも痛みが顕在化するようになった。東日本大震災時に天井が落下する事故も相次ぎ、国土交通省が建築基準法を見直して新制度「特定天井」を導入したので、改修や改築の際に新たな課題が浮上した。

4つには、「見せる・聞かせる劇場」から「つくる劇場」への移行である。「貸し館」中心の運営から転じて、地域で作品をつくる自主事業の充実が問われる。海外や東京でつくられた作品を地域で上演するだけでは物足りなくなった。地域の誇り形成や地域振興の役割も含めた創造活動が求められる。

　5つには、劇場法でいうところの「経営者」を育てて確保することが今後の分岐点になる。経営や事業を切り盛りするアートマネジメント人材をいかに育成していくのか。

② 各地の取り組み

　先述した劇場法第3条に対応する事業を説明していこう。①は創造活動、②は貸し館、③は教育、④は連携企画、⑤は海外劇場との共同企画、⑥はリサーチ、⑦は人材育成、⑧は地域住民との連携事業——などが思い浮かぶ。具体的に、①は「つくる劇場」である。たとえば東京芸術劇場、神奈川芸術劇場、彩の国さいたま芸術劇場、世田谷区立の世田谷パブリックシアターなどの事例があげられよう。首都圏を除けば、公益財団法人静岡県舞台芸術センター（以下、SPAC）の取り組みが好例だ。1995年に設立された県立劇団で、静岡芸術劇場（静岡市）を専用劇場にして創作活動を続ける。国際的に活躍する演出家・宮城聰を芸術総監督に迎えている。あるいは新潟市民芸術文化会館（愛称・りゅーとぴあ）は専属ダンスカンパニー「Noism」を有する。兵庫県立芸術文化センターは若手音楽家のオーケストラを有して地域と連携している。

　③ではたとえば各地の文化会館等が県民・市民向けセミナー等に取り組んでいる。④では文化会館同士が複数で連携し1つの演劇作品を創作、巡回公演を行う事例が知られる。⑤は経費がかかるので小規模館では難しいものの、国際交流基金などからの助成金を得て実施する事例がある。⑥の実現も難しいが、本節で取り上げる京都市のロームシアター京都が調査研究活動を行う。⑦には多様な形があるが、各地でプロデューサーやコーディネーター養成講座が企画されている。⑧の好事例としては茨城県小美

玉市立の四季文化館みの〜れ、をあげたい。異色の運営を試み、住民で構成する団体が文化事業予算を有して音楽、映画などのボランティアチームに対して事業予算を配分する。ボランティアの専用部屋が用意され、午後10時まで自由に出入りでき、集まったボランティアたちが広報誌を作成したり、会議を開いたりしている。音響照明の住民チームも発足して舞台操作を引き受けている。住民が自主的に管理して公立文化施設が「コモンズ（共有地）」になっている姿を見ると、ホール系施設が官民協働社会づくりに貢献している姿が浮き上がってくる。

　公立ホール系施設の分岐点は、貸し館だけなのか、作品創造を手がけるのか、にある。静岡芸術劇場はSPACの専用劇場であり、貸し館は行っていない。とはいえ多くの施設では県民・市民への場所提供と作品提供の双方を行い、バランスを取りながら館運営を進めてきた。そこで本節では、貸し館と自主事業の双方に取り組むロームシアター京都を事例に、劇場法の精神を踏まえながら、具体的にどのような事業を展開しているのかを紹介する。前身である旧京都会館の老朽化した建物を大規模改修工事で保存改修させた試みが興味深いからだ。しかし同シアターは、文化都市・京都市ならではの意欲的な取り組みであるので、日本のどこでも実施されている訳ではないことも申し添える。

３　ロームシアター京都の先駆的な取り組み

前身は京都会館

　戦前の日本では、東京に日比谷公会堂、大阪に中之島公会堂などが建設された。しかし講演会を行う公会堂なので、本格的な公立劇場・音楽堂はみられなかった。京都市は1960（昭和35）年、京都会館を開館させる。建築家・前川國男（1905-1986）の設計による日本で初めての公立文化ホールである。鉄筋3階建て。中庭を取り囲むように南側と西側に建物が連なっていた。東京五輪（1964年）に備えて建設された東京文化会館（上野）は同じ前川作品ながら、1961年の開館なので、京都会館が1年早かった。

京都会館の〈後身〉にあたるロームシアター京都は2016年に開館した。京都市営地下鉄・東西線の東山駅から北に向かって徒歩約10分。琵琶湖疏水に沿って建つ。同市左京区の文化ゾーン・岡崎地区に立地しており、同シアターのほか京都国立近代美術館、京都府立図書館、京都市京セラ美術館、京都市動物園、平安神宮、細見美術館などが建ち並ぶ。

　同シアターの指定管理者に選定されているのは市の外郭団体である公益財団法人京都市音楽芸術文化振興財団（本部・京都コンサートホール内）である。同シアターの年間経費は概算で9億3,000万円。内訳は事業費3億3,000万円、管理費6億円である。

　なぜ京都市は旧京都会館の建設に踏み切ったのだろうか？　2020年3月まで初代館長を務めた平竹耕三（1959年生まれ・元京都市文化芸術政策監。2020年4月から京都産業大学教授）によると[1]、終戦8年後の1953（昭和28）年、当時の高山義三市長が「名実ともに国際文化観光都市らしい施設」の建設を表明。4万3,000人余の賛同署名が寄せられた。財政危機下の建設であったため、市は京都会館建設費の起債（借金）を償還するためなどで文化観光施設税を導入。新税のための市議会質疑の際、市長は世界的な大会を開く場で、市民のための楽しい憩いの場であると答弁した。建設費は8億800万円。このうち寄附が10％の8,000万円を占めた。

　しかし旧京都会館には悩みがあった。第1ホール（2,015席）と第2ホール（939席）を備えていたものの、大ホールの舞台面積は狭かった。残響も少なかった。荷物リフトが1台だけで小さかったので、2階にある舞台への搬入条件が非常に悪かった。舞台公演が大掛かりになってくると主催者側はセットを組めず、京都公演を断念する事態も生じた。

　旧京都会館は「戦後のモダニズム建築の傑作」と評価されていたため、老朽建物を建て替えるのか、保存するのか、が課題となった。再整備検討委員会で論議を重ね、A案（建物を保存し内部を改修する）、B案（一部増築し、機能向上を図る）、C案（全面建て替えを行う）を検討。市は2006年に意見書を受け取り、5年後の2011年に香山壽夫建築研究所に基本設計を委託した。全体の建物を保存しながらも、各部分では新築や改修を行うことで異なる建築時期を重ねるとの思想に基づき、第1ホールを建て替

えること、第2ホールは全面改修すること、そして地域交流の場として共通ロビーを新たに設けること、の案を示して認められた。

壁やひさし等の細部でも丁寧な保存改修が図られた。たとえば前川國男

旧京都会館を大規模改装したロームシアター京都の外観

は「壁打ち込みタイル」という手法を用いた。タイルの重厚な質感は、旧京都会館を象徴するものだったので、大切に保存改修された。

自治体財政難のなか、大規模な保存改修費用をどうやって捻出するか？が次の課題に浮上した。同市が新たに導入したのが命名権（ネーミングライツ）である。京都市に本社を置くLED等を製造するローム株式会社（本社・京都市）と50年間のネーミングライツ契約を締結。50年間で50億円（税別）の内容で、「1年間1億円」という訳だ。伝統ある「京都会館」の条例上の正式名称はそのままに、2016年の再開館後、「ロームシアター京都」という愛称を定めた。官民協働の1つの形である。

同社との交渉を担当した平竹は「音楽の支援活動を続けてこられたローム株式会社の理解を得て再整備に着手できた。東京五輪の誘致が成功して建設資材や労務賃が高騰。改修工事費は110億円になった」と証言した。

再生された劇場

大規模改修に伴い、旧第1ホールは新築されてメインホール（2,005席）に生まれ変わった。オペラが上演できるように設備を整え、フライタワーも新設した。旧第2ホールは同じ場所のままサウスホール（716席）に改名。舞台を広くして客席数を減らした。2階席を使わず1階の470席だけにすれば小劇場演劇に活用できる。新たなメインホールとサウスホールは裏回りがつながっているので、使いやすくなった。

メインホールの地下にはノースホール（広さ300平方メートル）を新設。小劇場演劇や稽古場のほか、吹奏楽や合唱など大がかりな事業のときに楽

屋としても使える。大きな会議の際にはスタッフルームとしても活用できる。

　2018年度の稼働率をみると、メインホールは約80％で、うち4分の1が自主事業である。サウスホール（旧第2ホール）も約80％で3分の1を自主事業が占める。ノースホール（地下）は約70％、舞台稽古も含めて半数が自主事業である。この数字から同シアターが貸し館を中心に利用されていることがわかる。旧京都会館は貸し館として稼働していたので、貸し館形態に親しんだプロモーターや市民等からの利用要望が強かったからだ。2,000席以上の専門ホールは京都府内でも同シアターだけであるため、公演会場に選ぶ制作会社も多い。

　劇場法の第3条に掲げられた8項目を1つずつ丁寧に検証してみよう。①と②は自主や貸し館の事業が相当する。次に③（普及活動）については、実演芸術に関する普及啓発活動を積極的に行う。夏休みに全館を使って取り組む子ども向けイベント、高校に出張してのオペラ講座などである。同シアターは新国立劇場と連携の覚書を交わして高校生向けオペラ公演を行うのだが、毎回、オペラ歌手が高校を訪れて歌声を披露する。オペラの普及を一緒に目指すアウトリーチ活動である。

　④（他施設との連携）の事例では、同シアター、三重県文化会館、神戸文化ホールの3施設で国内劇作家の演劇作品を共同制作した。⑤（国際交流）では、2020年1月に公演した新作オペラ「サイレンス」が1つの事例としてあげられる。ルクセンブルクで制作されたばかりの作品を同シアターと神奈川県立音楽堂が共同して招聘した。⑥（調査研究）の取り組みでは、研究者を公募してリサーチャーに選び、研究費を出して調査研究を支援。成果は同シアター発行の紀要で発表する。本書5章5節を執筆した長津結一郎ら若手研究者が参加している。劇場、音楽堂等は興行中心の施設なので調査研究を実施する余裕がないところが多いが、同センターは劇場法を強く意識して臨む。

　⑦（人材育成）でも新機軸を打ち出した。「劇場の学校プロジェクト」は中学生も対象に含めて実施している。1コースの参加者は20～30人。演劇、舞踊、パフォーマンス、メディアなどのコースを用意してホールを含

めて劇場全体を「学校」として用いる。⑧（地域の絆づくり）では、建物の3階に共通ロビーを設けてソファや机を置き、市民がくつろげる空間を新たに設置した。無料で自由に使える。市民らが会話を楽しんだり、読書したりする姿が日々見られる。あるいは同シアターが地域の子どもたちを招く事業を企画する際には地元の自治連会長に相談し、地域の小学校や児童館等に声をかける。

4 店舗との共存共栄

筆者が注目するのは、同シアターが地域活性化に一定の役割を果たしているとみられる姿である。立地する岡崎地区は先述したように京都を代表する文化ゾーンなのだが、文化施設が閉館する夜になると暗がりを増して散策する人影が見られなくなる。飲食する場を探すのも難しかった。

そこで市側は市民や観光客が自由に往来できるスペースの確保に努めた。同シアターによると、1つには、新たな同シアターの大規模改装によって、公演の観客・聴衆でなくても一般市民も自由に建物内に立ち入ることができるように工夫した。通り抜けできたり滞在できたりする構造につくり直した。建物北側の冷泉通と南側の二条通をつなげたことで、散策する市民の姿が見られるようになった。入場チケットを有する観客・聴衆しか建物内部に立ち入れなかった旧京都会館時代から光景が一変した。

2つには、2階におしゃれなカフェレストラン「京都モダンテラス」（100席）、1階に「蔦屋書店」「スターバックスコーヒー」、コンビニの「ファミリーマート」が出店したことである。2階の同レストランは旧京都会館時代にあった会議場を改装した。出店企業を一括公募したところ、1社の提案を選定した。これまで通常の営業時間は午前8時から午後11時まで（新型コロナウイルス感染拡大のため本稿執筆の2020年9月時点では時間短縮されていた）。朝早くから店を開く理由は、近隣ホテルの宿泊客が朝食を楽しめるように配慮したからだという。さらに夜の公演後に飲食を楽しんだり、国内外の観光客が飲食したりして岡崎地区を満喫してもらうことを目指した。管理課長の宮崎刀史紀（1977年生まれ）は「旅行ガイドブックには京都モダンテラスはきちんと掲載されている。劇場部分が掲載されていなくても、シアターのPRになる」と歓迎する[2]。

ロームシアター京都にはレストランや書店等も入居する

1階の3店舗は午前8時から午後10時まで営業されていた。書店では有料のレンタサイクル事業を行い、電動自転車で東山界隈を走ることのできるサービスを提供する。これら計4店舗は同シアター側に「納付金」を支払う。電気や水道代は実費支払いにした。宮崎は「店舗と劇場は『一緒に事業を行うパートナー』と位置づけている」と筆者に話した。

条例改正

前記の斬新な取り組みはなぜ同シアターで実現できたのか？　答えは条例を改正したからである。同市は新しい劇場に「地域の活性化」という新たな役割を期待した。同シアターの設置条例を改正して、目的の1つに、市民に「憩いの場を提供するための事業」を盛り込んだ。賑わいづくりの施設になる根拠を設けた施策こそが新鮮である。

当時、市文化行政のトップだった平竹（初代館長）は次のように回想する。「劇場法の制定に至る論議を強く意識してロームシアターの設計に反映させた。創造する劇場をつくり、『市民の広場』になろうと考えた。条例を改正したのは、劇場と賑わい施設が同じ船に乗った運営をしてほしかったから。公演後に観客らが感じた思いや感想をシェアできる場として、特にレストランは必須だと思った。劇場を見に来た方が店舗を利用する場合だけでなく、逆に、レストランや書店等を訪れた来訪者が『じゃあ隣の劇場の公演を見てみようか』という流れもあり得る。劇場はいつ訪れても興行が行われている訳ではないので、朝から夜まで開いている店舗が必要だった」。

地方自治法によると、行政財産は「目的内使用」と「目的外使用」に分けられる。日本における公立ホール系施設の大半は、設置目的が演劇文化

や音楽文化等の振興だから、併設するレストラン・喫茶店の入居を認める際、自治体が営業業者に「目的外使用」の許可を出してきた。このため「同じ船」（文化施設）に乗っている意識を持ちにくかった。

　従来の公立文化施設では、劇場を運営する指定管理者（文化財団など）と店舗は、行政からみると同じ一次受託者で、横の関係だった。以前の旧京都会館条例も例外ではなかった。そこに平竹は問題意識を抱いたのだ。「目的内使用」の劇場、音楽堂の管理と「目的外使用」のレストラン・喫茶店等は、相互の意思疎通や情報交換にやや齟齬があった。

　しかし同シアターでは、上記の弊害を取り除いた条例改正のおかげで計4店舗の営業は「目的内使用」として許可された。岡崎地区の賑わいづくりを追い求める点では劇場であれ、入居店舗であれ、同じである。京都市音楽芸術文化振興財団が、実際の店舗運営は事業者に委ねつつ、指定管理業務の一環として全体を一元的に取りまとめている。同シアター管理課長の宮崎は「全国調査がないので断定できないが、全国初めての試みと聞いている。店舗で何かあればシアターの我々の責任でもある」と語り、同シアターと計4店舗が共同体であることを示唆した。このため開館当時から毎月1度、各店舗の店長と同シアター管理課長が出席して月例会合を開く。売上額、売れ行き、客層、課題等を共有する。店舗の売上額が減った場合、管理課長も理由を探る。

　宮崎は「入居店舗の盛衰は指定管理者である我々にとっても自分のこと。他人事では決してない。この施設の条例目的を達成するには店舗の成否も関係する。営業不振で退去されても困る。店舗の評判は我々シアター全体の評判を左右する」と率直に打ち明けた。

　2016年度以降、同シアターは、道路を挟んで南側に隣接する見本市施設「みやこめっせ」とも毎月1回の情報交換会を開いている。提案した宮崎によると、カフェレストラン、書店、コーヒー専門店、コンビニ店の4店舗は同シアターおよび隣接文化施設の催し内容や訪れる客層の把握を必要とするからだ。「催し次第で店は品ぞろえを変えたり、スタッフを増員したりするので準備が必要」（宮崎）なのだ。

　同じ岡崎地区には京都市京セラ美術館と京都国立近代美術館の両美術館

が立地するので、美術ファンが界隈を散策する。同シアター内の書店は特にアート関連書籍をそろえている。外国からの観光客の姿がよく見られ、1冊20万円ほどの大型写真集を購入した例もあった。

隣接公園を管理運営する劇場

筆者が注目したもう1つの取り組みは、同シアターが建物に隣接する公園の管理運営を委ねられている点である。

宮崎によると、同シアター東側を走っていた市道について、市は「認定道路の廃止」を行い、市有地の「道路」のままではあるものの、道路機能をなくして公園機能を持たせた。そして旧京都会館時代から存在する中庭は、大規模改修時に池を埋めて使いやすくして「ローム・スクエア」と名づけた。中庭と公園の間に設けられていた生垣を取り除き、樹木も一部刈り込んだ。中庭と公園が一体で使用できるようにした。中庭ではテント芝居等が上演され、公園では露店の出るイベントや野外ステージの音楽会等が催されるほか、両スペースを借りた野外音楽会、餃子や肉の食祭りなどの多彩なイベントに開催できるようになり、人々で賑わっている。

行政は縦割り組織である。同シアターや中庭は市文化市民局、隣接する公園は建設局、と所管が異なっていた。市内部の検討を経て同シアターの再開館後、「認定道路の廃止」が行われ、いずれも同シアター管理課が管理・運営を担当することになった。平竹は「京都市内の公園のなかで、唯一、ロームシアターに隣接する公園だけが文化部門（文化芸術企画課）に移管された。結果として、同シアターと公園を併せて活用してもらえるようになった」と背景を語った。

指定管理業務とは別に、公園の管理は市からの委託業務である。同シアター管理課員が中庭や公園の貸し出しを担当する。中庭と公園を一体として使う際にはワンストップサービスが可能になった。使用申し込みを受け付けると事前に使途を聞き取り、公園の目的に沿うかどうかを確認する。光、音、匂いにも気を遣う。片方が音楽イベントで使われ、片方が静かな催しである場合、トラブルが予想されるので、どちらかの使用日を変更してもらったり、設置するスピーカーの向きを変えてもらったりするなど丁寧に調整を行う。貸し出しが決まると、公園の車止めチェーンを外す鍵や

電気設備の鍵を貸し出す。

　公園の利便性が高まると使用希望者が増えた。秋のシーズンの土日曜は予約で埋まる。希望者が増える分公園利用に慣れていない利用者も増加するので、管理課は「相手に合わせて公園の使い方を丁寧に説明する。場合によってはイベントで必要な準備についても助言する」（宮崎）。公園の管理業務に時間や手間を要するものの、市からの委託契約費は年間160万円にとどまる（植栽等の維持管理費は京都市が直接執行）。

　宮崎は次の効用を語った。「公園の催しに加えて、みやこめっせ、平安神宮と情報共有しているうちに、岡崎地区のいろいろな情報が集まってきた。劇場として自治会との関係を大切にしてきたうえに公園を利用する地域の方々との接点が増えてきた。だからシアターが市民向けの催しをする際、地域の飲食店などに『飲食ブースを出店していただけないか』と相談できる。自主事業公演のポスターを貼らせてもらう依頼もしやすくなった」。

豊かな人材

　どのような人的体制になっているのか？　ロームシアター京都に勤務する京都市音楽芸術文化振興財団職員は33人。副館長のもと、管理課（事業担当9人、管理担当15人）と舞台技術課（8人）の2課体制である。委託した「京滋舞台芸術事業協同組合」の音響照明等担当14人も常駐する。

　同シアターが再開館する際、同財団は新たに専門職員を雇用した。管理課長を務める宮崎は東京出身で、早稲田大学演劇博物館を経て神奈川芸術劇場（KAAT）の準備段階から神奈川芸術文化財団職員として勤務。そして同シアターに転職した劇場管理の専門家である。プログラムディレクター橋本裕介（1976年生まれ）は学生時代から劇団制作に関わり、京都市の文化事業「京都国際舞台芸術祭（KYOTO EXPERIMENT）」のプログラムディレクターを経験したプロデューサーである。管理課で貸し館業務を担当する丸井重樹（1974年生まれ）は劇団「ベトナムからの笑い声」代表兼制作や、若手芸術家を支援するために京都市が設置した京都芸術センターのアートコーディネーター、NPO法人京都舞台芸術協会事務局長を務めるなど豊かな経験を有する。事業担当者は地元の京都、東京、横浜

などから採用された。今後、これらの人材をどのように育て、活用できるのかどうか、同財団の手腕が問われる。

4 浮かび上がった教訓

　ロームシアター京都の事例から、大別して5つの教訓を得ることができた。

　第1に公立文化施設の設置条例が実態に合っているかどうか、である。どの文化施設にも設置条例が制定されているのだが、当たり前のことを書いている場合が少なくない。ミッション（使命）を具体的に書きたい。同シアターの事例は、市民に「憩いの場を提供するための事業」を条例に盛り込み、地域振興の役割を担った。

　第2に、店舗経営であれ、地域経営であれ、劇場法が求めるように劇場、音楽堂等には「経営者」が不可欠なのである。管理課長の宮崎が入居店舗との一体感や地域との連携を熱心に語った言葉が印象的だった。行政とタフな交渉を重ね、地域の住民と丁寧な意思疎通を図る。文化ホール職員に経営センスが求められる時代が到来した。劇場、音楽堂等の仕事は良質で芸術的な作品をつくるばかりではない実態が浮き彫りになった。アートマネジメントの現場で働きたいと夢見る若い人たちにこの現実を伝えたい。

　第3に、同シアターが、市役所内部の縦割り行政を乗り越えて、「公園」という公共空間の管理運営を引き受けている点が実に興味深い。公園を管理運営する経験は貴重で、地域経営のノウハウが劇場側に蓄積されていく。地域社会との人脈も広がる。「地域ガバナンス」の実現に貢献すると期待される。

夜景も美しいロームシアター京都

第4に、専門職を新たに雇用した点を評価したい。自主事業に予算をかけるだけでなく、人材の雇用こそが持続可能性を確かなものにするのである。同シアターで経験を積んだ人材が今後巣立って、全国各地の劇場、音楽堂に再就職していく将来像を思い浮かべた。後任に新たな人材が雇用される。このような人事サイクルの実現を同シアターに期待したい。

　第5に、「つくっては壊す」を繰り返してきた日本で、前川國男設計の近代モダニズム建築が残された点も評価したい。京都に暮らす筆者にとっても京都会館は思い出深い文化施設である。自治体財政難のなか、大規模改修費用110億円のうち半額近い50億円を地元企業から資金提供されたことも新たな資金調達の形として注目される。

---

[1] 京都市の文化行政を統括する立場にあった平竹耕三へのインタビューは2020年1月17日に行った。
[2] 宮崎刀史紀へのインタビューは2020年1月17日に行った。

2節
博物館・美術館・図書館

松本 茂章

1 社会教育施設としての博物館・美術館・図書館

博物館・美術館と図書館は社会教育法の体系下にある。それぞれに博物館法（1951年制定）、図書館法（1950年制定）が制定され、学芸員、司書という資格取得者が勤務する。長く明確な根拠法を持たなかった劇場、音楽堂等とは好対照だった。

しかし1章で先述したように、劇場、音楽堂等は劇場法（2012年制定）で根拠法を有するようになり、役割が明確化された。前文では「人々が集い（中略）、人々が共に生きる絆を形成するための地域の文化拠点」とうたい、「人々の共感と参加を得ることにより『新しい広場』として（中略）地域の発展を支える機能も期待されている」と指摘して、劇場、音楽堂等と地域振興の関係性を明記した。対して博物館・図書館は、地域と密接な関係を結んできた長い歴史を有するものの、博物館法と図書館法の制定が太平洋戦争の終戦から間もない時期だったので、焦土と化した国土のなかでのストックづくり（資料の保管や収集）に主眼が置かれていたように筆者は感じ取っている[1]。残念ながら両法には、劇場法の前文に掲げられた「市民の広場」などの言葉はなく、地域振興やまちづくりに踏み込んだ条文は見当たらない。

博物館・美術館・図書館は社会教育・生涯学習の流れに位置づけられてきた。地域政策のなかでとらえられてきた訳ではないところが旧態依然に映り、物足りなく感じてしまう。これからの博物館・美術館・図書館はどの方向に向かうのだろうか？

社会教育行政とは、学校を巣立って社会に出たあとも、平等に教育を受ける権利を有する社会づくりを目指すものではないか。だからこそ博物館・美術館・図書館等の無料規定があるのだと思われる。自治体設置の図

書館では閲覧も貸出も原則的に無料を続ける。対して博物館はどうなのか？ 博物館法の第23条に「公立博物館は、入館料その他博物館資料の利用に対する対価を徴収してはならない」と明記されている。しかし常設展であれ、特別展であれ、入場料を徴収しているのが実態であろう。同23条の条文では上記の言葉に続いて「但し、博物館の維持運営のためにやむを得ない事情のある場合は、必要な対価を徴収することができる」と添えてある。有料の根拠である。

これとは別に新型コロナウイルス感染拡大に伴う課題も浮上した。人々の集まる密集を前提とした博物館・美術館・図書館等の運営は見直しを迫られる。特に博物館・美術館では大規模な展覧会を開催する場合、より多くの観客を集めて入館料を徴収することを前提に企画されてきたので、マネジメントが改めて問われることになった。

さらに近年は博物館・美術館を観光資源に組み込もうとする動きが目立つようになってきた。たとえば政府の「観光立国推進基本計画」(2017年)では文化財を中核とした観光拠点の整備や博物館・美術館等をはじめとする文化施設の充実などがうたわれた。内閣官房と文化庁の「文化経済戦略」(2017年)では推進すべき「6つの重点戦略」のなかに文化芸術資源（文化財）の保存と活用が盛り込まれた。文化財保護法の改正（2018年）では文化財行政の所管を従来の教育委員会から首長部局に移管することが可能となった。このように文化財を活用して観光立国の資源にする方向が打ち出され、博物館・美術館が産業振興の役割を担うことを求める潮流は、博物館・美術館のアートマネジメントを考える際に避けて通れない時代要請である。

加えて民間の活力、人材、知恵を公立文化施設にも導入しようとするのが指定管理者制度である。同制度を抜きに博物館・美術館・図書館を考えない訳にはいかない時代だ。公立の博物館・美術館・図書館での指定管理者導入率は、1章で紹介したように劇場、音楽堂等に比べると随分と低い。図書館を例にすると司書資格を有する専門職員の配置が求められるうえ、無料で書籍・雑誌等の閲覧や貸出が可能であることを前提にした社会教育施設であるため、自ら「稼ぐ」面を重視する指定管理者制度にはなじみに

くい面がある。

　自治体職員が自ら施設を管理する直営とするのか、財団、企業、NPO法人等を登用する指定管理者制度を導入するのか、2つの道があった。あるいは学芸機能（展覧会の企画や研究等）は直営として自治体職員が担当し、建物の管理や受付案内・警備等に限定して指定管理者を選定することを選択する自治体もみられた。

　地方自治法の適用外である国立の博物館・美術館とは事情が異なっていた。国立の場合、国立博物館、文化財研究所、国立美術館という3つの独立行政法人が2001年に発足。このうち同国立博物館、同研究所の両独立行政法人が2007年に独立行政法人国立文化財機構になった。同国立文化財機構は、東京、京都、奈良、九州の国立博物館4館と東京、奈良の文化財研究所、アジア太平洋無形文化遺産研究センターの計7館の管理運営を行う。

　同国立美術館は東京国立近代、京都国立近代、国立西洋、国立国際、国立新美術館、および国立映画アーカイブの計6館を管理運営する。こうした形は「独法化」と呼ばれた。

　地方でも独立行政法人は設立されたのだが、地方独法化の対象は公立大学、公立研究機関等に限られていた。自治体設置の美術館・博物館等では独法化が認められていなかった。しかし法改正ではなく政令という形で博物館・美術館を対象にした地方独立行政法人の設立が認められるようになった。この第1号が2019年4月に設立された大阪市博物館機構（本部・大阪市中央区）である。同機構が同市立美術館、同市立自然史博物館、同市立東洋陶磁美術館、同市立科学館、大阪歴史博物館の計5館の運営管理を始めた。同機構は行政から運営交付金を受け取り、さらに自らが収入を上げて運営管理する「第3の道」を切り開いた。

　地方独法化には賛否両論が聞かれる。国立大学等では政府からの運営交付金が減額されていくので、公立博物館・美術館にはなじまないとの指摘もある。一方で、アートマネジメントの実践という点では興味深い取り組みが始まったとも言える。今後、注目していきたい。

　このように博物館・美術館・図書館を取り巻く環境は不透明である。根

拠法の博物館法や図書館法の条文がやや旧態依然な内容であるとしても、社会と文化芸術をつなぐアートマネジメントを考えるとき、博物館・美術館・図書館は限りない可能性を秘めている。学芸員、司書という専門職が配置されている点では、文化芸術の専門職が少ない地域社会にとって貴重な文化施設である。専門的人材である彼ら彼女らが地域に出て、いかに市民と協働して文化事業を企画・運営していけるのか？ 館内でいかなる文化事業を展開できるのか？ を考えるとき、新たな地平線が見えてくる。

2 図書館と美術館の可能性

　全国各地の文化施設を訪ねてきた筆者が興味を抱いた図書館と美術館を本節で紹介したい。図書館は愛知県田原市[2]、美術館は群馬県前橋市の事例である[3]。

田原市中央図書館

　愛知県田原市中央図書館は、黒潮に洗われる温暖な渥美半島にあり、2002年に開館した。蔵書数35万冊。閲覧席300席。市民1人当たりの貸出冊数は12冊で、全国平均の約2倍である。開館10周年の2012年、幻想文学コーナー「泉名月記念ふしぎ図書館」が2階の一角に開設された。泉名月とは『高野聖』で知られる明治の文豪・泉鏡花（1873–1939）の姪で養女の作家。金沢市にある泉鏡花記念館の名誉館長を務めていたが、名月の出身地が田原だったことで遺族から100冊以上の蔵書の寄贈を受けた。鏡花と懇意だった民俗学者・柳田國男の民間伝承作品に加えて妖怪・幽霊の書籍など1,150タイトルを備える。

　「ふしぎ図書館」の開設をきっかけに「ふしぎ文学半島プロジェクト」に取り組み、閉館後の暗い館内を劇場に見立てた演劇公演などを行う。2015年には豊橋市内の高校演劇部が豊橋や田原の民話を元にした妖怪の演劇を披露した。2016年には田原市内の高校演劇部が小泉八雲作『耳なし芳一』を上演。この作品の脚本は同館司書が書いた。館長が鎧と兜を身につけて平家の落人役を演じた。

　2018年10月20〜21日には「夜ふかし図書館」の5事業を実施した。

トークイベント「明治と怪談」、怖い話の読み聞かせ、夜に図書館周辺を巡るミステリーナイトツアー、鏡花の資料展などである。なかでも図書館に泊まる「読む夜」が異色の取り組みだった。公募に応じた22人が懐中電灯、ヘッドランプ、寝袋を持参して参加。午後10時から翌日夜明けまで徹夜で本を読んだ。館をあげた過去最大級の事業となり、司書のうちの芸術・文学、参考・郷土、PR等の各担当チームを中心とした特別編成で臨んだ。

　司書の河合美奈子（1971年生まれ）は「ふしぎ図書館」の立ち上げから関わり、催しの際にはプロデューサー的役割を務めてきた。河合は「毎年積み上げてきた経験を踏まえながらスタッフの適性も考えて人員配置する。文化会館の職員に近い仕事かもしれない。図書館の中で待っていては駄目。私たち司書もまちに出て行かないと……」と語った。

　当時の館長、豊田高広（1958年生まれ・2019年3月に定年退職）は「閉館後に開催する理由は芝居に暗転が必要なこと、そして読書する来館者に迷惑をかけないためでもある。普段は入れない夜間に行うことでワクワク感を高めて新たな利用層を開拓したい」と話した。

　2017年の開館15周年には「うたう図書館」を開催。高校生、老人福祉施設の入所者、公募の市民ら100人が、館内を歩きながらオリジナル曲を合唱した。図書館が文化施設的になっていく過程が実に興味深い。

　豊田は静岡市立御幸町図書館の元館長。2007年には優れた図書館を表彰する「ライブラリー・オブ・ザ・イヤー」の優秀賞に選ばれたこともあった。2010年から田原市に移り住み、同市中央図書館の館長に就任した。豊田は「国立国会図書館の職員に『図書館の外に出て、いろいろな団体と結びつくと図書館はさらに面白くなる』と助言された」と振り返る。外に出ようとした豊田には支えてくれる市民がいた。たとえば2003年設立のNPO法人たはら広場はその1つ。蔵書の清掃や各種イベントの運営お手伝いなどに活躍。スタッフ証をつけて書庫にも入る。同メンバーが中心となってボランティア組織も生まれた。

　同NPOは同館の一角で除籍本（図書館で廃棄する本、同館では年間1万6,000冊程度）を販売している。書籍であれ雑誌であれ1点一律50円。

登録ボランティア15人が1日2交代で詰めて毎週金土日曜の午後1時から午後6時まで開く。多いときで年間30万円の売上がある。1点50円だから年間6,000冊が売れた勘定だ。

　豊田の定年退職に伴い、副館長だった是住久美子（1975年生まれ）が2019年4月、館長に就任した。京都府立図書館司書から移ってきた是住は「少子高齢化など地域が危機を迎えるなか、これからは住民も公共性を担わざるを得なくなる。住民自らが情報を収集して利害関係の調整を図るとき、図書館が課題解決の場になる」と語った。

アーツ前橋

　群馬県前橋市立の美術館「アーツ前橋」は、同市が閉店した元百貨店の建物を買い取り、大規模改修工事を施して美術館に変身させた。百貨店の閉店後、同市中心部の商店街等の人通りが著しく減ったので、美術館の設置は文化行政であるとともに中心市街地活性化という新たな役割が期待された。

　地下1階の展示室では店舗当時の太い柱をそのままに用いた。室内の高さが足りないために天井板を取り除いたので梁や空調設備が見えている。人気女性3人組ユニット「Perfume」のシングル曲「Sweet Refrain」のMV（ミュージックビデオ）の撮影場所に使われた。

　なぜ元百貨店を美術館にしたのか？　話は2007年にさかのぼる。同市職員によると、市は郷土作家らの美術品を収集してきたが、作品は整理されないまま市民文化会館の倉庫に置かれていた。一方で中心市街地衰退という深刻な悩みがあった。市民や専門家で構成する検討委員会による美術館構想を受けて、市は2010年、元百貨店の9階建て別館を美術館に改装することを決めた。真摯な論議から「まちなかにこそ美術館がほしい」という声が強かった。整備費15億円を投じて改修工事を行い、同別館の地下1階～地上2階に美術館を設けた。

　中心市街地活性化にはどのような影響があったのか？　同市内の中心市街地は「まちなか」と呼ばれる。変形五角形で広さ25ヘクタール。「まちなか」の店舗数は1975年ごろに800店とされたが、現在は200店程度。郊外に出店した大型商業施設に強く影響されて、人の流れが著しく減った。

元百貨店の建物を大規模改修して誕生した
アーツ前橋の外観

美術館開館後の2019年度に同市が行った商店街通行量調査（休日）によると、「まちなか」界隈の人出総数は2万6,179人（イベントの影響を除く）。開館2年前（2011年度）の1万6,935人で底を打ち、上向きになってきた。2010年8月に採用された学芸員の辻瑞生（1978年生まれ）は桐生市出身。上毛新聞の記者を経てアーツ前橋に転じた。子どものころ、祖母の自宅が前橋市内にあったので閉店前の百貨店をよく訪れていた。「このあたり、カメラを持ったおしゃれな若者をよく見かけるようになった。新しい飲食店も増えてきた」と変容ぶりを証言した。辻によると、同美術館に触発されて同館開館前後に開設された民間ギャラリーは4つを数える。

　同美術館の開館5周年は商店街で祝った。文化庁や市の補助金等を得て国内外の芸術家6人を招聘。空き店舗で作品展示を行い、商店街でダンスを披露した。前夜祭は道路占用許可を得て弁天通り商店街の路上で実施。商店主や芸術家ら80人が料理や飲み物を楽しんだ。前橋中央通り商店街理事長の大橋慶人（1959年生まれ）は「アーツ前橋ができて、まちの魅力に深みが出た。まちづくりに良い影響が出ている」と筆者に語った。

③ 大阪市立自然史博物館にみるミュージアムの可能性

　博物館の事例では、先に触れた大阪市立自然史博物館の取り組みが興味深い。2020年6月に訪れてみた[4]。

年間22万人余りが訪れる大規模博物館

　大阪市立自然史博物館は1974年、同市東住吉区にある長居公園の一角に開館した。本館は3階建てで延べ面積7,066平方メートル。2001年に

は新館（花と緑と自然の情報センター）延べ5,000平方メートルも増設された。2018年度の実績で、動物、昆虫、植物、化石などの現有資料は177万点。来館者数は常設展が22万8,182人（有料8万9,833人）、年2回開く特別展が7万7,989人だった。

同館には年間4万人の団体客が来訪する。小学生、中学生らが学校の授業の一環としてやって来る。博物館には社会教育施設の役割が求められるうえ、近年は観光施設としてもとらえられる。恐竜骨格標本などが話題を呼び、近年は外国人観光客も目立つようになったからだ。

新型コロナウイルス感染拡大に伴い、2020年2月29日以降、臨時休館した。しかし緊急事態宣言の解除を受けて同年6月2日から常設展が公開された。再開初日には211人が来場。恐竜の展示室では幼い男の子たちの歓声が聞かれた。6月9日には第50回特別展「知るからはじめる外来生物」が開幕した。

再開を機に筆者が訪れると、学芸課長の佐久間大輔（1967年生まれ）が迎えてくれた。佐久間は京都大学理学研究科で植物生態学を学んだ研究者。長さ12センチの白いあご髭姿が印象的だ。入場者に検温を求める特別態勢が続くものの、佐久間は「通常の平日の半分ながら団体客のない現状としては順調。ホッとしている」と話した。1階ミュージアムショップは賑わい、初日には1人で9,000円分の書籍を購入する姿も見られた。

休館中、学芸員は在宅テレワークに励んだ。原稿執筆や書類作成は可能でも標本づくりや解剖作業は館内でないと難しい。現地調査もままならない。オンライン会議を重ねて来館しなくても楽しめる動画づくりを工夫した。

研究する事務職員

同館では、学芸員だけでなく、事務職員も研究に励んでいる。総務課総務係長の釋知恵子（1970年生まれ）は視察する小中学校の教諭と事前に打ち合わせを行い、教諭の要望を聞いて、学芸員と調整する。子ども向けの教材づくり等を担当している。事務職員の採用ながら同館の外来研究員に登録されている。

釋は同志社大学文学部を卒業後、月刊絵本「こどもとしぜん」編集部に

10年間勤務したあと、博物館で働きたいと退職。同館ホームページ制作のアルバイトから入り、同市博物館協会の契約職員等として同館に勤務した。「博物館は理科教育のイメージが強いけれど、たとえば小2の国語教科書にタンポポの解説文が掲載されるなど、他教科の学びと強く関連している」と気づく。この発見を契機に新たな教材づくりに精進。教育連携担当職員として研究者の立場を与えられた。難関の「科研費」に申請して13年度以降3度にわたり選ばれてきた。19年度から3年間は学校との協働で実現する博物館教育の研究を行っている。

釋は2019年4月から地方独立行政法人の大阪市博物館機構に採用された。「自然史博物館には年間4万人の団体見学があるので、学芸員と学校をつなぐ窓口になりたいとの一心だった。歴代館長が研究者に位置づけてくださり、本当に恵まれた。今後も研究を進めたい」と決意を示した。

日本で初めての地方独立行政法人化

釋が所属する大阪市博物館機構は先に触れたように2019年4月以降、自然史博物館に加えて美術館、歴史博物館、東洋陶磁美術館、科学館の市立館を管理運営する。日本で初めて公立博物館を地方独立法人化した試みだ。自然史博物館に勤務するのは館長を含めた学芸員15人、総務課の事務職員9人の体制である。

地方独法化の話は15年前にさかのぼる。自然史博物館長の川端清司（1960年生まれ）は2005年度、同館の学芸員と市文化財保護課長代理の兼務を命じられて独法化の検討に関わった。川端は「大阪市は当時から独法化を模索したが、法律に定めた対象は病院、学校、研究所等に限られ、博物館を含んでいなかった。大阪市の要望を経て政令によって博物館も対象内に認められた」と振り返る。

川端によると、地方独法化に伴い、市からは運営交付金が支出される。同館の場合19年度予算で1億6,987万円（人件費を除く）。以前は大阪市博物館協会が指定管理者に選定されていたが、当初5年契約だったので、新規学芸員の雇用は任期付きにせざるを得なかった。自己統治能力を有した地方独法化に伴い、自らの判断で職員採用できる権限を持った。優秀な学芸員をパーマネントに雇えるようになった。

館長の川端は「行政の直営であれ、指定管理者であれ、博物館に赴任した事務系市職員は異動が多く、博物館経営のプロが育ちにくかった。博物館の独法化によって事務職員にも博物館で働く誇りを持ってもらえれば……」と期待する。その象徴的な存在が先に紹介した釋という訳である。

市民を巻き込んで

2020年6月9日から始まった第50回特別展「知るからはじめる外来生物」は本来3月1日に開始予定だったが、3か月延びた。身の周りに生息するザリガニ、ドジョウ、タンポポ、河川やため池にいるブラックバスや水草等の生態を学ぶことで外来生物問題を考えてもらう狙いである。さらに日本学術振興会の研究費「科研費」を獲得した基盤研究B「博物館をコアとした外来生物の市民調査、その生物多様性理解の促進効果の評価」（2017～2019年度）の成果を披露する。市民ら82人の参加を得た大規模プロジェクトで、各外来生物の実態を把握するために82人以外の協力者も多数加わった。

鳥類であるハッカチョウの調査では112人が協力した。同館はホームページでハッカチョウの目撃情報を呼びかけ、個人ブログにハッカチョウの写真を掲載した人に問い合わせた。鳴き声を録音した人には送信してもらって確かめた。同館によると、市民を巻き込んだ調査を行う理由は日常生活で生き物を見る習慣を促進する教育普及効果を重視するからだという。

何より同館には「市民とともに」の長い歴史がある。前身の自然科学博物館（1950年開館）時代から、初代館長で動物学者の筒井嘉隆（作家・筒井康隆の父）の取り組みによって友の会活動が盛んだった。同会発行の月刊誌「ネイチャー・スタディ」は800号近くに達する。2018年度の会員は1,669人。独自行事を年間45回も行い、家族を含めて延べ2,496人が参加した。佐久間は「市民を巻き込んだ調査活動はわが館の職場文化。学芸員一人ひとりがSNSなどで顔の見える発信を行い、5,000人前後の市民とのつながりを持っている」と言う。普段の地道な活動があってこそ「市民調査」が実現した。

友の会の活動は2001年以降、認定NPO法人大阪自然史センター（梅原徹理事長）の事業として運営されている。同センター自体が異色の組織

だ。年間決算額が1億3,000万円程度。会員70人、専従職員11人、アルバイト約20人。子ども向けワークショップ等の普及教育活動、毎秋のフェスティバル主催、独自の調査活動等を行う。2009年度からは高槻市立自然博物館の指定管理者に選ばれ、指定管理料を得る。自然史博物館では1階のミュージアムショップの経営を委ねられているが、3か月余りの臨時休館中、同ショップも閉鎖された。事務局長の川上和歌子(1978年生まれ)は「2019年度はショップで3,200万円を売り上げたが、(感染防止に伴う)休館で600万円を逃してしまった。自然史博物館の活動だけでも人件費は毎月200万円余必要。資金繰りが大変で、職員の一部に休んでいただいた」と語った。

川上は堺市に生まれ育った。追手門学院大学4年のときアルバイトで特別展の運営を手伝った。これが縁となって卒業後、設立直後の同NPOに採用された。2010年から事務局長を務める。同ショップには商品約3,000点が並ぶ。恐竜や動植物のフィギュア類とともに同NPOが開発した独自商品がよく売れる。なかでも「鳥」偏の漢字を集めて胸にプリントしたTシャツと湯のみは計3,361点も販売された(2019年4月現在)。外国人観光客も日本土産に買って帰る。

同NPOの貴重な事業であるショップは2016年度だけ他企業に入札で敗れ、経営できなかった。当時は1年契約。支払う家賃を高く提示した企業が落札した。川上は語る。「ショップ事業を失ったことを契機に経営を見直し、現場の声を経営に生かすため理事に就任した。売れるのを待っているだけでは駄目と考え、関連する学会や各種イベントに出張して模擬店で販売したり、教育普及事業を強化して増収を図ったりした。企業とのお付き合いも増やしていきた

大阪市立自然史博物館のミュージアムショップはNPO法人が経営している

い」。単なる土産物店ではなく教育普及の役割があることを館側に強く要望した結果、家賃だけが契約の目安でなくなり、グッズや書籍の品ぞろえも入札の際に考慮され、契約期間は2年間に延びた。

4 社会教育施設の可能性

　これまでに言及した博物館・美術館・図書館の取り組みから多くの示唆を得た。

　大阪市立自然史博物館では市民を巻き込んだ研究調査、NPO法人と連携した教育普及、友の会の充実した活動、事務職員の研究参画などが実現している。博物館活動は学芸員だけで成り立っている訳でないことを痛感する。ショップ経営も大切な活動である。学芸課長の佐久間は「博物館コミュニティ」と呼び、これらの分厚さや充実が博物館経営に欠かせないと考えている。同館を訪問した筆者は改めて学芸員、事務職員、NPO職員、市民らの間のフラットでかつフレンドリーな関係性を体感した。この関係こそが博物館コミュニティ全体で醸し出す同館独特の「職場文化」なのだ。

　学芸員であれ、事務職員であれ、NPO職員であれ、職種にかかわらず、地域の人々と連携を強め、来館者により良いサービスを行う役割が求められる。筆者には、これらも広義のアートマネジメント人材の1つであると思われた。

　先に紹介した田原市中央図書館の事例も興味深い。図書館は演劇や合唱の公演にも活用できる可能性が浮上した。ここでは、図書館司書が催しの際にプロデューサー的な役割を果たす。図書館にもアートマネジメント人材が活躍する余地が大いにあるのではないか。

　アーツ前橋の事例からは、美術館が社会教育施設の枠をはるかに超えて「まちのマネジメント」を担う時代が到来している様子を伝える。美術館は美術品の鑑賞や美術教育に貢献するのはもちろんのこと、人々の絆づくり、中心市街地活性化の一翼を担うのだ。

　博物館・美術館・図書館はこれまで「社会教育施設」「生涯学習施設」として位置づけられてきた。この役割が減じることはなく、一層重要にな

る。一方で図書館が文化ホール的な役割を果たしたり、美術館が地元商店街と連携してまちづくりに貢献したりするなどの新たな事例が各地で繰り広げられている。大阪市立自然史博物館ではNPO法人と連携したり、市民を巻き込んだ調査活動をしたりする。

　これからのアートマネジメント人材は、既存文化施設のマネジメントにとどまらず、地域の活性化を図り、地域の人々をつなげる役割も担うことになる。期待される任務は多岐にわたる。

　社会教育を考える際、筆者は2020年度に新設された称号「社会教育士」に注目している[5]。社会教育主事講習等規程の改正によって、講習や養成課程の学習成果が社会で認知され、広く社会における教育活動に生かされるよう、講習や養成課程の修了者が「社会教育士」と称することができるようになった。

　社会教育主事は基礎資格というもので、同修了者のうち、当該自治体から発令を受け、教育委員会事務局や公民館等の社会教育現場で働く場合にしか社会教育主事を名乗ることができない悩みがあった。図書館の司書や博物館・美術館の学芸員と同様である。そこで文部科学省の省令によって、社会教育経営論や生涯学習支援論が必修化されるとともに、養成課程においても社会教育施設や文化施設での実習を必修化するなど、講習等規程が改正された。教育委員会や公民館等に勤務していなくても「社会教育士」を名乗ることができる。名刺や経歴書に記載することが可能になった。

　同省のホームページには「社会教育士」に期待される役割が言及されている。ホームページによると、NPOや企業等の多様な主体と連携・協働して、社会教育施設における活動のみならず、環境や福祉、まちづくり等の社会の多様な分野における学習活動の支援を通じて、人づくりや地域づくりに携わる役割が期待される、という。全国社会教育職員養成研究連絡協議会（社養協）・社会教育実習支援ネットワークのパンフレットによると、養成課程では、多様な領域で活かせるコーディネート力の育成を目指すとされており、具体的な領域として「まちづくり・医療・福祉・環境・農業・アート・スポーツ・企業CSR等」をあげた。

　2017年制定の文化芸術基本法に応じて、文化政策の対象が「観光・ま

ちづくり・国際交流・福祉・教育・産業」等に拡大し、アートマネジメント人材の活躍場所も多様な分野に広がっていくだろう、と筆者は1章で指摘した。となるとアートマネジメント人材と「社会教育士」の間にはいくつかの共通項を見いだせる。「アートマネジャー」という資格がない現状のなか、社会教育施設やホール系施設などに勤めて教育普及の業務を担当する場合、「社会教育士」という称号がこれから有用になっていく可能性も考えられる。

　今後も、社会教育・生涯学習とアートマネジメントの関係を見守っていきたい。

＊ 本節の原稿のうち、❷ の田原市中央図書館の記述は松本茂章「愛知県・渥美半島の田原市中央図書館」『公明』2019年6月号、❷ のアーツ前橋の記述は松本茂章「群馬県前橋市立の美術館・アーツ前橋」『公明』2020年4月号、❸ の大阪市立自然史博物館の記述は松本茂章「大阪市東住吉区の同市立自然史博物館」『公明』2020年8月号、の原稿を大幅に加筆修正して書き直したものである。

[1] 詳しくは松本茂章『日本の文化施設を歩く──官民協働のまちづくり』水曜社、2015、262-266頁を参照。
[2] 田原市中央図書館には2019年3月2日と4月4日に訪れた。豊田高広には3月2日と4月4日に、是住久美子と河合美奈子には4月4日に、それぞれインタビューを行った。
[3] アーツ前橋には2020年1月20-21日に訪れた。大橋慶人には1月20日に、辻瑞生には1月21日に、それぞれインタビューを行った。
[4] 大阪市立自然史博物館には2020年6月5日と6日に訪れた。佐久間大輔と釋知恵子には5日と6日に、川端清司と川上和歌子には6月6日に、それぞれインタビューを行った。松本茂章『日本の文化施設を歩く──官民協働のまちづくり』水曜社、2015、206-209頁には、2007年当時の同博物館の様子が詳述されている。
[5] 文部科学省ホームページ「社会教育主事養成の見直しについて」
https://www.mext.go.jp/a_menu/shougai/gakugei/1399077.htm（2020年9月23日閲覧）

インタビュー **02**

住友 文彦 さん (1971年生まれ)

アーツ前橋館長

アーツ前橋は前橋市立の美術館で2013年に開館した。中心市街地に位置していた元百貨店別館を改装した異色のミュージアムである。百貨店が閉館すると、都心部の人通りは急減してしまう。そこで同市は建物を買い取り、15億円をかけて美術館に整備し直した。「まちづくりと美術館」の文脈で語ることのできる公立文化施設である。

館長に就任するまでの歩みは？

生まれたのは埼玉県。父の転勤に伴い生後6か月で南アフリカに引っ越した。4歳で日本に戻り、10歳から15歳まではオーストラリアで過ごした。15歳から東京暮らし。東京大学文学部美術史学科で美学や美術史を学んだ。4年生のときにバブル経済が崩壊して卒業後フジテレビに入社した。CGを使った深夜番組を担当したが、番組がゴールデンタイムに放送されることに。最低2年間続けることが前提だったので「同じ仕事を2年も続けたくない」と1年で退社した。

青山のスパイラルホールに移って3年間、現代美術等の制作を担当。年間4～5本の展覧会を回した。社会問題と対峙している現代美術を面白いと感じたうえ、自主企画ができなくなったこともあって退職。東京大学の総合文化研究科（駒場）に進学し表象文化論を学んだ。

修了後、金沢21世紀美術館の準備室で働いた。開館前に退職して東京・初台の民間美術館「インターコミュニケーションセンター（ICC）」の学芸員を3年間。さらに東京都現代美術館の企画係長・シニアキュレーターに就いた。同館では1年任期を更新する契約だったが、ヨコハマ国際映像祭（2009）、ソウル市立美術館のビエンナーレ（2010）、ニューヨーク近代美術館〈MOMA〉（2012）の仕事もしており、海外の仕事に集中するために退職した。学芸員は自らのポテンシャルを上げていくために英語を使って海外の仕事を引き受ける。海外の仕事は学芸員

の能力の証明になる。本業に手を抜いている訳ではない。

🎤 なぜ前橋に？

　2010年7月、前橋市の非常勤学芸員に採用され、アーツ前橋の開館準備に携わった。大きな美術館からもお誘いをいただいたが、管理職を期待されていることがわかり、辞退した。大きい組織での仕事は東京都現代美術館で凝りました。

　何より前橋のまちが気に入った。コミュニティを対象とする美術館に可能性を感じた。中心市街地に立地することも興味深かった。アーツ前橋を整備した狙いの1つに都心の空洞化対策が含まれており、面白いと思った。

🎤 前橋で始めたことは？

　前橋中央通商店街の一角に市が購入した空き店舗があった。1階は市民が使える無料のミニギャラリーだったが、2階が空いていたので、市にお願いして2階に美術館準備室を開設することを認めてもらった。堅い雰囲気の市役所に置いても文化関係者は来てくれないと思った。この準備室で知り合った市民らが、美術館の実現を支援してくれた。有り難かった。

　開館前、いくつものプレイベントを行った。たとえば美術家が前橋に滞在しながら制作するアーティスト・イン・レジデンス事業。美術館は役所だけでつくっちゃうので、使う側の視点が抜け落ちてしまいがち。そこで外からアーティストを呼んでみた。地元の商店主らにコーディネートしてもらい、市民が美術家の制作を手伝ってくださった。みなさん、美術家と関わる楽しみを覚えてくれた。美術館は単なる展覧会を開いているところではなく、制作に市民が関わることのできる場だと思うのです。

　アートスクールも開き、市民のコミュニティをつくることができた。アーツ前橋のサポーターたちの多くは、このアートスクールに通っていた方々。スクールを通じて互いの顔が見えるようになっていった。

🎤 どんな美術館？

地下1階が展示室になっており、ダンス、音楽、映像も披露される。地上1階は展示室と常設コレクション展。1階にはカフェ、ショップ、読書コーナーもある。2階は事務所と収蔵庫。建設費は15億円。国土交通省のまちづくり交付金を得られたうえ、合併特例債も認められた。都心の空洞化を防ぐための対策を練った。「人々が立ち寄れるところをつくろう」と考えた。地上1階には無料で入ることができ、展示替え期間であっても、いつも店舗やギャラリーを開けておくようにした。

とはいえ大量動員を狙うことより、うちの館では教育や福祉のことをやることをミッションとする。だから動員目標を掲げていない。「5年目に10万人」とだけ言い、実際、開館5年目の2018年度に10万人を達成した。

2013年10月26日からの開館記念展「カゼイロノハナ　未来への対話」では、前橋ゆかりの作品を展示することで20世紀の美術の歴史を語った。地元作品だけでオープニング展を行ったことは冒険だったけれど、多くの方々に評価していただいた。年間1億7,000～8,000万円の予算は決して多くはないが、やれることはたくさんある。

大半の美術館は有名な作家、巨匠の作品を見せている。しかし世の中に生きづらさを感じている人たち、たとえばシングルマザー、難民、引きこもりの人たち、LGBTの人たちを支援することが大切だと考えている。

アーツ前橋は市直営で、現有のスタッフは館長を含めて14人。構想時には17人体制だったが、予算がつかなかった。足りないのは広報担当者2人、アーカイブ担当者（資料収集等の司書）1人。だから広報については最低限のことしかできていないのが悩みです。

🎤 まちづくりにはどんな貢献を？

中心市街地に人が戻ってきている。開館5年目で館の前の人通りは2倍になった。幸いにして年間アンケートによると、来館者の4分の1は県外からお越しいただいている。アーツ前橋が生まれたことにより地域が変わった。民間ギャラリーが1つ2つと開設されてきた。さらに芸術

家が滞在制作できる民間アーティスト・イン・レジデンス施設もできてきた。NPO団体がスペースをつくり、うちの展覧会に合わせてトークや音楽イベントなどの関連事業をしてくれる。美術の施設が「点」から「面」になってきたので、うちの美術展覧会と民間のギャラリーを回遊できる。美術館だけがある、という孤独感はなくなった。

前橋は家賃が安いので、アーティストが自分で払える範囲に収まっている。芸術家が自らで改装できる物件がたくさん残されている。まちの人たちも、やって来た若者たちを歓迎してくれている。さらに美術のまちを成熟させて人材を育てたい。

🎤 国際化の流れのなかで

私自身、オーストラリアに暮らしていたとき、圧倒的なマイノリティだった。転居した際、英語がまったく分からなかった。そのなかで芸術とスポーツだけが「自分」を発揮できる授業でした（苦笑）。美術の授業があって本当に良かったとつくづく振り返る。体験から「美術は大切なもの」と感じた。美術の授業によって、自分を表現する力を持っていれば、何とか生きていけると痛感している。

日本では美術の授業時間が減っていく。専門の教員も少なくなった。だからこそ公立の美術館の果たす役割は重い。公立美術館は、集客の多さを競い合うより、マイノリティの人たちを支援したい。

🎤 アートマネジメントの仕事を志す人たちに伝えたいこと

美術館に勤める前に、テレビ局や下着メーカーの子会社に勤務した。この経験から、企業経験者たちにもっと文化の現場に入ってきてもらいたいと願う。美術館、財団、アーツカウンシル、などの現場を行き来しているうちに人材が育つと思う。

日本では、複眼的な視点で仕事のできる人が少ない。異文化を体験しているグローバルな人材が少なすぎる。日本人同士で説明できても外国人には伝わらない。だから若い人たちには海外に出向いてほしい。

（松本 茂章　インタビュー：2020年1月20日、21日）

4章

組織・団体の現場

1節
自治体文化財団

松本 茂章

1 自治体文化財団の概要

　自治体は基本財産を出資・出捐して外郭団体の財団法人を設立すること
ができる。福祉、健康、生涯教育、スポーツなど多様な分野で生まれたな
かで、文化振興のために設立されたのが自治体文化財団である。名称は文
化財団、文化振興財団、文化振興事業団などとさまざまだが、本稿では
「自治体文化財団」と表記する。制度上は民間非営利組織である。しかし
出資した自治体の意向を強く受けるので、同じ文化財団でも、企業や個人
による純粋民間の財団とは事情が大いに異なる。

　わが国にはどれぐらいの自治体文化財団があるのか？ 総務省の「第三
セクター等の状況に関する調査」(2019年3月31日時点) によると[1]、地
方公共団体が出資 (出捐を含む) した公益財団法人は1,895団体だった。
このうち、「文化・教育」を業務分野と回答したのは726団体で、全体の
3分の1強を占めた。

　一般財団法人地域創造の「2019年度『地域の公立文化施設実態調査』
報告書」(2020年5月公表) によると[2]、調査に答えた1,645自治体のう
ち、文化芸術を目的とする財団がある割合は全体の23.5%だった。都道
府県では93.6%、人口20万人以上の市区町村では80.6%に財団が存在し
た。しかし人口5〜20万人未満の60.5%、1〜5万人未満の87.1%には
存在しなかった。

　静岡文化芸術大学 (愛称・SUAC) がまとめた「SUAC芸術経営統計」
(2012年度版) では[3]、173団体が回答を寄せた。設立年を尋ねる質問に
答えた171団体のうち、1949年以前が2件、1950年代が1件、1960年
代が3件、1970年代が11件、1980年代が65件、1990年代が77件、
2000年以降が12件。1990年代が最も多かった。3章1節で触れたよう

に、1980年代後半のバブル経済時に公立文化ホール系施設の建設が計画され、設計や工事を経て1990年代に開館した場合が目立ち、開館の際に運営組織として文化財団が設立された傾向があった。

同芸術経営統計では自治体文化財団の職員数を調査した。回答によると総職員数は8,155人で、内訳は常勤職員が5,685人（他機関からの出向者325人、うち任期付き職員2,216人）、非常勤職員448人、パート・アルバイト1,926人、協力会社からの派遣職員等96人だった。常勤職員総数のうち、他機関からの出向者と任期付き職員を除いた財団固有の正規職員数は3,144人であり、全体の55.3％にとどまる実態が浮かび上がった。常勤職員の半数近くが財団固有職員（プロパー職員）ではない、雇用の安定しない職場なのである。総女性職員数の比率は全体の50.5％だった。

雇用の不安定な職場である背景の1つに指定管理者制度の導入がある。管理期間が3〜5年の場合、先行きを見通しにくいので、任期を限定した契約職員を採用しがちになるからだ。

同芸術経営統計で明らかになった自治体文化財団の財務面（1,000円以下は切り捨て）をみてみよう。平均総収入額は5億3,914万円。このうち最も多額なのが指定管理料の3億351万円で、全体の56.3％を占めた。次いで事業収入が1億4,499万円。行政や民間からの補助金・助成金が6,675万円だった。

現在の自治体文化財団は、文化施設を設置した自治体からの指定管理料に依存している実態が明らかになった。かつての財団法人は基本財産から生み出される「果実」（利子）をもとに運用されていたが、基本財産運用益はきわめて少なくなり、財団法人の恩恵がなくなった様子も浮かび上がった。

対して支出面をみると、平均総支出額は5億3,826万円。このうち人件費は1億6,821万円で、全体の31.3％を占めた。物件費3億6,379万円のうち管理部門が1億6,367万円、事業部門が1億9,068万円だった。財団から文化芸術団体に支出する補助金が総支出額全体のごくわずかにとどまる現実も浮かび上がった。現在の自治体文化財団から地元の民間団体を支援する機能が失われつつある実態がわかる。現在の自治体文化財団は、

自治体から指定管理者に選定され、公立文化施設の管理運営を行うことで生き残っている訳である。

 ## 2　公益法人改革と寄附の少なさ

　自治体文化財団が設立された際の本来の狙いは、異動を繰り返す公務員では専門性に欠けるので、より専門的能力を有した人材を財団固有職員（プロパー職員）に雇用して、文化振興に関する専門集団をつくることだった。一方で公務員が直営するより財団職員の方が人件費を節減できるとの思惑も当時あった、と筆者は振り返る。

　自治体文化財団は長く行政から公立文化施設の管理委託を引き受けてきた。特に契約期限は定められず、競争下の状況になかった。公務員が財団に派遣されたり、退職した幹部が天下ってきたりしていた。この時期に役所的な慣例や職場文化が醸し出されたとみられる。

　いろいろな経緯から、首長が自治体文化財団の理事長を務める事例も各地で見受けられた。理事会や評議員会は形式だけで「自治体のいいなり」状態であるところは、今でも少なくないのではないか。

　2006年に成立した公益法人関連3法などによって公益法人改革が進んだことは先に触れた。同改革の柱は主に3つあった。1つには財団法人を一般財団法人とより公益性の高い公益財団法人に区分した。2つには理事会や評議委員会が行政から独立して主体的な運営を行うことをうたった。3つには、行政資金頼みを改めて、積極的に寄附を集めることで自主財源を増やすことを目指した。公益財団になれば、税制上の優遇を受けられ、寄附を集めやすくなる。

　しかし「言うはたやすく、行い難し」だ。別のデータがある。静岡文化芸術大学が文化庁の補助金を得て行った「自治体文化財団マネジメント講座」の「事例・データ集」（2018年3月）によると[4]、自治体文化財団の総収入のうち、指定管理料は59.7％を占めている。事業収入は25.2％。補助金・助成金が12.2％。寄附について聞いてみると、全財団の平均値は民間支援（助成財団及び一般企業からの助成金等）が約220万円。寄附

金（個人及び法人）が約300万円。会費（個人及び法人）が約150万円。集めた寄附金の額は予想より少なかった。

　同資料でオーケストラ33団体の民間支援をみるとき、3分の1以上は5,000万円を集めていた。1億円以上の交響楽団もあった。これのデータから、同資料は自治体文化財団の寄附獲得額について「オーケストラと比べると極めて低いのが実態であり、収入源の多様化を考える上で課題のひとつといえる」と指摘した[5]。

　公益法人改革によって、市民らが寄附をした場合、税制優遇を受けられる制度設計がなされ、寄附を集めやすくする配慮が行われた。しかし寄附金を集めることのできない自治体財団は「役所からの補助金頼み」の体質から抜け出せていない。一方で、公益法人になるためには、公益事業を50％以上行う「縛り」を課した。結局のところ、寄附がないなら「縛り」が強くなっただけに終わってしまう。

　同改革によって内部留保が制限された影響も大きい。会計の透明性を高めるためであることは理解できるが、2020年の新型コロナウイルス感染拡大による休館によって、入場料収入が途絶えた状況をみるとき、自治体財団からはより多くの内部留保を求める要望も聞こえてくる。

③ ガバナンスのありよう

　自治体文化財団ではガバナンス（統治）のありようが問われている。公益法人改革に伴い、公益法人が公共政策に参入するように促された。「公」を担う組織は行政にとどまらず、民間も担い手として期待され、「公」を担う組織や団体が多様になった。自治体設置の文化財団の相当数は公益財団となったものの、自治体文化財団がどこまで「公」を担える組織や団体に成長したのだろうか？　設置者である自治体の幹部が理事長や理事・評議員を務める現状は、経営者が株主を兼ねているようなもので、ガバナンス（統治）が機能しているとは思えない。

　自治体文化財団を悩ませる1つの要因は指定管理者制度の導入である。これまで自治体から安定的に文化施設等の管理と運営を委託されてきた財

団が、公募であれ、非公募であれ、指定管理者に選ばれたとしても、指定管理期間が終わると、次の指定管理者の審査のために自治体から改めて実績をチェックされる。この書類準備と審査に各自治体文化財団は疲労感を募らせる。

地域創造が2002年にまとめた「地域文化施設における財団運営の在りかたを考える（提言）」には4つの提言が掲載されている[6]。1つには、すべては「ミッション」から始まる。2つには、活力ある財団運営は内部改革から。3つには、施設を有効に活かせ。4つには、財団の活性化はわが国文化行政の緊急課題。これらは古びることなく今も切実だ。

高島知佐子（2018）によると[7]、非営利組織には2つのボランティアが存在するという。1つは事業等を支援してくれる市民ボランティア。2つには組織のガバナンス（統治）を担う役員だ。何より重要なのは意思決定機関である理事会・評議員会を構成するボランティアとしての役員であり、組織を理解し、組織に貢献する役員を迎え入れられるか否かが経営の存続にかかわる、と指摘する。しかし自治体文化財団の場合、過去の経緯から理事会が形骸化してガバナンスが機能しない場合も見受けられる。

自治体文化財団がガバナンスを機能させていくために高島は次の3点をあげた。①「自治体の一部」という状況を続けることはリスクが伴う、②自治体と地域住民のよきパートナーとして自律したガバナンス体制を敷くことは、現場を担うスタッフのモチベーション向上にもつながり、高いパフォーマンスを生む、③高いパフォーマンスを示せば、自治体と地域住民からより厚い信頼を得られ、自治体文化財団を支える人々が増える、という好循環をもたらす――である。この3点を考えるために、高島は「事業を担う人材に加えて、自治体文化財団において経営を担う人材が必要となる」と指摘した。筆者もまったく同感である。

とはいえ現実を見るとき、組織を牽引してトップマネジメントを行う理事らにはまれにしか出会えない。むしろ現場の職員らがボトムアップ型で組織を変えてきた事例を見ることができる。

三重県文化振興事業団／かすがい市民文化財団

　筆者が全国各地の自治体文化財団や公立文化施設を訪ね歩いてきたなかで、職員らが活躍する自治体文化財団を紹介していこう。

　公益財団法人三重県文化振興事業団は1994年の開館から10年間、県文化会館、県生涯学習センター、県男女共同参画センターの管理を受託した。2004年以降、県から指定管理者に選定されている。2017年度決算では、事業団の総収入が12億円で、内訳は県からの指定管理料8億円、自己収入4億円（このうち貸し館収入1億6,500万円、チケット収入8,800万円）などである。自己財源の確保に努力してきた。

　事業団の職員は計73人。平均年齢41歳。県の考えから外郭団体への派遣県職員数を削減することになり、2000年以降、中途採用に努めた。平均年齢が若いのはこのためである。そして人材育成に熱心だ。たとえば職員を海外研修に派遣したり、資格獲得を奨励したりする。最大50万円まで助成する特別研修制度を設けた。常勤職員を対象にして年間2万5,000円を支給する福利厚生制度には年間180万円の予算を計上。音楽会、演劇、映画などを鑑賞する際のチケット代に用いることができる。

　人事では、個人別に業務要件表を作成して定期評価を行う。PDCAサイクルを回しながら昇進や昇給を決める。「人間力が一番大切で、他の人を巻き込んでいく能力が問われる」（総務部次長・安田賢司）という。

　管理運営する県文化会館は、音楽専用の大ホール（1,903席）、舞台公演用の中ホール（968席）、小ホール（322席）、多目的ホール（425席）を備えている。職員13人体制で、副館長の松浦茂之（1968年生まれ。財団固有職員）のもとに音楽事業係（係長を含めて常勤職員8人）、演劇事業係（係長を含めて常勤職員3人）を置く。

　松浦は同県出身。名古屋大学経済学部を卒業後、東海銀行に入行し、東京で為替業務に従事した。しかしずっとモニター画面を見続ける仕事に疲れ果てて退社。2000年、同事業団に中途採用された。総務担当だったときは経費削減に大ナタを振るい、年間約3億円の経費を削減。事業担当責任者に転じると、NPO法人パフォーミングアーツネットワークみえ（略

称・パンみえ、代表理事・油田晃）と連携しながら演劇振興に奔走した。同NPOは津市内の民間小劇場である津あけぼの座（2006年開館、59席）や四天王寺スクエア（2012年開館、100～150席）を運営している。

　連携策の1つに「Mゲキセレクション」があげられる。今後伸びそうな若手劇団を三重に招く事業で、1年目はNPO法人側が小劇場に劇団を呼んで観客を開拓。2年目は県文化会館の予算で招聘。やって来た劇団員は同館地下1階の小ホール楽屋に泊まり込む。県には「責任者の松浦が団員と一緒に泊まり込む」ことで了承を得た。劇場に泊まり込むと深夜や未明でも稽古できる。さらに宿泊費を節約して劇団の取り分を増やせるうえ、安い経費で遠方の劇団を招聘することができる。連携策の2つは「MPAD」である。県内外の劇団や役者・演出家を招き、朗読公演を行う。おいしいと評判の地元飲食店を会場に選んで、料理を堪能したあとに公演を楽しんでもらう。料金は1人4,000円。店側に3,000円、運営側に1,000円が入る。関係者は「山の幸、海の幸がたくさんある三重なので、これを活かしたい」と話す。

　基礎自治体（市町村）でいえば、愛知県春日井市の公益財団法人かすがい市民文化財団が意欲的である。2018年4月1日現在、職員36人のうち正規雇用が22人と3分の2を占める。正規職員の平均年齢は35歳と若い。1年契約の臨時職員が12人、市の再任用職員（OB・事務局長兼常務理事）1人、市からの派遣職員（次長・館長職）1人という構成だ。

　2000年の財団発足当初、3分の2が市職員の派遣だったが、契約が切れる3年ごとに採用試験を行い、徐々に財団職員を増やしてきた。2018年4月1日に2人を採用して全員が固有職員となった。

　2012年の労働契約法改正に伴い、2016年には全正規職員と無期雇用契約を結んだ。無期契約後、女性職員3人が結婚し、既婚者も含めて3人が出産して産休・育休に入った。同財団職員の役職者は「産休・育休の女性職員が職場に帰ってきたとき、事業やサービスを提案する際の視点が変わる」と話した。

　同財団と市との関係は良好である。理由は、2002年に市文化振興基本条例を制定した際、第6条で財団の責務を明文化したからだ。「財団は、

優れた芸術文化の鑑賞機会を提供するとともに、市民の文化活動を支援することにより、個性豊かな市民文化の創造及び発展に努めるものとする」と明記され、市と財団が車の両輪になって文化政策を行う方針が定まっている。この条例は全国的に珍しい。財団は市側の立ち位置にある。行政からみれば、「財団課」という1つの部署のようである。

　指定管理者制度導入にあたっては「上下分離」式が採用された。施設管理（ハード）と人件費・自主事業（ソフト）を分けて考えるもので、指定管理料（年間1億2,000万円程度）に人件費や事業費は入っていない。人件費（1億5,000万円程度）や自主事業費（3,600万円程度）を含めて、1億9,000万円の運営補助金を市から受け取っている。さらに市民美術展、書道展、短詩型文学祭の事務局を引き受ける。

　補助金や指定管理料が余れば、市に全額返還する制度を採用している点も珍しい。懸命に助成金の申請書を書いて外部資金を獲得できた場合、当初予算のうち使わなかった金額を市に戻すことになっている。当初予算を組む時点では外部から助成金等を獲得できるかわからないので、市に事業費を予算要求しておく。しかし外部資金が取れたら市に返還する訳だ。通常なら予算を余らせると財政当局から「不要だった」と判断され、翌年度の事業費を削られる傾向があるが、同市では異例の仕組みを採用している。

 ## 5　八尾市文化振興事業団

市民参画の文化ホール

　ガラス張りのデザインが目を引く八尾市文化会館（プリズムホール）は近鉄八尾駅そばの線路沿いに建っている[8]。地上5階地下2階の建物で、1988年に開館した。公立文化施設は1980年代後半に計画され、1990年代に入って開館したところが目立つものの、同ホールは大阪府内でも先駆けの施設だった。「都市格向上」をうたった当時の市長が、老朽化した市役所の新庁舎建設よりも文化会館建設を優先させたという逸話がある。市内在住の文化人らで構成する「建設市民委員会」を発足させて、市民の意見を聞いて設計した。

開館時から運営を委託された公益財団法人八尾市文化振興事業団は2006年以降、市から指定管理者に選定され、現在も引き続き管理運営する。指定管理料は2億3,800万円（2018年度決算）。充実したアートマネジメントが評価され、2017年度に地域創造大賞（総務大臣賞）を受賞した。

　地元の郷土芸能である河内音頭、演劇公演、オーケストラ公演など盛んに自主事業を行い、年間約40事業計240公演・講座を主催する。貸し館も含めた稼働率は高く、大ホール（1,440席）85.3%、小ホール（390席）78.5%に達する（いずれも2018年度）。

　開館以降、交響楽団の音楽会など鑑賞型事業を積極的に行ってきたほか、演劇や吹奏楽のフェスティバル、河内音頭などの市民参画型事業に力を入れた。事業の企画から運営まで市民10数人が参加し、事務局には事業団職員1〜2人が加わり、市民と一緒につくりあげた。

　とはいえ順風満帆という訳ではない。同事業団は同ホールに加えて市立生涯学習センターの指定管理者に選ばれていたが、2019年度公募では民間の共同企業体に敗れて、同センターの指定管理業務を失った（期間は2020年4月から5年間）。だからこそ同ホールの仕事を守りたいと願った。

　事業団による現行の指定管理者期間は2021年3月で終わる。同市は、ホールの老朽化や耐震対策等の安全対策に備えて改修工事を想定。2021年4月から16か月間にわたって同ホールを休館する。2020年7〜9月に次の指定管理者の公募を実施した。市の選定作業が進められた結果、八尾市文化振興事業団が引き続き指定管理者に選ばれた。

　市は改修工事の休館中も指定管理期間に含める。このため当初の指定は「3年間」、次に「5年間」だったものの、次の契約は「7年間」に決まった。筆者の知る限り、工事期間中を指定管理期間に含めるのは全国でも異例である。

　同市人権文化ふれあい部長だった村上訓義（1961年生まれ。2020年4月から同部市民ふれあい担当部長）によると、7年間に延長した事情は主に2つある。1つには改修工事期間中だけ市直営に戻して、再開館後の使用受付業務を担当したり、館の備品管理を引き受けたりするのは現実的ではないと判断した。2つには休館中だからこそ、まちに飛び出したアウト

リーチ型の館外事業が必要で、この企画運営の担い手が必要だからだ。

同年７月に公表された同ホール指定管理者公募の仕様書では、休館中での「アウトリーチ事業の充実」がうたわれ、「市内の行政施設、商業施設、飲食店、寺社等と連携した文化事業の実施」が明

外観が特徴的な八尾市文化会館（プリズムホール）

記された。全国各地の文化系ホールが老朽化して改修工事を行う場合が相次ぐとき、八尾が１つの先例になるとみられ、興味深い。さらに仕様書では館内の喫茶軽食室の経営も新たに指定管理業務に盛り込まれた。従来は指定管理者とは別の業者が市と契約していたものの、次からはホールの管理運営と喫茶軽食室の契約が１つに集約される。指定管理業務では文化事業だけでなく来館者の飲食サービスも担うのだ。

牽引する女性の理事兼館長

同事業団業務執行理事と同ホール館長を兼務するのが大久保充代（1964年生まれ）である。1989年に同事業団の固有職員（プロパー職員）に採用された。事業の企画制作に携わり、グループリーダー、副館長を経て2009年から館長に。2011年からは事業団の業務執行理事に就任した。同市芸術文化振興計画の策定に参加したり、他市の指定管理者選定委員を務めたり、米国・英国の公立劇場でのアートマネジメント研修や視察に自費参加するなどの実績を積んできた。

同事業団による「地域拠点契約事業」は文学座や大阪フィルハーモニー交響楽団と事業団が契約した取り組みで、大久保が引っ張ってきた。2010年に文学座と結んだ契約では、年間４～５回の事業を行う。契約料を増額する代わりに通年で劇団員を八尾に派遣してもらう。市民や子ども対象のワークショップを行ったり、市立小学校３校で課外授業を開講したりする。

ときには主演女優が訪れて古民家で朗読劇を披露した。大久保は「文学座の俳優はとても気さくで好評。ワークショップに参加した市民は本公演も鑑賞してくださる。年間を通じて何かやり続ければ演劇のお客様が育ってくる」と話した。

　2020年8月末現在、同事業団の陣容は正職員16人、貸し館受付や事務補助のパート職員6人など。正職員のうち9人が女性で、5人が子育て経験者だ。大久保は「結婚や出産を経ても女性職員の定着率は100%。私自身、2人の子どもを育てながら働き続けた。職員は私の背中を見ているのかな」と笑顔で振り返った。

　大久保は中学、高校、大学を通じて演劇活動を続けた。卒業後、大阪府立高校で英語の非常勤講師を務めたあと、25歳で事業団の公募に応じて採用された。固有職員の2期生だった。「幼いころから親の過干渉に悩まされた。家出を考えたことも何度かあった。心が病みそうになったとき、中学から続けていた演劇によって居場所ができた。演劇から自己肯定感をもらった。今の若者たちにも舞台芸術の魅力やパワーを伝えたい」と話した。

　44歳で館長に就任。指定管理者制度の導入前だったので、当時の歴代館長は市職員あるいは市職員OBだった。人事や経理の担当も派遣された市職員のポストだったが、同制度の導入をきっかけに新館長に大久保が任命された。上司の市職員OBにホール運営の相談をしても答えは返ってこず、自ら経営を勉強した。10〜15の要素からなる職員人事評定システムをまとめあげたり、研修制度を充実させたりして同館運営を牽引してきた。関西学院大学大学院経営戦略研究科に社会人進学して2年間学び、MBA（経営管理修士）を取得。論文「新たな顧客価値を生む公共劇場・音楽堂の創客戦略」を書いた。

職員の仕事ぶり

　同事業団の調査で筆者は総合企画事業班チーフの中神まゆみ（1971年生まれ）と井上恵理子（1980年生まれ）に会った。中神は山口県出身で、大阪芸術大学を卒業後、会社勤務等を経て2000年に嘱託職員に。2006年に正職員に採用された。2020年4月24日予定の「松竹大歌舞伎」の制

作担当だったが、新型コロナウイルス感染拡大に伴う休館で休演に追い込まれた。職員総出で広報誌1万枚に「中止」のシールを貼り、チラシ2万枚を回収した。「公立文化施設の自主事業には、市民の文化を高める事業と稼げる事業がある。大歌舞伎は名優の演技をご覧いただけるうえに収益を上げられるので、2つを満たす絶好の催しだった。市民にぜひ見ていただきたかった」とつぶやいた。

　井上は、開館当時から継続する自主事業の1つ「河内音頭やおフェスタ」の担当者だ。大阪市立大学生活科学部の卒業生。在学中は若者の居場所づくりを研究したので文化ホールの運営に関心を抱いた。同フェスタでは八尾本場河内音頭連盟（会長・美好家肇）と実行委員会を組む。入場無料で、同ホールの客席はほぼ満員になる。連盟に所属する13会派から毎年6会派が出演する。最後の総踊りは大いに盛り上がり、観客が舞台に上がって踊り込んでくる。同館では踊りと鳴り物の子ども講座を開催しており、受講生らも出演する。井上は「私がこういう企画をやりたいと持ちかけると、会長さんが見事に調整してくださる。典型的な市民参画の形になっている」と話した。

　同館調査当時、事業団理事長だった原正憲（1948年生まれ。2020年4月末に退任）は「事業団は地域に密着した文化事業を展開してきた。改修工事の休館中も、これまで以上に地域に出向く。アウトリーチする事業を積極的に企画していく」と述べた。館長で理事の大久保は「次の指定管理者の公募も必ず取りにいく。市民に信頼された事業団職員の仕事を確保したい」と決意を示した。

6　これからの自治体文化財団

　活発な活動を展開する自治体文化財団には県民・市民を巻き込む能力を有した意欲的な財団職員が存在している。彼ら彼女らは組織改革を積極的に提言し、実現させてきた。この熱意や活躍を理事たちは温かく見守る。「ボトムアップ型」の事例は好ましい。

　わが国の自治体文化財団は、公益法人や指定管理者制度導入などの制度

改革にうまく対応できていないと筆者には映る。しかし三重県文化振興事業団、かすがい市民文化財団、八尾市文化振興事業団の3事例をみるとき、意欲的な職員が採用され、財団を牽引してきた。

　本来、理事が組織を牽引して方向性を示し、職員を引っ張っていく形が理想的なのだろうが、日本ではなかなか事例を見いだせない。だからこそ今、財団の固有職員たちのやる気をいかに高めるか、持てる能力を最大限発揮させるか、が喫緊の課題である。事業の企画運営能力はもちろんのこと、政策提言能力を高め、経営的センスを磨き、人事・経理面の経営能力を備えた人材づくりが欠かせない。こうした広義の「経営者」が育ってくれるかどうかこそが自治体文化財団の成否の分岐点なのだ。事業と経営の両能力を兼ね備えたアートマネジメント人材の台頭が待たれる。

　財団の固有職員が現場の経験を積み、経営センスを磨くうちに信頼を得て、財団理事に就任していくステップアップも、大いに期待される。たとえば八尾市文化振興事業団の業務執行理事でプリズムホール館長を兼務する大久保充代が好事例である。固有職員2期生として採用され、持ち前のバイタリティで事業を推進した。44歳で館長に就任。経営者として10年以上の経験を有する。同市の芸術文化振興計画の策定に参加したり、他市の指定管理者選定委員を務めたりもする。米国や英国の劇場の視察や研修に参加して見識を深めてきた。人材育成のために職員研修も大切ではあるが、大久保自身が語っていたように、若い財団職員に背中を見せてロールモデルになる先輩職員が必要なのである。

　いずれにしても、全国各地の自治体文化財団の経営は厳しさを増している。指定管理者制度の導入に伴い民間企業等の新規参入が相次いだり、公益財団に移行して内部留保が制限されたりするなど、財団経営に与える影響は大きい。2020年の新型コロナウイルス感染拡大では臨時休館や事業中止を迫られ、収入が著しく減少した。設置者である自治体の財政事情も苦しく、文化予算が増額される施策はこれから難しいかも知れない。

　このような危機に自治体文化財団はどのような生き残り策を図るのか？地域の人々に信頼され、良質な事業を展開し続けるにはどうしたらいいのか？　自治体文化財団の盛衰は日本の文化振興を左右するといっても過言

ではない。

　文化財団は意欲的な新しい人材を求めている。就職を希望する若者たち
には、文化事業の企画運営に関心を持つだけでなく、政策・経済・経営な
ど社会科学の知識を備えてほしい。自治体との交渉、寄附金獲得、地域連
携など、幅広い分野での活躍が財団職員に求められているのだ。

＊④は松本茂章『岐路に立つ指定管理者制度──変容するパートナーシップ』水曜社、2019の
　「地域ガバナンスと指定管理者制度」73－106頁、114－119頁、に詳しく記述されており、
　一部を引用して加筆修正した。5は松本茂章「大阪府八尾市の市文化会館（プリズムホール）」
　『公明』2020年6月号をもとに全面的に書き換えた。

[1] 総務省ホームページ。
　　https://www.soumu.go.jp/menu_news/s-news/01zaisei06_02000229.html（2020年8
　　月30日閲覧）
[2] 地域創造ホームページ。
　　https://www.jafra.or.jp/library/report/2019/index.html（2020年8月30日閲覧）
[3] SUAC芸術経営統計ホームページ。
　　https://www.suac.ac.jp/researchcenter/research/characteristic_educationandresearch/
　　arts/statistics/result/（2020年8月23日閲覧）
[4] 静岡文化芸術大学「自治体文化財団マネジメント講座　事例・データ集」静岡文化芸術大学、
　　2018、64-73頁。
[5] 前掲事例・データ集、73頁。
[6] 地域創造ホームページ。
　　https://www.jafra.or.jp/fs/2/4/7/2/0/_/propose.pdf（2020年8月30日閲覧）
[7] 高島知佐子「自治体文化財団の経営とガバナンス」静岡文化芸術大学『自治体文化財団マネ
　　ジメント講座　記録集』静岡文化芸術大学、2018、11頁。
[8] 八尾市文化振興事業団には2020年3月25日と4月2日に訪れた。大久保充代には両日に、
　　原正憲、村上訓義、中神まゆみ、井上恵理子には4月2日に、それぞれインタビューした。

2節
実演団体

相愛大学　志村 聖子

① 実演団体の多様性

1-1 実演団体の活動

　実演団体は、アーティスト（実演家）を抱えているところが、公立文化施設や自治体文化財団と異なっている。実演団体は、営利と非営利のものに分けられるが、活動のみに着目してもその判別は困難であることが多い。とはいえ、多くの実演団体は非営利を掲げて運営されており、さまざまな課題に直面している。そこで、本節では非営利の実演団体に焦点を当てることにする。

　音楽をはじめとする舞台芸術活動は、多数の人が集まって成立する、創造的かつ動的な活動である。わが国では、古くから各地で継承されてきた伝統芸能のほか、明治維新以降、西洋音楽を取り入れ、クラシック音楽を中心にオーケストラ、オペラ、バレエ、合唱、ミュージカルなど、多様な分野の実演団体が活動を展開してきた。ここには、愛好家団体も多数含まれ、たとえば市民交響楽団やジュニアオーケストラなどを含むアマチュアオーケストラの数は全国に数百といわれ、吹奏楽団や合唱団、ジャズバンドなども活動が盛んである。また、家元制度に由来するお稽古事や教室としての文化活動も盛んで、関連する実演団体も多い。これはわが国独特の状況といえるだろう。いずれにしても、プロ、アマチュアも含めた多様な活動が展開されていることが芸術セクターの豊かな土壌をつくるといえる。

　実演団体の多くは、質の向上を図るために、公演等に向けての練習時間を確保するほか、個人の自主練習も重視することが一般的であり、絶え間ない自己研鑽が必要とされる。ただし、自前の練習場や劇場を保有する団体は少数に限られ、その都度借用している団体も多い。

　多くの実演団体は、そのジャンルで基礎経験や実演経験を持つメンバー

が集まり、団体での定期的な練習を経て、本番公演を目指すというサイクルを有することが多い。ただし、伝統芸能の実演団体などにおいては、芸の継承のため、未経験者を受け入れ、実演家を育成するシステムを内包する例もみられる。例として、天王寺楽所雅亮会における雅楽伝習所があげられる。同会は大阪四天王寺で千年以上の長きにわたり雅楽を伝承してきた歴史を有し、2018年度より後継者育成機関として雅楽伝習所を開設している。

　プロの実演団体の場合は、公募などの選考システムがあり、給与が支払われるのが一般的であるが、実演芸術家との契約の形態（給与制、公演ごと、期間ごと）はさまざまである。

　このように、実演団体はわが国ならではの特性も持ち、多様性に富んでいる。

　ジャンルごとに特性はあるものの、実演団体全体に共通するマネジメント上の課題もある。

1-2 マネジメントの課題

①取り巻く時代状況

　時代を追うごとに多様化、細分化するエンターテインメント業界の中で、実演芸術を取り巻く競争は激化している。デジタリゼーションやオンライン化が進むなかで、人が集うことそのものの意義を訴えたり、ライブや公演の新たな在り方を模索していくことが課題である。実演団体が活動を続けていくためには、何を守るべきかを思慮し、変化するニーズを汲み取りながら柔軟に判断することが求められる。

②財政構造の脆弱性

　実演芸術は、1回の公演を行うのにかかるコストが大きく、公演をすればするほど赤字になるという現実がある。恒常的に活動するプロの実演団体の多くは、公的助成がなければ継続困難という財政構造を抱える。しかし、現状の公的助成制度は、発表公演に対する赤字補塡にとどまる場合が多く、芸術創作活動そのものにかかるコストへの支援が欠落している。多くの実演団体が、国や自治体に「団体に対する財政支援の充実」を訴えて

いるのは[1]、そのような背景を反映しているといえるだろう。

③練習場所などインフラの確保

プロとアマチュアとを問わず、実演団体においてはメンバーが定期的に（あるいは必要に応じて）練習することが活動の根幹である。しかし、自らの練習拠点を持たない団体も多く、借用するとしても、交通アクセス、使用可能な時間帯、賃料、音の問題などを考慮すると、会場を定期的に確保すること自体に困難がある。同様に、本番会場の確保についても１年前にしか会場予約ができないといった制約や、窓口での抽選制、実績ある催しでも「平等原則」のもとで優先確保はできない、といった制約に直面する例がみられる。結果的に、実演団体は数年を見越した計画を立てづらく、事業を定着させにくいなどの影響を受けている。また、実演団体が拠点となる「ハコ」を有しないことで、地域の顔としてイメージを浸透させづらく、住民からも存在がみえにくいというデメリットもある。

④経営体制の問題と専従職員の少なさ

特に規模の小さい実演団体においては、演者自身がチラシ作成やチケット販売をはじめとするさまざまな業務を兼務している例がみられる。その背景として、専門人材を雇う余裕がないほか、属人的な要素が強い団体が多いということもある。ただ、団体として継続性を目指し、芸術の質を向上させるためには、演者と運営（マネジメント）は役割分担し、かつ専門性を強化する必要性がある。各分野の特色を理解し、明確な目標のもとで組織づくりを行い、潜在的なニーズを汲み取り、具体的な活動計画に落とし込むといった作業が不可欠である。即座に大きな変革を行うことは困難でも、問題意識や視点を持っておくことは有効だろう。

⑤教育・社会への問題喚起

実演団体が、今後の課題として、子どもの頃から芸術に触れる機会を増やす（73％）、実演芸術家として活躍するための実演機会の拡大（60％）、実演芸術家としての社会的地位の向上（54％）、などをあげている[2]。また、国や自治体に期待することとして、団体に対する財政支援の充実（93％）のほか、文化芸術に関する社会的な普及啓発活動の推進（70％）、芸術に関する専門知識を持った職員の配置（50％）を求めている。実演団体の自

助努力のみでは限界もあり、社会からの理解や支援も不可欠である。「夢を売る」だけでなく、運営の実態についても周知し、社会の関心を喚起することも重要になっているといえるだろう。

2 実演団体の運営—オーケストラを例に—

　持続的な活動をしていくことは実演団体に共通する課題である。そこで、以下からはジャンルを絞って、具体的に運営の実情に迫ってみたい。

　この点、プロオーケストラは、通常数十人から100人近くの楽団員が所属し（人員の規模）、年間を通じて定期的に自主公演を行い（活動の規模）、運営主体として事務局組織を有し（演奏家と運営者の分離）、給与制がとられている（有償性）という運営形態を有する。公益社団法人日本オーケストラ連盟が加盟楽団のデータを定期的に集約、公開しており、活動状況や収支、事業の傾向等を把握しやすいという実情もある。

　そこでここからは、プロオーケストラを取り上げ、実演団体における運営の実態をみていくことにしよう。

2-1　わが国におけるオーケストラの発展

　実演団体としてのオーケストラの起源は、王侯貴族などの裕福な芸術の擁護者（パトロン）の依頼を受けて演奏する宮廷楽団や器楽集団にあるといわれる。現存するオーケストラは、古くは19世紀半ばから公開のオペラ劇場やホールの専属楽団として、20世紀に入ると放送局（ラジオ、テレビ局）の専属楽団として創設されてきた。ウィーン国立歌劇場の専属楽団であるウィーン・フィルハーモニー管弦楽団（1842年創設）、コンセルトヘボウが開館した際に専属楽団として設置されたロイヤル・コンセルトヘボウ管弦楽団（1888年創設）、BBC交響楽団（1930年創設）やバイエルン放送交響楽団（1949年創設）などが代表例である。かつての「特権階級のもの」から、大ホールでの公開演奏会や放送等を通じて「開かれたもの」へと変化を遂げたのだ。

　一方、日本におけるオーケストラの歴史は明治期に遡る。日本オーケス

トラ連盟に加盟する団体（全37団体、詳細は後述する）の創立年をみると、最も古いものは1898年創立の藝大フィルハーモニア管弦楽団である。これは、音楽取調掛（東京音楽学校の前身、現在の東京藝術大学音楽学部）に由来する日本初の本格的なオーケストラであるといわれる。その後、1911年創立の東京フィルハーモニー交響楽団、1926年創立のNHK交響楽団が続く。

　わが国におけるオーケストラの数は第二次世界大戦後に増加し、1945年から1950年代にかけて6楽団、1960年代に6楽団、1970年代に7楽団、1980年代には9楽団が創立されている。1990年代前半には2楽団が創立されているが、いずれもバブル崩壊前で、その後2000年代に4楽団が創立されている。演奏レベルも向上し、海外公演を実施するオーケストラも見受けられるようになる。

　創立年が最も新しい楽団は、兵庫芸術文化センター管弦楽団（2005年創立）である。これは、阪神・淡路大震災（1995年1月）からの復興のシンボルとして2005年に兵庫県立芸術文化センターが開館したことに伴い新設された専属オーケストラであり、若手奏者育成の理念を持つ楽団である。

　以上を概観すると、わが国のオーケストラは、戦後の復興に伴い約半世紀で増加した一方、1990年代で経済成長が停滞したことの影響を受けているといえるだろう。

　わが国は、欧州のように放送局や劇場に属して楽団が設置される事例は少数であり、独立型のオーケストラの割合が高い。1970年代から80年代に急増した公立文化施設（劇場、音楽ホール）は、ハード重視でつくられ、その施設で活動する実演団体や従事する専門人材までを総合的に想定してつくられる例は例外的であったこととも関連する。

　欧州のオペラ劇場等における専属オーケストラや合唱団、バレエ団などが自らの拠点でリハーサルや公演を行っていることと比較すると、日本のオーケストラは概して自らの「ハコ」を持たない状況となっており、厳しい環境におかれている。

2-2 オーケストラの規模と楽器編成

　オーケストラは、和名では交響楽団（シンフォニー・オーケストラ）や、管弦楽団（フィルハーモニー・オーケストラ）と称される。交響曲（英：symphony）とは、オーケストラのために書かれた作品を指し、通常は4楽章から成る。交響曲の楽器編成は作曲家により楽譜上に指示されるが、その規模は、時代とともに二管編成、三管編成、四管編成というように拡大してきた。これを反映して、演奏に必要な奏者の人数も多くなる。

　たとえばベートーヴェン（1770-1827）の交響曲は二管編成（フルート、オーボエ、クラリネット、ファゴット各2、ホルン2から4、トランペット2、ティンパニ、弦楽五部（第1ヴァイオリン10、第2ヴァイオリン8、ヴィオラ6、チェロ4、コントラバス4）で、総勢50人程度の規模である。一方、四管編成になると、上記の各楽器の数がほぼ倍増し、演奏者の数は100人を超えるものになる。たとえばマーラーの交響曲第2番「復活」（1888-1894）は、さらにハープ2台、オルガン、鐘、独唱（ソプラノ、アルト）、合唱団（100人以上）などが必要で、文字通りの大所帯となる（なお、この曲は演奏時間も1時間半近くかかる）。

　このように、取り上げる曲目によって楽器編成や奏者の人数が異なるため、通常、オーケストラでは固定メンバーを基本としながら曲によってエキストラや客演奏者を手配するなどして対処している。

　管弦楽器については奏者が楽器を所有していることが通常であるが、一部の特殊管や大型の打楽器（ティンパニ、マリンバ等）、鍵盤楽器（ピアノ、オルガン、チェレスタ等）、ハープ等については楽団が所有、手配するのが通例である。

　オーケストラにとって必要なハードは、楽団員の練習場所のほか、楽器庫、ライブラリー（楽譜室兼作業部屋）、事務局（オフィススペース）などがある。これらが一か所に集中しているか、少なくともスムーズに行き来できることが望ましい環境であるといえる。都市部に拠点をおくオーケストラにおいては賃料の問題とも直結し、ハード面の課題は多い。

2-3 プロオーケストラとは

　プロオーケストラに関する最新データが掲載されている『日本のプロフェッショナル・オーケストラ年鑑2019』（2020年3月）によると、日本におけるプロオーケストラの数は37団体である（公益社団法人日本オーケストラ連盟に加盟している団体：正会員25団体、準会員12団体）。

　そもそも、プロオーケストラとはどのような性質を持った組織だろうか。このことを把握するために、日本オーケストラ連盟の「正会員」の入会条件をみてみよう。①法人格を有する非営利団体に所属するプロフェッショナルオーケストラであること、②固定給与を支給しているメンバーによる二管編成以上のオーケストラであること、③定期会員制度を採用し年間5回以上の定期演奏会をはじめとする自主演奏会を10回以上を行っているオーケストラであること、④運営主体としての事務局組織を持っているオーケストラであること、⑤正会員より推薦を受けたオーケストラであること、とされている。すなわち、非営利性、有給の固定メンバー、楽器編成の規模、定期会員制度、自主演奏会の回数、事務局組織、他のプロオーケストラとの相互信頼、といった条件を満たすことが定められている。

　一方、準会員とは、「弦楽器5部、フルート、オーボエ、クラリネット、ファゴット、ホルン、トランペット、打楽器各1名以上を擁する合奏団であること」「プロフェッショナル・オーケストラとしての演奏活動実績が2年以上あり、定期演奏会を含む自主演奏会を2回以上と、それらを含んだ年間30回以上の演奏活動を行っていること」のほか、演奏者の構成員が「他の会員のオーケストラと重複しないこと」や「半数以上が固定的に在籍」すること、「専門の経理担当者、楽譜係、舞台担当者を擁する事務局組織を持っていること」があげられている。準会員には、室内合奏団や室内オーケストラのように編成が小規模なものが含まれるほか、藝大フィルハーモニア管弦楽団（東京藝術大学）、ザ・カレッジ・オペラハウス管弦楽団（大阪音楽大学）のように大学を拠点とする楽団もあるなど、多様性がみられる。

2-4 地域と類型

オーケストラの拠点を地域別にみると、東京都内に11楽団、大阪府内に6楽団と、全体の半分近くが東京と大阪に集中している。また、札幌、仙台、金沢、名古屋、京都、広島、福岡など地域の拠点都市に本拠をおく傾向がみられる。人口規模でみると、オーケストラを支えるには「200万人につき1楽団」が適正な規模であるともいわれる[3]。東京をはじめとする都市部に集中している（せざるを得ない）ことの説明となるだろう。

日本のオーケストラは、いくつかのタイプに類型化でき、①特定の放送局等と密接な関係があるもの（特定組織型）、②楽団員が中心となって立ち上げたもの（自主独立型）、③都道府県や地方自治体と密接な関係があるもの（自治体型）、④それ以外のもの（ホール関係型など）、などに分けられる。具体例として、①NHK交響楽団、読売日本交響楽団、②日本フィルハーモニー交響楽団、③京都市交響楽団などがあげられる。また、④の例として、オーケストラとホールの関係から、特定のホールとフランチャイズ契約を締結する例（新日本フィルハーモニー交響楽団＆すみだトリフォニーホール）や、ホールの専属オーケストラとして創設される例（兵庫芸術文化センター管弦楽団）がある。リハーサルと本番公演が同じ舞台でできることや、自らの活動拠点でさまざまな活動が機動的にしやすいといった芸術的・合理性双方でのメリットがある。

このように、各オーケストラは厳しい環境におかれながらも、それぞれに固有の歴史を持ち、個性や特色を持っている。以下では、オーケストラの全体像を把握するために、より具体的なデータをもとにみていこう。

2-5 財務状況

オーケストラの財政規模はどのようなものだろうか。

正会員25団体の2018年度の収入合計額は約256億円である。これを各オーケストラでみていくと、最多はNHK交響楽団31億円で、読売日本交響楽団21.6億円が続く。10～20億円台が8楽団、5～9億円台が10楽団、1～4億円台が5楽団と、予算規模にはばらつきがあるが、東京の9楽団のうち7楽団は10億円以上となっている。

収入内訳についてもみてみよう。正会員全体（25団体）の傾向をみるため、収入合計額（約256億円）の内訳をみていく。まず、自前の収入である演奏収入は137億円で、全体の半分強(54%)である。続いて、国・地方自治体による公的支援64億円(25%)、民間支援33億円(13%)となっている。このうち、公的助成64億円の内訳は、地方自治体49億円、国15億円であり、地方自治体が国に比して3倍以上の金額を助成している。このように、オーケストラの収入は演奏収入のみならず、公的支援や民間支援が不可欠な財政構造であるのが特徴である。助成金は、実験的なプログラムなど興行リスクがあっても取り組むべき事業を実現し、かつチケット価格を抑え、幅広い観客層に鑑賞の機会を提供することにつながっている。

　助成金が占める割合については、楽団によっていくつかのパターンがみられる。たとえば、地方自治体からの公的助成を受ける例として、東京都交響楽団（10億円）、京都市交響楽団（7億円）、兵庫芸術文化センター管弦楽団（4.5億円）があげられる。これらの3楽団は演奏収入の割合が低いものとなっており、京都市交響楽団は23%、兵庫芸術文化センター管弦楽団は31%、東京都交響楽団は33%である。

　他方で、公的支援を一切受けない楽団（東京ニューシティ管弦楽団）や、地方自治体からの公的支援を受けない楽団（NHK、東京交響、東京シティ・フィルハーモニック管弦楽団、東京フィル、日本フィル、読売）もある。これらの合計7楽団はいずれも在京オーケストラであり、東京のマーケットの大きさや競争の激しさが読み取れる。

　また、2020年は新型コロナウイルス感染拡大に伴う休演が相次ぎ、軒並み減収したが、元々の財務構造によってその影響にも差が生じている。

　次に、事業活動支出についてもみておくと、支出は「事業費」「楽団員人件費」（ただし指揮者、ソリストは事業費）」、そして「運営管理費（役員・事務局員給与含む）」で構成される。割合は楽団によって異なるものの、「事業費」または「楽団員人件費」のいずれかが50%以上を占めるケースが多い。

2-6 運営体制

　オーケストラの人員体制は、大きく「楽団員」と「事務局組織」から成る。

　これらを人数規模でみると、楽団員の最多のものは東京フィルハーモニー交響楽団で132人、最少のものはオーケストラ・アンサンブル・金沢の33人である。人数規模の大きい80～100人超の楽団は8つあるが、そのうち7楽団はいずれも東京のオーケストラである。一方、事務局職員数については、最多はNHK交響楽団の33人、最少は東京ニューシティ管弦楽団の9人である。

　事務局組織において必ず設けられているのは事業制作部門（名称は事業部、演奏事業部、演奏制作部など）や、広報部門（名称は事業広報部、企画広報課、広報・宣伝など）である。また、楽団員の演奏そのものを支える専門スタッフとして、ライブラリアン、ステージマネジャー、インスペクターの存在がある。

　さらにオーケストラによっては、寄附金等の外部支援獲得に特化した部門（名称はパトロネージュ部、パトロネージュ推進室など）、会館やチケット販売に関わる業務（会館・ホール関係、チケットボックス等）を設ける場合もある。その他、事務局長、総務局、総務営業部、音楽主幹等があげられる。

　このように、オーケストラの運営には多様な人々が関わっており、相互に支え合いながら成立している。

ライブラリアンの仕事—「サイレント・ミュージシャン」として音楽を創る—

　関西圏の複数のプロオーケストラでライブラリアンを務めてきた藤原昌太郎に話を聞いた。

　オーケストラにおけるライブラリアン（楽譜係）の仕事は、公演曲目が決定して、楽譜を手配するところから始まる。楽団が所蔵していない楽譜は、発注・レンタルするなどして入手する。手配できたとしても、オーケストラにおいては「購入した楽譜は、そのままの状態では使えない」。演奏にあたって必要な情報を確認し、楽譜に手を加え、「楽譜をつくる」という介在が必要であり、それを成すのがライブラリアンの仕事である。た

とえば、ボウイング（運弓）を確認して書き込んでおいたり、指揮譜と各パート譜の整合性がとれているかや、譜めくりの箇所に問題がないか、等々をあらかじめ綿密に確認したりしていく。

　公演前のリハーサルにあてられる日数は、数日間と限られるため、リハーサルで指揮者と団員が「本質的なこと」に時間を割けるようにする必要がある。音楽的な拠り所となる楽譜を内実ともに準備しておく、という業務は重い責任を伴う。

　ライブラリアンの使命は、リハーサルを円滑に進められるようにすること（すなわち指揮者と団員が実り多い時間を過ごせること）、そして奏者が演奏をしやすくすることである。それが果たされれば、結果として本番での良い演奏につながり、お客様に素晴らしい音楽を届けることにつながる。このことを言い表して、ライブラリアンやステージマネジャーは「サイレント・ミュージシャン」（silent musician）と呼ばれることがある。

3　実演団体の運営：自治体直営から民営化を経た大阪市音楽団

　Osaka Shion Wind Orchestra（通称・Shion）は日本で最も長い歴史と伝統を持つプロの交響吹奏楽団で、2020年で96周年を迎える。

　はじまりは1923年に元陸軍第四師団軍楽隊の有志により結成された「大阪市音楽隊」である。1934年に大阪市直営となり、1946年に「大阪市音楽団」と改称。誕生以来、「市音（しおん）」の愛称で市民の楽団として親しまれてきた。しかし、2012年1月に当時の大阪市長が直営方式を問題視し、2014年3月末をもって大阪市直営としての楽団は廃止される。2014年4月から一般社団法人大阪市音楽団が運営している（2018年4月からは公益社団法人大阪市音楽団）。

　現在は事務局と楽団員が分離され、楽団員32人、事務局13人の体制である。事務局のトップ3人のみ、演奏家が兼務している。

　2019年度の収益は3億円弱。事業収入は2億2,700万円で、助成金・寄附金等は18%（6,500万円）であった。その内訳は、助成金1,800万円、寄附4,700万円である。寄附には大阪市からの補助金を含むが、3年間の

時限付補助金が2020年度で終了する。また、朝日新聞社、ロームミュージックファンデーション、芸術文化振興基金といった民間・公的助成も得ている。とはいえ厳しい財政状況で運営の安定を模索している。

　2018年4月、大阪市高速電気軌道株式会社（通称・Osaka Metro。かつての大阪市交通局が民営化したもの）と、「音楽で元気に」という趣旨のもとパートナーシップ提携を締結。その一環として練習場の貸し出し提供を受けている。もとは鉄道員の制服を保管する被服倉庫だった建物である。3階建てで、事務局、楽器庫、ライブラリー、練習場まで1つの建物まるごと使えて、近隣への音の心配もない。

　Shionの事業はほぼ依頼事業で成り立っている。依頼元はホール、イベント会社、学校の3本柱である。2020年度春は新型コロナウイルス感染拡大の影響を受け、練習ができなかったが、6月から徐々に再開に向けて動き出し、7月の自主公演を再始動と位置づけた。このまま止まっているわけにはいかない、何とかして「サウンド」を守り続けなければという気持ちだった。「音」が商品の楽団員にとっては、刺激を受けるということが何よりも重要だ。すなわち、楽団員同士が集まり、音を出し、インスピレーションを得るということだ。

Osaka Shion Wind Orchestra 演奏風景　　　　　　　　　　　　　　写真：飯島隆

自主事業の1つである「月イチ吹奏楽」は2020年2月で第51回目を迎えた。日本の吹奏楽人口は100万人を超えると言われるが、吹奏楽は1人では演奏できない。進学や就職などで音楽から遠ざかってしまう人も少なくない。1人でステイホームしている人に元気になってもらいたい。そのような気持ちから、SNSを積極的に更新している。

　現代では「つながり」を考えることが大事だ。自分が音楽に関わることによって、どんなつながりが生まれるのか。何を提供できているのか。そして、どんなつながりが欲しいと思ってもらえるか。「つながれない音楽は、音楽ではない」と理事長の石井徹哉（バストロンボーン奏者）は語る。

 ## **4　これからの課題と実演団体の可能性**

　これからのオーケストラ（実演団体）のマネジメントに求められる視点として、以下のことがあげられる。

　まず、価値観の変化に対して自らの団体がどのように変容できるかということだ。歴史的にみて西洋の音楽芸術は男性優位の保守的な世界で発展し、作曲家やパトロンはもちろん、団員や指揮者、芸術監督などの要職も男性によって占められてきた。ベルリン・フィルハーモニー管弦楽団やウィーン・フィルハーモニー管弦楽団において女性奏者にも門戸が開放されたこと（前者は1980年代、後者は1990年代のことである）がニュースになったことは象徴的であるが、世界の名だたるオーケストラで女性奏者が活躍するようになった歴史は浅く、音楽監督や指揮者における女性の割合もまだ低い。このように、保守的であると目されてきたオーケストラで、ジェンダーや人種を超えた多様性のある姿を見せることはそれ自体が社会に対するメッセージになる（さらに言えば近年、#Me too運動とほぼ同時期に、欧州の実演団体でハラスメントへの対応や被雇用者の処遇改善を求める声が噴出している動きにも着目すべきだろう）。どのような作曲家や作品を取り上げ、指揮者を起用し、プログラムを構成するのか、そこにいかなるメッセージが込められているのか。プログラムを通して、各団体の姿勢や個性、問題意識が浮き彫りにされる。オーケストラは社会に対して

強力に発信しうる存在であるという気概を持つことが重要だ。

コンサート文化についても再考の余地がある。聴衆が音楽ホールで「全人格をもって静かに集中して聴く」という文化は19世紀になって醸成されてきた、いわゆる「ロマン主義的」な態度である。日本のクラシックコンサートでは単独の来場者の割合が多いことが特徴だが、「コンサートはカップルや友人同士で一緒にでかけて楽しむもの」という文化が根づいている国もある。本来、劇場や音楽ホールは「社交の場」「共に楽しむ場」でもあるのだ。若年層や勤労世代をはじめ、人々のさまざまな潜在的ニーズをすくいあげ、多様な楽しみ方を切り拓いていくことで、新たな客層を開拓できる可能性があるだろう。

実演団体の発展のためには、団体の人件費の割合が膨大になるといった運営上の課題にどう対応するかも重要である。事業・寄附収入のほか、他の収入源や支援なしには安定した運営は望めない。本書で取り上げている事例（2章3節など）も参照すると、持続可能な運営のためには、営利のみならず、非営利においても、団体のマネジメントやプロデュース、マーケティングが不可欠といった共通点があることが把握できるだろう。

本節では、オーケストラは「特権階級のもの」から「開かれたもの」へと変化したことを述べた。しかし、実際には芸術への参加は社会経済的な属性に強く影響されることが明らかにされている。格差が拡大しているなかで、オーケストラが芸術と人々、社会を媒介する「社会的基盤（インフラ）」であることを強く認識される必要があると考えられる。多様な人々が結集し、活動を通じてミッションを表現していく実演団体には、大きな可能性が秘められている。

---

[1] 文化審議会文化政策部会「舞台芸術人材の育成及び活用について～文化芸術立国の礎の強化と未来への投資～文化審議会文化政策部会報告書」文化庁、2009、63頁。

[2] 前掲報告書、63頁。

[3] 新井賢治「日本のオーケストラの課題と社会的役割：東京におけるプロ・オーケストラの状況を中心に」『立法と調査』参議院事務局、383号、2016、77頁。

3節
アートNPO

文化庁地域文化創生本部　朝倉 由希

1 非営利セクターの台頭とNPO法の成立

NPOとは、Non Profit OrganizationまたはNot for Profit Organization の略称で、さまざまな社会活動を担う非営利組織の総称である。

NPOはそもそもアメリカを発祥とする。アメリカでは、政府に頼るよりも、市民社会の中で必要が生じれば自分たちで組織をつくってきた。そのような社会のあり方を背景に、多数のNPOが公共サービスを担っている。他国でもたとえばイギリスではチャリティ、フランスではアソシアシオンなど、民間非営利で社会貢献を行う活動体が存在している。このように、民間非営利組織は各国で古くから存在はしていたが、特に1980年代以降、福祉国家の財政赤字が顕在化し、政府から民間へ権限移譲が進むなかで、非営利セクターの重要性が高まってきた。これは先進諸国共通の流れである。

ジョンズ・ホプキンス大学のL.サラモンらは、各国で多様な背景を持ち発展してきたNPOを共通的に定義しようと、1990年代に国際比較プロジェクトを行った。数年の議論の末に抽出された共通定義は以下のようなものである[1]。

①組織化されていること。

②民間であること（政府支出を受けても良いがコントロールされていないこと）。

③利潤を分配しないこと。

④自己統治できること。

⑤ボランタリー（自発的）であること。

これ以外にもNPOを定義する議論はさまざまに行われているが、非営利であり、何らかの使命（ミッション）を追求する組織であるということ

はおおむね共通した定義である。NPOは利潤の最大化ではなく社会的な使命の達成を第一の目的とする。また、市場では供給することが難しい公共サービスを担うのは政府の役割とされてきたが、価値観が多様化し、社会課題の複雑化が進む現代では、平等性、公平性を原則とする政府だけでニーズに応えることが難しくなっている。多様化するニーズに対し、自発的かつ機動的にきめ細やかに対応できる担い手として、NPOの役割が拡大してきたのである。

　日本では、1995年の阪神・淡路大震災で、市民団体やボランティアが果たす役割の大きさに注目が集まったことが、非営利セクターの重要性が認識される直接的な要因となった。以前より市民活動は存在していたが、震災をきっかけに、より市民活動を促進することが必要であるという議論が高まり、1998年、NPO法が議員立法により成立した。

　NPO法の趣旨は、特定非営利活動を行うことを目的とした団体に、比較的簡便な手続きで法人格を付与し、市民が担う公益活動を促進するというものである。特定非営利活動[2]とは、福祉、社会教育、まちづくり、環境保全等の分野に該当する活動であり、不特定かつ多数のものの利益に寄与することを目的とするものとされている。NPO法制定以来、法人数は増加し、内閣府の統計によれば、NPO法人の認証数は2020年度6月末現在で5万1,117、税制優遇措置のある認定NPO法人数は1,162である。また定款の特定非営利活動の種類に第6号「学術、文化、芸術又はスポーツの振興を図る活動」をあげる法人数は、1万8,129（2020年3月31日現在）である。

　なお、2008年12月に施行された「一般社団法人及び一般財団法人に関する法律」により、NPOのみならず、一般社団法人や一般財団法人といった、比較的設立が容易な非営利組織の幅が広がった。

　アートNPOとは、狭義には芸術文化分野で活動するNPO法人格を持つ組織を指すが、以上のような背景から、法人格の種類や有無を問わず、自発的で公益的な活動を行う団体が存在している。本稿では、法人をつけて表記する場合を除き、アートNPOを広義の意味で使用し、NPO法人格以外の法人や任意団体も含めて芸術文化分野で活動する非営利組織全般

をアートNPOととらえる。

 ## 2 2000年代初頭に広がったアートNPOへの期待

　「アートNPO」という言葉が一般に広まり始めたのは、2003年ごろの
ことである。1998年にNPO法が制定され、ふらの演劇工房が全国で最
初のNPO認証を受けて以降、各地で芸術文化分野で活動するNPO法人
の設立が相次いだ。2003年10月、その実態把握と相互交流を進め、社
会に対し認知度を高めていくことを目的に、「第1回全国アートNPO
フォーラムin神戸」が神戸アートビレッジセンターで開催された。芸術
文化分野で活動するNPO関係者が初めて一堂に会した場であり、NPO
法人47団体、任意団体40団体など全235人が参加し、2日間にわたり白
熱した議論が繰り広げられた。その最後に、次のような文章から始まるス
テートメントが採択された。「フォーラムでは、現代社会が抱える課題解
決にアートが不可欠な存在であることを確認しました。私たちは、アート
が多様な価値を創造し、社会を動かす力をもつ、極めて社会的な存在であ
るとの認識をもとに、この力を広く社会にアピールしていきます。」アー
トNPOフォーラムは次年以降も各地で開催され[3]、アートNPOという
呼称は次第に一般化していく。

　アートNPOフォーラムの開催を牽引した1人である加藤種男[4]は、NPO
は自分たちの社会は自分で決めるという市民社会と、多様な価値観を認め
合う社会を実現する存在であると明言し、とりわけアートNPOは市民の
視点に立ち専門性と先駆性を持つ存在として、企業メセナのパートナーに
なることに期待を寄せていた[5]。

　また、第1回NPOフォーラムが開催された直後には、財団法人地域創
造[6]の雑誌「地域創造」で、アートNPOが特集された[7]。吉本光宏は寄
稿「アートNPOの原動力──芸術文化の振興から市民社会の変革へ」の
中で、アートNPOの存在意義について、①社会的な問題意識を持った市
民が主体になり、新しい発想や取り組みが生まれること、②多様な価値観
や表現形態を反映し、芸術活動や文化政策の多様性が担保されること、③

アートNPOのメンバーは、アートが社会に必要だということを確信し、目的達成のために努力を惜しまない存在である、ということを指摘している。

さらに、伊藤裕夫は2004年の『新訂アーツ・マネジメント概論』の中で、こうしたアートNPOの潮流について、新しいタイプの推進支援組織（service organization）であるとし[8]、芸術と社会の両方につながりを持ち橋渡しをする役割に期待を寄せていた。従来の組織にはない特徴として、芸術には縁遠かった人々を含む幅広い市民と芸術の出合いを多様な形で行おうとする点をあげ、アートマネジメントの可能性を拡げるものであることも指摘している。

アートNPOの登場は、単に法人格を持てるようになったという制度上の変化にとどまるものではなく、これまで芸術と社会が乖離してきたという課題認識に基づき、アートNPOこそが芸術を社会にひらき、つなぎ手となり、多様な人がアートの担い手となる市民社会の実現を推進するものであるといった主張とともに、社会に提示されたのである。

こうして2000年代初頭に高い期待とともに隆盛したアートNPOであるが、約20年を経過し振り返ってみると、多様な活動の広がりなど一定の成果はみられるものの、当初の期待通りには進んでおらず、むしろ厳しい状況に直面していると言わざるを得ない。その実態を以下で概観する。

③ アートNPO実態調査からみえる課題

ここでは、NPO法人アートNPOリンク（以下、リンク）が2016年に実施した調査の結果[9]をもとに、アートNPOの実態をみてみよう。

調査対象は法人格を持つアートNPO[10]で、4,272件配布し、有効回答数527、有効回答率は12.3％であった。なお、10年前の2006年にも実態調査を行っており、配布数1,742件、有効回答数184、有効回答率は10.6％であった。対象となるアートNPOの数は約2.5倍に増えている。10年前に実施した調査結果と比較しながら、実態と変化をみていこう。

表4-3-1　アートNPOの運営実態調査（アートNPOリンク実施）対象数

	配布数	有効回答数	有効回答率
2016年調査	4,272	527	12.3%
2006年調査	1,742	184	10.6%

3-1 法人の総収益

　2006年調査（2005年度実績）の平均値は1,047万円、2016年調査（2015年度実績）の平均値は1,721万円であった。平均値はあがっているが、中央値をみると、2006年が381万円、2016年が198万円と減少しており、500万円未満が2006年調査では48.9％、2016年調査では56.5％と増加している。

　平均値が高いのは、極端に収益の多い数件によるものであり、全体としては縮小しているとみることができる。

3-2 職員数

　常勤職員の人数について、2006年の平均値は1.71人、2016年の平均値は2.88人と増加しているが、0人（常勤職員がいない）と回答した団体は2006年が25.0％、2016年が34.9％と増加している。一方、5人以上という回答は、2006年が6.0％、2016年が15.7％と大きく増えている。つまり両極化が進んでいることがうかがえる。

　NPO全般では、職員数の平均は16.1人、常勤の有給職員数は平均7.3人であり、それと比較してもアートNPOがきわめて少人数の職員で支えられていることが指摘できる[11]。

3-3 職員の給与

　2006年の平均値は142万円、2016年の平均値は136.8万円であり、大きな変化はない。無給という回答が38.9％あり、有給の中でも50万円未満が40％以上、100万円未満が50％以上である。アートNPOの労働環境の厳しさがうかがえる。

3-4 活動について

　協働のパートナーについては、2006年も2016年も、約3分の2が行政との協働を行い、企業との協働も約半数が実績を持つ。学校は約40%である。10年前と比較して医療・福祉機関との協働が増加しているのが特徴である。

　また、特に力を入れている活動は、公演・展覧会・映写会等の開催（鑑賞機会の提供）が最も多く、次いで、まちづくり・地域コミュニティの活性化、子ども向け事業の順となっている。

3-5 活動目的を達成する上での課題

　「組織や人員の面で十分な体制を整えられない」という回答が42.9%で最も多く、2006年の26.1%から大きく伸びた。次に「アートNPOの特性を踏まえた助成制度が整備されていない」「NPOだからという理由で予算や経費が安くて当然と思われてしまう」などが上位にあがっている。

　自由記述では、人材や資金調達における課題のほか、「NPO＝ボランティアという固定概念が定着している」「利益を出してはいけないという誤った認識が社会にある」という社会的な理解不足に関することや、「行政との協働がうまく進んでいない」「行政の補助機関のようにとらえられている傾向がある」「行政と長期的ビジョンを共有することが困難」といった協働に関する課題があがっている。

４　20年の成果、課題、展望

4-1 20年の成果

　アートNPOの約20年を振り返り、これまでの成果と課題について整理してみたい。以下の内容は、前述の実態調査を実施したリンクの現理事長である大澤寅雄[12]のインタビューをもとにまとめた。大澤は、これまでリンクの事務局をサポートし、多くのアートNPOと関わってきた。その経験から、20年の成果について次のように指摘する。

第1に、アートNPOは芸術文化と社会の関係の多様化を促してきた。法人形態としてのNPOが登場する以前から、市民参加の先駆的な活動はあったが、1998年以降法人格が取得できるようになり、芸術文化活動の担い手として可視化されたことは大きい。そのような新たな担い手が、社会と芸術文化をつなぐ活動を展開することで、「アートはプロが提供して市民は享受するもの」という二分された関係性を崩し、市民自らがつくり手にも受け手にもなるという新たなあり方を実現してきた。

第2に、活動領域の多様化である。初期の2000年頃には、教育とアートというテーマが注目された[13]。学校教育に総合的学習の時間が取り入れられた時期でもあり、学校教科とアートを掛け合わせ、子どもたちの創造性を育む活動を展開するとともに、アート側に仕事が生み出されるのではないかという期待もあった。また、廃校活用や、衰退した商店街の再生もアートNPOが牽引し、先駆的な事例を生み出してきた。たとえばSTスポット横浜、BankART1929[14]などは、横浜市の創造都市政策を実現する主体として重要な役割を担ってきた。東日本大震災の際にも、アートNPOの動きは迅速で、多面的な支援活動を行った[15]。このように、アートNPOはその時々の社会的な出来事や変化、課題に即応しながら、アートに何ができるかを問いかけ、議論し、社会の変化とともに歩んできた。

大澤は、あえて「アート」という、定義があいまいな言葉を用いたことに意味があったと振り返る。アートNPOが扱う領域は、同時代の表現領域が多く、また社会のあらゆる領域と関わる。「アートとは何か」をアートNPO自身が自問自答しながら、社会に対し存在意義を投げかけ続けてきたのである。

4-2 資金調達とパートナーシップの課題

そのような歩みの一方で、実態調査からもうかがえるように、各団体が抱える運営上の課題は深刻さを増している。高いミッションを持って取り組める、やりがいのある仕事であっても、人員不足や給与の少なさから、若い人が夢を持って参入できる分野であるとは言い難い現実がある。

利潤追求を目的としない非営利組織にとって、資金調達は特に重要であ

るが、多くのNPOが課題を抱えている。それは行政との協働の課題とも結びついている。行政とアートNPOの協働が健全に機能すれば、行政には担いにくい専門的・先駆的なアート活動が供給される。NPO側は助成金等により比較的まとまった活動資金を得ることができ、双方にメリットがある。しかし実際には、NPOの活動基盤の脆弱性や、信用度の低さから、行政の対等なパートナーには位置づけられにくい。行政はやる気のある優秀な人材がいるNPOを安く使い、NPOは財源として行政に依存する、という「依存」と「搾取」の構造に陥りやすい。大澤は、多くのNPOが行政との協働におけるジレンマに陥っていると指摘する。行政からの受託事業や補助金が大きな財源となると、それが切れた途端に活動の継続が難しくなる。活動の継続が目的化し、本来の活動目的とは異なる事業であっても行政の委託や補助を受ける事態が続くと、NPOは疲弊していく。NPO自身が、立場の弱さから、搾取を許容する意識になっていることも課題である。

　大澤は、このような構造から脱却するためには、大きく2つの改革が必要であると提案する。1つには、NPOが行政とともに公共的目的を達成するための対等なパートナーとして振る舞うよう意識改革を行うことである。また、NPOが行政の行動原理やロジックを理解し、違いを認識しながら対話をする能力を身につけることも必要である。行政は、市民への説明責任を果たす必要性から、平等性や公平性を行動原理とするが、NPOはミッションとそれへの市民の共感や支持が原動力である。お互いに存在する原理や仕組みが違うことを理解しつつ、双方の利点と不足点を補完することが、協働が機能するためのポイントとなる。日本NPOセンターによれば、協働とは、「異種・異質の組織」が、「共通の社会的な目的」を果たすために、「それぞれのリソース（資源や特性）」を持ち寄り、「対等の立場」で「協力して共に働く」ことである。対等の立場という意識を双方が持つことが重要である。

　大澤が提案するもう1点の改革は、NPOの財源を本来あるべき姿に改めていくことである。NPOは、掲げたミッションに対し、共感を得て、会費や協賛などの資金を調達することにより事業を展開していくのが本来

の姿であるが、その能力が弱いために、行政の補助頼みになりがちであり、前述のジレンマの構造に陥っていく。大澤は、2003年から2004年にかけて文化庁の新進芸術家海外研修制度を活用し、アメリカのシアトル近郊の劇場運営の研修を経験した。そこではバザーやオークション、パーティなどで市民と積極的にコミュニケーションをとり、活動をアピールし、寄附を集めていた。その経験から、日本のNPOはまだまだプレゼンテーションが足りていないと感じているという。「良いことをやっているのに寄附が集まらない」と悲観的になるのではなく、魅力的な活動をしているということが伝わるように、より積極的・効果的なプレゼンテーションを行う必要がある。また、その対象についても、これまでの理解者やアートにもともと関心のある人のみを対象とするのではなく、従来の関心層の外側にいる人にも理解と共感を広げる努力が求められることを、大澤は指摘している。

4-3 リンクが抱える課題と展望

　リンクは、アートNPOの基盤強化とマネジメントの確立を目指し、情報収集・発信や研究調査、政策提言を行うNPOである。いわばNPOを支援する中間支援NPOである。そのリンク自体も、近年運営に課題を抱えているという。

　NPO同士のネットワークを築き、重要な提言を発信してきた「アートNPOフォーラム」は主要な事業であったが、その開催は2015年の浜松で一区切りし、2019年の八戸まで休止した。リンクは、アートNPOが活動するための基盤をつくる中間支援組織であり、事業を行い対価を得るような性質の活動を行っていないため、そもそもミッションの中心に据えている事業から収益をあげることが難しい。2015年までリンクはアサヒビールのメセナ活動拠点であったアサヒアートスクエアを運営し、その委託業務を主要な収入源としていたが、2016年3月に老朽化により閉館すると、職員を雇用できるだけの財源を失い、常駐の事務局がなくなった。法人としては残し、調査事業などを受託してきたが、活発な活動はできない状態が続いていた。

2020年7月、大澤は自ら志願し、リンクの理事長に就任した。新型コロナウィルス感染拡大により芸術文化環境が危機にさらされている最中の決断である。その意図について、大澤は次のように語る。

　「リンクができたころ、NPOは弱い立場の人たちがネットワークを組むことで励まし合い、助け合ってきた。ネットワークがあることで自分も助けられたが、15年ほど経つと、自分にとってはすでに関係性ができており、助け合える関係にある人がたくさんいる。しかし、今ネットワークに入っていない、芸術文化分野で活動する弱い立場の人がたくさんいる。自分がリンクによって支えられたように、新しく助けを必要としている人たちにネットワークを開いておきたい」。

　いま大澤は、リンクの事業をもう一度活性化しようとしている。2020年現在、コロナ禍を受け、対面で人が集まることはやりにくくなった一方、オンラインでのコミュニケーションは取りやすくなっている。思いを共有する者同士が、コストをかけず、場所の制約もなく議論しやすい環境となった。オンラインの活用によって、機動力のあるNPOならではの動きを生み出せるのではないかと、大澤は可能性を見いだしている。

　個々のNPOは強い使命感を持っていても、組織が小さいがゆえに単体では大きな力を発揮できないことが多い。アートNPOの力が社会に生かされるためには、ノウハウや情報の共有を図る基盤となるプラットフォームはきわめて重要である。アートNPOリンクの今後の再活性化に期待したい。

⑤　文化政策の総合化とアートNPO

　最後に、近年の文化政策の動向と関連づけて、アートNPOの意義と展望を考える。

　2017年、文化芸術振興基本法の改正により成立した文化芸術基本法では、観光、まちづくり、国際交流、福祉、教育、産業その他関連分野と有機的に連携し、文化政策を総合的に推進していくことが盛り込まれた。さまざまな社会領域に活動を広げることは、アートNPOが担ってきた役割

である。これまでも、福祉や教育、まちづくり等の分野で、先駆的な活動を行い成果をあげてきたことは先述した通りである。特に、国という大きな単位ではなく、住民の暮らしに直結する地域社会において、アートNPOは領域横断的な課題に対応して活動してきた。今後その重要性はますます高まるのではないだろうか。文化芸術を通じた豊かな社会づくりのための文化政策の総合的な推進が目指されているなかで、アートNPOはその担い手として大きな役割を果たし得る。

　もう1点指摘しておきたいのは、先駆的、実験的な取り組みを牽引するアートNPOの重要性である。近年の新自由主義の進展により、公共政策は数値化可能な価値の追求や、短期的に成果を生み出しやすい施策・事業に注力される傾向が進んでいる。このようななかでこそ一層、評価の定まらない分野を先駆的に切り開くNPOの特性を生かし、多元的にアート活動が展開される必要があるのではないだろうか。芸術文化分野の多様性を確保し、創造的な芸術文化環境を実現するうえで、アートNPOはきわめて重要な存在である。国や自治体は、多様な活動を生み出すNPOの役割に目を向け、基盤整備に対する支援を強化することが望まれる。

　アートNPOの組織の脆弱性はいまなお大きな課題であるが、20年前に期待されていた役割自体は、むしろ高まっているといえる。アートNPOが本来持つ、社会を変えていくというミッションを基軸に据え、取り組む事業の価値を明らかにし、幅広く支持を集めていくことで、事業目的の達成と経営を両立させていくことが、マネジメント上の重要なポイントである。そのためにNPOは、行政や企業と対等なパートナーとして対話する力をつける必要がある。NPOならではのミッション追求を軸にしながら、活動の意義を客観的に説明できる能力を高め、政策提言につなげていくことが、今後ますます求められる。

---

[1] アメリカのジョンズ・ホプキンス大学政策研究所によるNPOの国際比較研究でレスター・サラモンとアンハイマーが用いた定義。

[2] 1998年当初は12分野であったが、法改正により2012年までに次の20分野に拡大されている。(1)保健、医療又は福祉の増進を図る活動、(2)社会教育の推進を図る活動、(3)まちづくりの推進を図る活動、(4)観光の振興を図る活動、(5)農山漁村又は中山間地域の振興を

図る活動、(6) 学術、文化、芸術又はスポーツの振興を図る活動、(7) 環境の保全を図る活動、(8) 災害救援活動、(9) 地域安全活動、(10) 人権の擁護又は平和の推進を図る活動、(11) 国際協力の活動、(12) 男女共同参画社会の形成の促進を図る活動、(13) 子どもの健全育成を図る活動、(14) 情報化社会の発展を図る活動、(15) 科学技術の振興を図る活動、(16) 経済活動の活性化を図る活動、(17) 職業能力の開発又は雇用機会の拡充を支援する活動、(18) 消費者の保護を図る活動、(19) 前各号に掲げる活動を行う団体の運営又は活動に関する連絡、助言又は援助の活動、(20) 前各号に掲げる活動に準ずる活動として都道府県又は指定都市の条例で定める活動。

[3] 2015年の浜松市での開催で一区切りし、2019年の八戸まで休止した。

[4] アサヒビール芸術文化財団事務局長（当時）。

[5] 加藤種男『芸術文化の投資効果——メセナと創造経済』水曜社、2018、244頁。

[6] 現在は一般財団法人。

[7] 財団法人地域創造『地域創造 2003 Winter vol.15』2003年12月25日発行。

[8] 伊藤は、アートNPOには劇団や楽団などの実演団体や小規模の民間文化施設も含まれるが、「アートと社会をつなぐ」活動に取り組む団体が圧倒的に多いと指摘し、特に推進支援組織の役割に着目している（伊藤裕夫・片山泰輔・小林真理・中川幾郎・山﨑稔惠『新訂アーツ・マネジメント概論』水曜社、2004、260頁）。

[9] 特定非営利活動法人アートNPOリンク「ARTS NPO DATABANK 2016-17　アートNPOの基盤整備のためのリサーチ」（文化庁委託事業「平成28年度次代の文化を創造する新進芸術家育成事業」）2017年3月発行。

[10] NPO法人のうち、定款に記載された特定非営利活動に第6号「学術、文化、芸術又はスポーツの振興を図る活動」を記載している団体の中から、学術とスポーツに限定した法人を除き、芸術や文化に係る活動をしていると思われる法人、および芸術や文化に関わりの深い活動をしていると思われる法人が抽出されている。

[11] 「ARTS NPO DATABANK 2016-17」の櫻田和也の分析による。

[12] ニッセイ基礎研究所芸術文化プロジェクト室主任研究員。NPO法人アートNPOリンク理事長には2020年7月1日就任。2004年から同団体の事務局をサポートし、2016年には理事に就任した。また横浜市の公設民営施設STスポットの運営を担うNPO法人STスポット横浜にも関わってきた。

[13] NPO法人芸術家と子どもたちなど。

[14] 歴史的建造物等を文化芸術拠点として活用する横浜市のリーディングプロジェクトで旧銀行を活用し2004年3月から活動をスタート。2007年にNPO法人化した。その後旧日本郵船倉庫を改修したBankART Studio NYKに拠点を移し、施設内にとどまらない街なかへの活動を展開。BankART Studio NYKは2018年に解体され、みなとみらい地区に新たな拠点を設け、2020年現在は5つの施設の連携を図りながら運営している。

[15] 大澤寅雄「二つの震災を節目とした文化と社会の関係性の変化」小林真理編『文化政策の現在3　文化政策の展望』東京大学出版会、2018、270-273頁。

インタビュー03

古賀 弥生さん（1963年生まれ）

アートサポートふくおか代表

　非営利団体「アートサポートふくおか」は2002年、「だれもが芸術
文化を楽しめる環境づくり」を使命にして設立された。九州における
アートNPOの先駆けで、学校現場に芸術家を派遣する取り組みを続け、
近年は高齢者福祉施設でも活動している。

どのような活動を？

　「アートサポートふくおか」の役員は芸術家、演劇制作会社社員など
多様なバックグラウンドを持っている方々で、相談に乗っていただいた
り、催しを手伝っていただいたりする。発足した2002年当時、2人の
娘は小学生。学校のつまらなさを何とかしたいと願った。この年に学習
指導要領が変わり、「ゆとり教育」が行われるようになった。東京では
1999年にNPO法人「芸術家と子どもたち」の活動が始まっていたの
で、上京して活動報告を聞きに行き、感銘を受けた。

　最初の事業は、娘の小学校に俳優を派遣する取り組みだった。学校の
予算はないけれど、芸術家派遣に謝礼は必要。自らの「へそくり」30
万円を銀行口座から引き出してNPOの口座に移し活動資金にした。福
岡県内では初めての取り組みで、3年後に県職員の目にとまった。県内
の学校に芸術家を派遣したいとの申し出に、単に芸術家が学校を訪れれ
ばいい訳ではなく、教員と芸術家の間をコーディネートする人材が必要
であると強く申し入れた。結果的に私が初代のコーディネーターを引き
受け、教員と芸術家の間に共通言語を持つことのできるプログラムをつ
くった。

　NPO法人になることが成長の軌跡だと思っていたが、法人にしな
かった。法人格がなくても助成金を獲得できる。行政からの委託業務を
受けることができるとわかってきたから。法人格を取ると社会的認知が
上がるけれど、事務処理量が増えてしまう。

「アートサポートふくおか＝古賀弥生」と位置づけ、「古賀弥生のやりたいこと」を応援してもらう仕組みにした。法人格は取得しないものの、法人に準じて定められた書式で財産目録、貸借対照表、活動計算書を作成している。うちに委託してくださる行政には毎年、活動報告や情報公開を行った。個人のままだと行政の補助金や民間の助成金を申請できないが、団体だと申請できる。任意団体のままでもやれる。

🎤 元は福岡市職員ですね

福岡市に生まれ、九州大学法学部に進学した。法学部は1学年に240人。1年生クラス55人のうち女子は7人だけ。卒業時は男女雇用機会均等法の制定前だったので、4年制の女子学生が民間企業に就職することが難しく、公務員受験を考えた。

福岡市役所では「社会人」に育てていただいた。電話の取り方、文書のつくり方など行政の仕事を通じて学んだことはすべて「今」に生きている。初任地は東区の選挙管理委員会。2年後に本庁の広報課に異動した。4年間の広報課時代に同期採用の夫と結婚し長女を出産した。さらに統計課に移り統計調査の編集を担当。このとき3歳下の二女を生んだ。都市景観室に3年勤め、市港湾局振興課に2年弱在籍して退職した。

退職にはポジティブな理由とネガティブな理由があった。アートマネジメントに強い関心を持ったこと。もっと勉強したいと希望した。一方、当時の役所では女性職員が「1人子どもを産むと1年昇進が遅れる」と言われていた。2人を出産したので2年遅れかと思ったらもっと遅れた。理不尽だなと感じていた。

港湾局では展示施設をつくる仕事に携わった。ウォーターフロント再開発の名前のもとに閑古鳥の泣く文化施設をつくりたくないと真剣に悩んだ。上司に「辞めたい」と相談すると、答えは翌春の係長昇進だった。私はぶち切れて、受け取った辞令を破りゴミ箱に捨てたらしい。記憶がないのですが……。

辞めてどうする？ 本当にやりたいことは何か？ 自問自答を続けた。NPOを発足させ、アートマネジメントを実践する道を選び、2001年

12月に市を退職した。まもなく福岡県春日市の文化スポーツ振興公社が嘱託職員を公募した。公社が運営する「ふれあい文化センター」の企画・広報担当だった。採用されて2002年4月から5年間、フルタイムの嘱託職員を務めた。2007年4月以降「アートサポートふくおか」が受託する形にしてもらった。

　2010年4月、長崎市にある活水女子大学の教員に採用されたので、同公社の仕事を辞めさせていただいた。活水女子大学には8年間勤めた。2018年4月から九州産業大学に転じた。

どのようにアートマネジメントを学んだ？

　私は人見知りで、相手の目をみて話せなかった。20歳になる前に自分を変えたかった。「お勉強」はできるが、このままでは社会に出ても何の役にも立たない。そこで19歳で演劇活動を始めた。東京に本社を置くドラマ制作会社がJR博多駅近くに養成所を設立したので、月謝を払って毎週日曜日に通った。朗読の稽古をした。社長が体調を崩して養成所を閉じることになったものの、講師が動いてくださり、東京音楽学院福岡校に演劇科を新設する形で引き取ってもらった。モデル事務所に登録して、テレビCMや企業のプロモーション映像にも出演した。

　福岡市の同期採用職員が高校・大学とも演劇部で、劇団「芝居小屋」を主宰していた。彼が夫となりました。私自身、役者に加えて制作、広報、チケット管理などの裏方を務めた。団員からお金を集めて興行した。

　アートマネジメントという言葉を知ったのは1990年。「これって何？」と不思議に思った。日本経済新聞の記事で慶應義塾大学にアートマネジメント講座ができ、1991年に1期生を迎えたことを知る。そこで私は翌92年に2期生として受講した。毎週土曜日、アートマネジメントとアートプロデュースの授業を受けた。有給休暇を利用し、長女を夫に預けて飛行機で上京した。私が最も遠方から通う受講生だった。

　ゲストのお話は知らないことばかり。貴重な話を福岡の人たちにも聞かせたいと願い、知り合いの市文化振興課職員など7人ほどに集まってもらい、勉強会「アートプロデュース研究会」を立ち上げた。毎月2回、

慶應で聞いてきた内容を福岡に持ち帰った。慶應の受講は1年で終わったが、研究会は数年間続いた。参加者でテーマを持ち寄り、論議を重ねた。ゲストを招いた。

🎙 シニア向け事業を始めた背景は？

娘が成長したうえ、他の団体も学校に芸術家を派遣するようになった。次に何をするか？ 数年間模索した。高齢者施設にアーティストを派遣する仕事をしようと決意した一番の契機は父が認知症になったこと。入所した施設はとても良く、介護の方は親身にお世話してくださった。しかしレクリエーションの時間はつまらなかった。カラオケ、塗り絵など保育園かと見間違うばかり。自らが老後を過ごすとき、体や脳の機能が衰えても、ワクワクドキドキする体験のできる環境がほしいと願った。父が亡くなった翌年の2014年、高齢者をテーマにしたフォーラムを数回開いた。次第に行政から声をかけていただけるようになった。

最初は福岡県宗像市から高齢者向けの事業を始めたいとの意向が示され、協力した。そして認知症カフェでの芸術活動に取り組みたいと希望していた福岡市立の複合文化施設「なみきスクエア」(同市東区)とつながりができ、私たちのNPOが演劇と音楽を持ち込んだ。マリンバとピアノの体験型コンサートを行い、認知症の方の家族や介護者らと交流している。

福岡市という都市の規模はちょうどいい。1つの分野に団体は1つしかないけれど、1通りそろっていて、みんな顔見知りだから。

🎙 アートマネジャーを目指す人たちへの助言は？

社会人としての普通のスキルをきちんと身につけた方がいい。回り道でもいいので、一度は行政や企業などの組織に所属して普通に働いてみる。いきなり起業すると危なっかしいうえ、この業界で食べていくのは大変だから、ダブルワークをしても大丈夫なように何かのスキルを身につけたい。その経験は必ず生きる。

(松本 茂章 インタビュー：2020年3月30日)

5章

アートマネジメントの最前線

1節
地域のアートプロジェクト

朝倉 由希

 1 企てとしてのアートプロジェクト

　1990年代にアートプロジェクトと呼ばれる活動が日本に登場してから、今日までにその数は把握しきれないほどにまで増加し、内容も多様化している。都市や過疎地を舞台に行われる、トリエンナーレやビエンナーレと呼ばれる大型の芸術祭もあれば、そのような芸術祭に関連して個々の場で展開されるプログラムをアートプロジェクトと呼ぶこともある。また、生活の場である地域コミュニティで試みられる小さな活動もある。担い手に着目してみても、アーティストの表現活動として行われるもの、行政の地域振興策として行われるもの、公立文化施設が手がけるもの、市民活動として行われるものなど、形態も目的も多様である。

　プロジェクトとは、pro（前に）とject（投げる）が合わさった言葉であり、「前方に向かって投げる」がその原義である。つまり、未来（前方）に向かって、何か達成すべき目標のために行う企画がプロジェクトである。アートのプロジェクトとは、従来のあり方ではない新しい方策をとり、アート自体の刷新や、アートによる社会の創造・変革をねらう、何らかの企てであるということができる。ただ実際には、ちょっとした野外作品展示から、非常に強い社会的メッセージを含むものまで、何でもかんでもアートプロジェクトと呼ばれる百花繚乱の状況にあり、明確に定義することは難しい。

　熊倉純子らは、増殖と変容を続けるアートプロジェクトの動向を分析・検証することを目的に、2010年に「アートプロジェクト研究会」を発足し、定義を試みている。それによれば、アートプロジェクトとは「現代美術を中心に、おもに1990年代以降日本各地で展開されている共創的芸術活動。作品展示にとどまらず、同時代の社会の中に入り込んで、個別の社

会的事象と関わりながら展開される」ものであり、「既存の回路とは異なる接続／接触のきっかけとなることで、新たな芸術的／社会的文脈を創出する活動」と定義されている。そして具体的な活動形態としては、廃校・廃屋などで行う展覧会や拠点づくり、野外やまちなかでの作品展示や公演、コミュニティの課題を解決する社会実験的な活動など、幅広い形で現れるとしている[1]。

アートプロジェクトの前史は、美術館のホワイトキューブから飛び出した屋外空間での美術表現にみることができるが、多様な場所での表現活動が広がるにつれ、次第に地域との関わりや社会のさまざまな領域との関わりが生み出されてきた。90年代以降は、アートが既存のシステムを乗り越える挑戦という側面と同時に、地域社会へもたらす影響や、人の関係性をつくる役割も着目されるようになってきた。アートが社会と関わることで幅広い役割が認識されるとともに、新しい表現も生み出され、それによりアートが含意するものも拡張してきた。今日のアートプロジェクトは、美術に限らず、むしろ分野やジャンルという概念も越えた、多様な表現を対象とするようになっている。

2 アートプロジェクトの特徴

アートプロジェクトを定義することは難しいが、事例を参照しながら、いくつかの特徴を抽出してみよう。

1点目は、プロセスの重視である。作品の展示や公演といった、成果の披露にとどまらず、完成品をつくるまでの制作プロセスにさまざまな人々を巻き込み、協働する形を取ることが多い。たとえば美術家日比野克彦が手がける「明後日朝顔プロジェクト」は、朝顔を育てることを通じて人と人の交流を促す。地域住民が関わり、多様な人々が協働するプロセスが日比野の表現であるといえる。

2点目は、アートの概念を拡張してきたことである。1点目に指摘したような成果としての作品だけでなくそこに至るまでのプロセスを重視するアートのあり方は、何をアートと呼ぶのかといった論争を巻き起こしなが

ら、特定の分野に収まりにくい新しい表現活動を生み出してきた。既存の価値観を揺さぶるような表現にアーティストが挑戦する場でもあり、今後も社会や時代の変化に伴い、多様な表現が生まれてくることが予想される。

　3点目は、場所に関することである。劇場、ホール、美術館といった文化施設の中ではなく、野外や生活空間のほか、廃校等の遊休施設、空き家などが会場となることが多い。少子高齢化や過疎化が進み使われなくなった施設に新たな役割が吹き込まれることによって、人々が再び交流するスペースに生まれ変わる事例は全国でみられる。直島の家プロジェクト[2]では、点在する空き家などを改修し、人が住んでいた頃の時間と記憶を織り込みながら、空間そのものをアーティストが作品化している。放置すれば朽ちてしまうだけの場所が新たな機能を持って生まれ変わり、地域の記憶が継承され、訪問者やボランティアと住民が交流するコミュニティの拠点になっている。

　4点目は、担い手の多様化である。地域で展開されるアートプロジェクトはボランティアが重要な役割を果たす。アーティスト、制作者、地域住民、地域外からのボランティアなど、多様な人々が関係を築きながら運営されるケースが多い。このことは、アートのつくり手であるプロと、受け手である鑑賞者という従来の二分された関係を流動化させてきた。先述した家プロジェクトの「角屋」は、美術家宮島達男の作品であるが、地域住民が設定したデジタルカウンターが作品に組み込まれている。1点目に指摘した、制作プロセスへの関与という特質を持つと同時に、作品制作への参加をきっかけに住民が自ら街の歴史を語りだすという、受け手から担い手への変化が生まれた例である[3]。

　5点目に、地域資源や地域特性への着目である。アートプロジェクトが行われる場所は、都市や過疎地・離島などさまざまであるが、それぞれの場所の歴史や風土といった地域資源に向きあうとともに、過疎や人々の孤立など、その地域が持つ課題に目を向けたプロジェクトが多い。そのため、アートプロジェクトではまず地域のリサーチをすることが重要になる。一見アート表現とは関係のなさそうな、地域の人々への聞き取りや、歴史文化や民話の調査が、アートプロジェクトに不可欠な要素となってきている。

当該地域の伝承や郷土芸能などの固有の文化資源を掘り起こし、地域住民の営みのなかにある表現に光を当てるようなプロジェクトも増加している。たとえば、隠岐の西ノ島を会場とする隠岐アートトライアルは、島外のアーティストが島民と協働することで双方向に実りある関係を構築していくプロジェクトである。「忘れられたモノ・コトに光を当てる」ことをテーマとし、場所にまつわる物語や島民が持つ伝承技術などを、アーティストの視点を通し表現している[4]。

　次に、担い手に着目して分類する。アートプロジェクトを主催するのはだれか。これもいろいろなパターンがあるが、大きくは3つに分類できる。

A．行政主導のアートプロジェクト。大型芸術祭の形を取ることが多い。

B．地域住民や関係者が企画するボトムアップ型のプロジェクト。

C．アーティスト自身が新しい表現を目指し、既存の施設を飛び出して行うアートプロジェクト。

　さまざまなアートプロジェクトがあるなかで、以下では、主にBのボトムアップ型の地域に根ざしたプロジェクトに焦点を当て、事例を紹介する。

3 飛生アートコミュニティーの事例から

　全国各地で立ち上がる市民主体の中小規模のアートプロジェクトを支援する仕組みがかつてあった。アサヒビール株式会社が支援する、アサヒ・アート・フェスティバル（以下、AAF）である。各地でプロジェクトに取り組む市民団体を支援するとともに、団体間のネットワークを形成することを重視し、このネットワークは各団体が持つ課題やノウハウを共有する役割を果たしていた。2002年に始まったAAFは残念ながら2016年度末に15年間の歴史の幕を閉じたが、筆者は最後の3年間、AAFに一参加プロジェクトのメンバーとして関わり、全国各地でアートプロジェクトに取り組むマネジメント実践者たちと交流を深めた。

　AAFで出会った各地のアートプロジェクト実践者たちの多くは、自らが関わる地域社会とその課題に向きあい、何とかしたいというやむにやまれぬ思いに突き動かされていた。地域特性や取り組みの内容はそれぞれ異

なるが、アートプロジェクトを通じ、創造的な地域社会を自分たちでつくりたいのだ、という思いは共通していた。

　そのなかから、過疎地域で取り組まれているアートプロジェクトの1つの事例として、飛生アートコミュニティーを紹介したい。以下の記述は、飛生アートコミュニティーのメンバーであり、後述するウイマム文化芸術プロジェクトのディレクターである木野哲也へのインタビューに基づいている。

3-1 飛生アートコミュニティー

　飛生は、北海道白老町の一地域で、10世帯ほどの小さな集落である。1949（昭和24）年に開校した飛生小学校は、児童数の減少で1986（昭和61）年に廃校になった。その廃校を活用した芸術家の共同アトリエが、「飛生アートコミュニティー」である。

　現在の代表は彫刻家の国松希根太であるが、彼の父も彫刻家であり、廃校になった小学校を父たちがアトリエとして再生させた。以来30年以上にわたり大切に使われている。通常はアトリエとしての活用が中心であるが、地域の芸術文化への貢献も使命と考え、これまで地域の人達と交流しながら作品を制作する「白老滞在型ワークショップ」や、アーティストが講師となる「美術教室 いろどり」などの事業を実施してきた。また、2009年からは校舎を開放した年に1回の飛生芸術祭を開催し、2011年にはオープニングイベントとして TOBIU CAMP が始まった。

　運営主体は9人が所属する任意団体飛生会が行うが、飛生アートコミュニティー自体は、だれがメンバーという明確な区切りは設定せず、企画から実施運営に至るまでにさまざまなメンバーが関わる。

　コアメンバーの1人の木野哲也は、文化事業プロデューサーである。北海道生まれで、札幌で活動していたが、代表の国松と友人であったことから、飛生に通うようになった。2009年に自身が札幌で手がけていた、札幌テイネ・ハイランドというスキー場で行う大型の総合フェスティバルで、飛生アートコミュニティーと一緒に「マジカル郵便局」というアートプロジェクトを行ったり、2009年に行われた第1回の飛生芸術祭で木野がマ

（上）廃校を活用したアトリエ
　　飛生アートコミュニティー
　　写真：AKITAHIDEKI

（左）森づくりプロジェクトの作品
　　「Topusi」石川大峰
　　写真：Kai Takihara

（下）TOBIU CAMP2019の様子
　　写真：Asako Yoshikawa

ネジメントしていたアイヌ伝統楽器トンコリの奏者であるOKIの出演を
サポートする関わりを持ったりするなかで、飛生アートコミュニティーと
の関係が深まっていった。

3-2 森づくりプロジェクトのはじまり

　2011年のある日、国松と木野は飛生アートコミュニティーで森を見な
がら話していた。1986年以降、校舎はアトリエとして活用されていたが、
学校林である校舎裏手に広がる森は放置されたまま荒れ果て、立ち入るこ
とも困難なほどになっていた。

　森を切り拓いたら面白いのではないか。かつてあった豊かな自然環境を
取り戻し、子どもたちが自然に触れあい、遊び、学び、集える森をつくろ
う。こうして、まずは1本の道をつくることから、「飛生の森づくりプロ
ジェクト」が始まった。

　数年前まで札幌でアーティスト100組ほどをブッキングする大きな
フェスティバルを手がけていた木野は、背伸びをして大きなイベントをす
ることに疲れていた。遊びたいなら遊ぶ場所からつくる、という森プロ
ジェクトは、大型イベントとは違い、地に足がつき、「ゼロからイチをつ
くる」実感を得たという。

　最初は周囲の友人に呼びかけ、10人ほどで始めた。森のプロでも林業
家でもないメンバーで木を伐って運ぶなど、手探りで作業していたところ、
森づくりに長けたベテランの数名が協力を始めた。そのうち白老町の住民
が聞きつけて集まるようになり、次第に人の輪が広がり、さまざまな人が
関わるようになっていった。

　森づくりは4月から10月まで毎月1〜2回、週末に開催される。参加
メンバーは毎回30〜50人程度で、多いときには70人ほどが集まる。子
ども連れで参加する人も多い。小さな子どもから70代ぐらいまで、草刈
りなどの共同作業をして汗をかく。作業の後は温泉に行き、バーベキュー
をするのが恒例で、また日曜日は森づくりをし、月曜日からはそれぞれの
日常に戻る。規約もルールもないが、初めての人も訪れて自然に溶け込み、
メンバーになっていく。ここ数年は、大学生や、大学を出て故郷に戻って

きたような若い人たちがレギュラーメンバーになりつつある。ある大学生は、「私が人間に返れる場所」と語っているという。携帯電話を置き、汗だくになって作業をして、人と語らう。そのような時間を、現代に生きる人々は求めているのではないかと木野は話す。

3-3 飛生芸術祭と TOBIU CAMP

　2009年から、校舎を会場に作品展示を行う飛生芸術祭を開始した。毎年一度「僕らは同じ夢をみる―」という一貫したテーマで開催している。

　2011年に森づくりを始めて整備したことから、2011年以降は森も会場となり、オープニングイベントとして TOBIU CAMP も開始した。TOBIU CAMP には多い年は80組以上の、表現分野を越えたさまざまなアーティストが参加している。来場者は年々増え、2019年には一昼夜で2,000人を超える来場者があった。回を重ねるごとにリピート来場者が増加し、子どもや家族連れが増えている。

　現在芸術祭の運営に携わる者の多くは、森づくりプロジェクトをきっかけに飛生に関わるようになった人々である。つまり、森づくりにより定期的に人が集まる流れができたことが、年に一度の飛生芸術祭が行われるベースとなっているのである。

　過疎地で行われる小規模な芸術祭だが、2016年ごろから奈良美智や日比野克彦など著名アーティストも参加するようになってきた。アーティストらは他の芸術祭とは違う魅力を感じているようだ。奈良美智は「いま芸術祭と名の付くものは乱立していて、たいていはその期間しかやらない。1週間経って行ってみると、ただの原っぱだったり、建物だったり。でも、飛生は終わっても、ここに住む人、通い続ける人がいて、みんなで森づくりをしている。そういうところに惹かれています」と語り、自ら関わることを希望しているのだという[5]。

　森づくりプロジェクトと芸術祭は、双方に連動しながら進化している。森の中に制作した作品が少しずつ増えていくが、自然の素材は当然劣化するので、人の手をかけて修繕しなければならない。そこにも人が集まる理由がある。森に作品を置くというよりも、森自体が時間とともに変化して

いく1つの作品である。自然と人との共存を探る取り組みとして、森づくりプロジェクトは継続している。そのようななかで森づくりメンバーの意識は高まり、自分たちの居場所ととらえ、最後まで関わりたいというプライドも芽生えているのではないかと木野は語る。「楽しみとプライドを持ちながら自分たちの場所をつくる」という熱意が参加アーティストにも伝わり、自ら参加したいと望むアーティストを次々と引き寄せる要因にもなっているのではないだろうか。

　芸術祭、特にオープニングのTOBIU CAMPの来場者は年々増えている。後述する、2020年に新設された国立アイヌ民族博物館からは車で30分ほどの距離であり、そこから訪れる人が増えることも予想される。だが、「この芸術祭は大きくなることを目指してはいない。不便なアクセスのところにたどり着いた者だけが感じる『小さくて濃い強み』を大切にしたい」、と木野はいう。飛生の集落だけでなく商店街にもプロジェクトを展開することで、拠点を増やしてまちを回遊できる仕組みをつくることを意識しているが、芸術祭自体を大きくしすぎないことには留意したいのだという。これまで築いてきた、参加した人が当事者となっていくような関係性を大切にする芸術祭の姿勢が、ここに表れているといえるだろう。

　芸術祭の運営については、飛生アートコミュニティーのメンバーが協力し合って助成金の申請や協賛金を募り、当日運営は一部の警備員などを外注する以外は全て森づくりメンバーで自力で開催している。現在は校舎の老朽化が課題の1つで、TOBIU CAMPのチケット収入や、作家が作品を売った収入を、修繕費にあてることもあるという。

3-4 ウイマム文化芸術プロジェクト

　飛生のある白老町には、2020年7月に国立アイヌ民族博物館を含む民族共生象徴空間（愛称・ウポポイ）がオープンした。それに向けて町は、「多文化共生のまちづくり」や「多様性あるまちの実現」を町の活性化プランに掲げていた。しかし木野はそのようなうたい文句に疑問を抱き、「名ばかりの多文化共生は要らない」と断言する。国立アイヌ民族博物館ができることにより、町は何もしなくても「多文化共生のまち」を名乗れ

るようになる。国立施設ができることに乗っかるだけで良いのか。本当に多文化共生を実現しようとするようなポリシーが町にあるのか。そのような思いから、木野はこれまでの飛生の経験をもとに「文化芸術を使って、町民の意識に問いかけることが必要なのでは」と考えた。そこで2018年に立ち上げたのが、ウイマム文化芸術プロジェクトである。飛生アートコミュニティーとは別組織で、木野はウイマム文化芸術プロジェクトのディレクターを務める。

「ウイマム」とはアイヌ語で「交易」を意味する。地域、アート、多様性・多文化共生をキーワードに、地域内外の交易・交流を通じ現代のウイマムの実践を試みるプロジェクトである。地域住民と第三者であるアーティストが協働することで、地域資源、生活や営み、土地の文化を掘り起こして、地域の価値を再発見、再編集することを試みている。

プロジェクトの一例を紹介しよう。2019年、「白老の木彫り熊とその考察展」を開催した。木彫り熊は、昭和期の白老町の一大産業であった。かつては、彫り師、毛付けアルバイト、土産店、問屋、配送屋、資材屋など、1,000人ぐらいの住民が木彫り民芸に関わることで生活していた。木彫り熊をめぐり、人々が生きてきた物語に再度光をあてるべく、プロジェクトではかつて木彫り熊にたずさわった80代から90代の住民に聞き取り調査を行った。町民を中心にリサーチ・チームを立ち上げ、聞き取りを重ねて実施した展示会の注目度は高く、かつて家族や親せきが木彫り熊を彫っていたという町民も多く訪れ、忘れられかけていたまちの記憶が語られ共有される場となった。

また、アーティスト・イン・レジデンスも実施しており、アーティストが白老町でのフィールドワークや住民との対話を通じて制作し、外部からのまれびと[6]の視点で、住民が地域資源を見つめなおすきっかけを与えている。

プロジェクトの運営資金は、文化庁の戦略的芸術文化創造推進事業の助成を受けている。ウイマム文化芸術実行委員会を、札幌市や白老町で活動するNPO、芸術団体、企業、商業振興会、有志ら民間ベースで組織化し、運営している。

3-5 アートプロジェクトにかける思い

　多様な人と関わるアートプロジェクトでは、住民をはじめ、さまざまな人の理解を得て普及することが重要である。目標を共有して協働するには手間と時間がかかる。また、確立したマネジメントの方法はなく、プロジェクトごとに適切な組織づくりをし、そのたびに意思疎通をはかり、理念や方向性の確認をすることが必要である。資金繰りに関しても、助成金を活用しながら、理解者や支援者を増やしてゆくゆくは自律的に運営する仕組みを構築する必要があり、検討すべき課題は多い。

　それでも木野がアートプロジェクトを手がけ続けるモチベーションはどこにあるのだろうか。木野の言葉を紹介したい。

　「文化とは、人が生きて死ぬまでだと考えている。普通の暮らしの中で表現し、創造活動を行っている、人間とはすごい存在であると感動する瞬間に何度も出くわした。特に田舎にいると、生きていることそのもの、営みそのものが文化であると感じる。だから、プロジェクトを通じて地域の営みや暮らしの中にある創造的なものに光をあてたい。ここに生きる人々が幸せになり、関わる人々にとって誇りを持てる居場所になることを目指している」。

　多くの地方が抱える、少子高齢化、過疎化の問題に白老町も直面している。町には小さな高校が２校しかなく、卒業すれば多くの若者は町外へ出ていく。そのようななかで、アートプロジェクトは地域の活力になり、躍動感を生む可能性があるのではないか。大人たちが楽しげに意気揚々と、田舎町で活動している姿を中高生に見せることが、町の明るい未来につながるのではないか。木野はそう考える。

　文化芸術をベースに、産業をつくることも目標にする。白老町には、アイヌ民族の伝統的な楽器ムックリがある。リサーチしてみると、職人は減り、40年にわたりほぼ１人の伝承者の方だけがつくっていることがわかった。アイヌ文化の伝承が必要と考えた木野は、地元のアイヌ民族や、障害のある人の就労センター、子育て中の人々など、多様な人々でムックリをつくりパッケージも開発した。多様な人々とつくるアイヌ文化に触れるアイテムは、多文化共生の象徴となる。このムックリは、国立アイヌ民

族博物館のミュージアムショップの商品としても採用された。

　地域の文化資源を、地域の多様な人々が関わることで商品化し、産業にもつなげる。いずれ役場や商工会、経済界の見方も変わってくるのではないか、と木野は言う。そして何よりも、第一にここに暮らす地域住民が誇りを持ち、幸せであること。多様な第三者と住民が共創し躍動する雰囲気に、若者も希望を持って帰ってくることができ、他者との違いを尊重し合えるような、ポジティブな町になれば面白い。木野が見据える未来には、そのような新しい景色がある。

アートプロジェクトが生み出す新たなアートマネジメント現場

　ここまで、アートプロジェクトを概観したうえで、北海道白老町の飛生で行われているプロジェクトの事例を紹介してきた。

　このような地域のアートプロジェクトの存在から、アートマネジメントについては何がいえるだろうか。

　まず、アートマネジャーの活躍する場は施設だけではなく、地域に広がっているということである。アートが既存の文化施設から飛び出し、生活空間の中に開かれ、さまざまな関係性を地域に生み出してきた。プロジェクトは多様な人を巻き込みながら実施され、地域住民、会場の所有者、行政、企業、地域のさまざまな団体など、多様な関係者との調整が必要であるため、その役割を担うアートマネジメント人材が欠かせない。アートプロジェクトの増加は、アートマネジメントの新たな可能性を切り開いたものともいえる。

　ただし、マネジメントのあり方は、プロジェクトが行われる地域も内容も多種多様であることからわかるように、現場の数だけやり方があり、その場に応じた工夫が求められる。木野の話にもあるように、プロジェクトごとに適切な組織づくりが必要であり、何よりも、目指す方向性をしっかりと説明し、意思を共有することが重要である。

　ボトムアップで進められる、地域に根ざした小さなアートプロジェクトは、法人格を持たない任意団体も多い。またほぼ1人〜数名で取り組む、

零細なプロジェクトも多い。それゆえに運営基盤の脆弱さは、多くのプロジェクトが抱える課題である。そのような課題はあるものの、アートプロジェクトが持つ、何かをなそうとする志や企みには、全国各地に創造的な地域を生み出す可能性を感じることができる。アーティストであれ、企画者・制作者であれ、地域住民やボランティアであれ、どんな立場からでもアートプロジェクトに関わることはでき、社会とアートのありように一石を投じる当事者となることができるのである。

　「たくさんの小さな人々が、たくさんの小さな場所で、たくさんの小さなことを成す。それで世界の状況は変えられる[7]」。これはAAFに参加していたアートプロジェクト実践者の間で共有され、指針となっていた言葉である。一人ひとりは小さな存在であり、各プロジェクトがなし得ることはささやかかもしれないが、そのことが社会全体を良くすることにつながる。たくさんの地域で、アートが生活空間に解き放たれた創造的な拠点が生まれ、多くのアーツマネジャーが担い手として活躍することが望まれる。

---

[1] 熊倉純子監修『アートプロジェクト──芸術と共創する社会』水曜社、2014、9頁。

[2] ベネッセアートサイト直島（株式会社ベネッセホールディングスと公益財団法人福武財団が展開するアート活動）のアートプロジェクトの1つ。
https://benesse-artsite.jp/art/arthouse.html（2020年8月28日閲覧）

[3] 秋元雄史『直島誕生──過疎化する島で目撃した「現代アートの挑戦」全記録』2018、ディスカバートゥエンティワン、240頁。

[4] 隠岐アートトライアルWebサイト。
https://oki-art-try.jimdofree.com/（2020年8月28日閲覧）

[5]「僕らは同じ夢を見る」──北海道、小さな森の芸術祭の10年（2018年11月13日配信）。
https://news.yahoo.co.jp/feature/1128?utm_source=headtopics&utm_medium=news&utm_campaign=2018-11-13（2020年8月28日閲覧）

[6] 民俗学者折口信夫が用いた言葉で、異郷から来訪する霊的な存在のこと。客人、異人。外部から来て土地に滞在し外部者の視点で地域の歴史や文化、風土を読みとき制作活動をするアーティストは、しばしば現代のまれびとにたとえられる。

[7] もとはアフリカのことわざといわれている。淡路島を拠点とする美術家南野佳英とドイツ人映像作家ヴェルナー・ペンツェルはこの言葉を米粒で表現したポスターを制作。全国各地で志を持って実践を続けるアートプロジェクト関係者を勇気づける言葉となっている。

2節
企業とアートマネジメント

桧森 隆一

1 企業のアートマネジメント2つの側面

　筆者が1993年にヤマハ株式会社音楽企画制作室長に就任したとき、当時の社長に呼ばれ「企業文化人にはなるな」ときつく言われた。どういう意味だったのだろうか。

　筆者はこの言葉を2つの意味で理解した。1つは「文化はヤマハにとって本業である」ということだ。ヤマハは楽器と音楽の会社である。メーカーとしてハードの楽器や音響機器を製造するだけでなく、音楽教室や音楽出版などのソフトビジネスも展開している。製鉄会社や酒造会社のように、本業が他にあり、余技として文化を扱っているのではない。それをゆめゆめ忘れるな、ということである。

　もう1つの意味は「お前は稼ぐ部門の担当であり、使う部門の担当ではないぞ」ということだ。企業には収益部門とスタッフ部門がある。寄附やメセナはスタッフ部門である広報部や総務部の担当である。それらの部門は、お金を使って（費用を支出して）社会と付き合い、企業イメージを向上させるのが使命である。地域のお祭りへの寄附は総務部の仕事であり、メセナは広報部の仕事である。

　しかし筆者が所属した音楽企画制作室や、音楽教室を統括する財団法人ヤマハ音楽振興会はあくまでも収益（売上その他収入）を上げる必要があった（もちろん財団法人は非営利団体だが、後で説明するように収益は必要である）。

　バブルの最終期にあった1990年、社団法人（現・公益社団法人）企業メセナ協議会が発足した。しかし当時のヤマハ社長は、寄附やメセナを扱う部門の社員が芸術文化界隈で「ちやほやされる」ことに苦々しい思いを抱いていた。それが冒頭の筆者に対する説教になったのだろう。

企業における「アートと社会をつなぐ」アートマネジメントには、収益事業としての側面と、費用支出という2つの側面がある。以下の項目でそれぞれについて説明する。

2　あらためて企業とは何か

2-1　そもそも株式会社とは

　世界最初の株式会社は1602年に設立されたオランダ東インド会社だと言われている。なぜ株式会社が生まれたのだろうか。当時、貿易船を仕立ててヨーロッパの産物を載せてインドやさらに遠くの日本に送り出し、現地で売りさばいてヨーロッパで売れるものを買い付けて無事に戻ってくれば莫大な利益を上げられた。元手を出してガレオン船と呼ばれる帆船を建造し、船長以下船員を雇い、東洋で売れそうなものを買い付けて満載にする。元手はかかるがその何十倍もの利益が生まれた。しかしリスクは高い。嵐にあって沈むかもしれないし、海賊に根こそぎ奪われるかもしれない。

　そこで、1人が1隻の元手を出すよりも10人が10分の1ずつ10隻に元手を出して（出資して）リスクを分散する仕組みが生まれた。これなら10隻のうち1隻帰ってこなくても、残り9隻の利益を10人で分配することができる。出資した額と配当を受け取る権利を証した書面が株式（株券）である。この株式は売買することができた。今回の航海はリスクが高そうだと思えば自分の持っている株式を売りに出す。いやいや航海はいけそうだと密かに思えば、安い価格でその株式を買う。

　株式の持ち主＝株主は変わるかもしれないが、その時点での株主が元手を出した出資者であることには変わりはない。だから株式会社はだれのものかといえば、元手を出した出資者＝株主のものである。貿易船の出資者が有能な船長を雇って航海（事業）を託すように、株主は株主総会で経営者を選び、事業の執行を任せる。経営者の最終的な目的は企業の使命を果たし、株主にとっての価値を最大にすることである。これは17世紀以来連綿と続く資本主義社会における企業の在り方であり、現代でも変わりはない。

このような企業の本質を理解しなければならない。アートに関する企業のマネジメント（アートマネジメント）の目的は、収益事業だろうと費用支出だろうと、企業の使命を果たすことに変わりはない。

2-2　企業の売上・利益・付加価値とアートマネジメントの関係

　本書の2章2節で筆者はアートマネジメントをアートに関わる組織のマネジメントと定義した。では企業の場合、どのような活動がアートと関わるのだろうか。図表5-2-1によって説明する。

図表5-2-1　企業の収益構造とアートマネジメントの3つのパターン

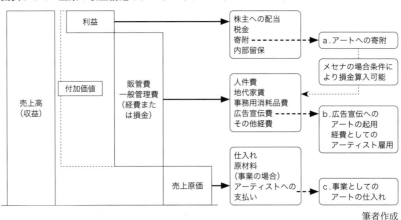

筆者作成

　基本的な企業活動とは、何かを仕入れ、あるいは何かを製造し（売上原価）、いろいろな経費（社員を雇ったり、お店をつくったり、広告宣伝をしたり）をかけて販売し、売上を上げる。売上高−（経費＋売上原価）＝利益である。利益から税金を払い、株主に配当する。残りは内部留保として次の投資に回すが、必要がありゆとりがあれば寄附をする。

　企業にとって寄附とは利益処分の1つなので、取締役会と株主総会の承認が必要である。会社は株主のものなので、寄附は経営者にとっては非常にハードルの高い行為である。寄附が株主にとっての価値を高めるものになることを経営者は証明しなければならない。これが図表5-2-1のアート

マネジメントa.アートへの寄附のマネジメントである。

ただし、企業メセナ協議会など特定公益増進法人への寄附の場合は一部が損金算入、つまり利益処分ではなく図のb.経費として認められることがある。この場合は経営者の裁量で可能になる。

広告宣伝など経費としてアートあるいはアーティストを起用する場合だが、2章2節で取り上げたサントリーのテレビCMの場合、ヨーヨー・マの出演料は経費である。企業による冠コンサートの協賛金、プログラムや図録への広告掲載料も経費である。コンサートや演劇のチケットを企業が買い上げる場合、社員のための福利厚生費か、生命保険会社などにみられるように顧客へのサービス、つまり販促費となる。これが図のb.の経費としてのアートマネジメントである。

最後に、企業の収益事業の場合、たとえば映画会社では作品の都度依頼する監督や俳優への支払いは売上原価となる。広告代理店にしてもイベント制作会社にしても、プロデュースの都度集めるアーティストやフリーランスのクリエーターへの支払いも売上原価である。売上原価の意味は、収益事業に対応する原価である。売り上げが増えれば原価も増え、売り上げが減れば原価も減る。これが図のc.の事業としてのアートマネジメントである（もちろんクリエーターを社員として雇い、仕事があってもなくても給料を払う、というケースもある。その場合はb.のケースになる）。

以上のようにアートへの企業の関わり方には3つのパターンがあり、それぞれアートマネジメントの在り方が異なることを理解しておく必要がある。企業にとってのお金の出所がどこか、ということはアーティスト、寄附を受ける側、あるいは企業からプロデュースを依頼される側は、特に留意しなければならない。

たとえば、地域のアートイベントに対して企業から何らかの支援を受けようとする場合、寄附をお願いするのは前述のようにハードルが高い。企業が広告宣伝費という形で処理できるように提案すれば（印刷物への広告など）、企業は受けやすいし、場合によっては現場の中間管理職の裁量によって可能な場合もある。

ここではアーティストとクリエーターという言葉を使っている。クリ

エーターは特定のジャンルの創造が職業として成り立っている専門職、という概念である。アーティストは収入があってもなくてもアーティストだが、クリエーターは収入がなければクリエーターとはいえない。

2-3 営利と非営利の違い

　民間企業は営利企業であり、財団法人、社団法人、NPO法人、学校法人などは非営利団体であるといわれる。誤解されがちだが、営利企業にも非営利団体にも売り上げもあれば利益もある。どちらも付加価値が生まれ、付加価値があるから雇用すなわち有給職員も生まれる（経済学でいう付加価値とは売上−原材料費または仕入のこと）。

　何が違うのかといえば、利益の処分と解散時の残余財産の処分である。営利企業は利益から出資者（株主）に配当しなければならないが、非営利団体は出資者（設立時に寄附した人）に配当を出すことはできない。また企業・団体が解散するときには営利企業の場合残余財産があれば出資者に分配されるが、非営利団体の場合は「類似の事業をする公益法人または国または地方公共団体に贈与する」（一部例外はある）。

　図表5-2-2で、株式会社と公益財団法人の数値を比較してみよう。

図表5-2-2　松竹株式会社と公益財団法人サントリー文化財団の経営数値比較

	松竹株式会社 （百万円）	公益財団法人 サントリー文化財団 （百万円）
売上高または経常収益	56,608	3,342
売上原価または事業費（直接費）	35,701	3,265
売上総利益	20,907	77
販管費及び一般管理費	19,513	65
営業利益または当期経常増減額	1,394	12
純利益（配当原資）	1,349	——

松竹2019年度有価証券報告書、サントリー文化財団2019年度決算報告書より筆者作成

　サントリー文化財団の経常収益（収益とは売上のこと）には親会社サン

トリーホールディングスからのサントリーホール運営業務受託料を含む。これはサントリーホールの所有者が財団ではなく親会社だからで、財団に運営業務を委託しているからである。また、親会社からのサントリーホール・美術館協賛金も収益として計上されている。松竹の売上原価には映画営業原価（制作費）、演劇興行原価などが含まれるが、ほぼ同じような費用がサントリー文化財団の事業費にも（自主事業の分として）含まれる。

厳密には財団法人と株式会社の決算は特に営業利益＝当期経常増減額以降の処理（課税や配当、積み立てなど）で異なる点はあるが、売上－（原価＋販管費）＝損益（利益または損失）という構造であることには変わりはない。

配当の原資となる税引き後の純利益は松竹の場合、2.38％である。営利と非営利の違いは、この程度の数字があるかどうかだけの違いに過ぎない。どちらもアートマネジメントにおいては収益を増やし費用を抑えるという管理的活動（ドラッカーのいうマネジメントの1つの側面）が、事業の持続による使命の達成のために重要である。

そもそも企業の目的は自らの使命を果たすことであり、売上・利益はその成果を測る1つの指標に過ぎない（ドラッカー、2001、前掲書2章）。

3　企業の収益事業としてのアートマネジメント

3-1　コンテンツ企業の場合

2章2節で筆者はアートについてエンターテインメントを含む幅広い概念と定義した。それでは、アートを収益事業とする企業にはどのようなものがあるのだろうか。第1に考えられるのはアーティスト（クリエーターを含む）の創造性を何らかのメディアに載せる形で商品化（コンテンツ化）し、広く顧客に販売する企業である。筆者はこれをコンテンツ産業に属する企業（コンテンツ企業）と呼ぶ。

2004年に制定された「コンテンツの創造、保護及び活用の促進に関する法律（コンテンツ促進法）」によれば、コンテンツとは、「映画、音楽、演劇、文芸、写真、漫画、アニメーション、コンピュータゲームその他の

文字、図形、色彩、音声、動作若しくは映像若しくはこれらを組み合わせたもの又はこれらに係る情報を電子計算機を介して提供するためのプログラム（電子計算機に対する指令であって、一の結果を得ることができるように組み合わせたものをいう。）であって、人間の創造的活動により生み出されるもののうち、教養又は娯楽の範囲に属するものをいう。」とある。筆者はこの定義に加えて、実演芸術の公演を事業として営む企業を含める。なぜなら公演もメディアだからである。

　第2に考えられるのがアートを扱うけれども、それを仲介する企業およびサービスを提供する企業である。次項で扱う。

　コンテンツ企業の事業プロセスについていくつかの事例を図表5-2-3にまとめる。

図表5-2-3　コンテンツ企業の事業プロセス例

ジャンル	創造の原点 アーティスト・ クリエーター の創造	コンテンツ制作 メディア化	流通・ 物理的流通 情報的流通	顧客 エンドユーザー
アニメ	企画 （プロデューサー）、 脚本、絵コンテ	原画・動画 撮影・編集・音入れ→ 作品	劇場、テレビ、配信、 パッケージソフト	有償顧客（購入）、 無償顧客（視聴）、 ファン活動
ポピュラー 音楽	企画 （プロデューサー）、 作曲・作詞・編曲、 演奏	録音・原盤制作 プレス ライブ制作	CDショップ、 レンタル、放送、 配信、ライブ タイアップ	有償顧客（購入）、 無償顧客（視聴）、 ファン活動
演劇	企画 （プロデューサー）、 脚本、演出、 キャスト	舞台製作 （プロモーション、 チケットセールス含）	劇場・上演	有償顧客 （チケット購入、 会員化）
漫画	企画 （漫画家、編集者、 原作者） ネーム	印刷物としての制作、 メディアミックス	出版（連載・単行本） 電子書籍	有償顧客（購入）

筆者作成

　図表5-2-3で見る通り、ジャンルが変わっても事業プロセスの基本はほとんど変わらない。つまりマネジメントには共通の要素がある。共通の要素つまりコンテンツ企業にとって重要なアートマネジメントの機能を以下

に整理する。

①自社をいかに定義するか。自社の事業とは何か、何であるべきか

たとえば株式会社京都アニメーションの企業理念は「（前略）人を大切にし、人づくりが作品作りでもあります。真摯に、アニメーションを軸とするエンタテインメント企業を目指していきます。」（同社ホームページ）である。

市場が変化したり、不幸な事件があったりしても常にこの原点からスタートして再構築するのが優れた企業のマネジメントである。

②顧客を再定義する

改めて図表5-2-3を見てほしい。顧客の欄に「有償顧客」と「無償顧客」とある。アニメ制作会社にとって、パッケージソフトを買ってくれたり、劇場にチケットを買って見に来てくれたりする顧客だけでなく、テレビで再放送を見る視聴者も顧客である。彼らはやがて劇場に新作を見に行ったり、パッケージソフトを買ったりするようになる。

ポピュラー音楽の制作会社（レコード会社）にとっては、CD購入や有料配信のエンドユーザーだけが顧客ではない。流通に関わるCDショップや、放送局、CMタイアップ先の企業もまた顧客である。見えない顧客や潜在顧客、最終消費者ではない顧客も含めて自社の事業にとっての顧客を定義することもマネジメントの重要な役割である。

③技術革新に目配りする

古くから、アーティストは新しい表現を求めて技術革新を促し、技術革新がアーティストの創造意欲を掻き立て、それまでにないような作品をつくり出した。たとえば、メキシコの壁画運動の画家たちが壁画に適した耐久性のある絵の具を求めたことにより、アクリル絵の具が発明された。新しい絵の具をロイ・リキテンシュタイン等アメリカの画家が使い始め、ポップアートが生まれた。

18世紀に生まれたピアノのフレームは木製だったが、19世紀に入ると鋳物（鉄）のフレームが発明された。鋳物技術が進歩してピアノフレームのような大きなものができるようになったためである。鋳物になると弦を強く張れるようになる。強く張ると大きな音が出る。その一方で貴族の館

ではなくホールで聴くために、大きな音が出る楽器を前提としてつくられた楽曲が必要になった。ベートーヴェン以降のピアノ曲はすべて鋳物フレームを前提としてつくられている。

このように科学技術の発達とアーティストの創造はスパイラルな関係にある。ICTの急激な発達がアートの世界に新たな創造と新たな流通を生み出し、それがまた新たな技術の発達を促す、という関係は今私たちがまさに目にしている通りである。

④スターの隣を探す（新たな才能を発掘する）

経済学者で自身がアーティストでもあるハンス・アビングは次のように述べている。「平均的な芸術消費者にとって、すでに有名な少数のアーティストだけに注ぐエネルギーを限定することは、意味のあることである、消費者が受け入れるスターの数は限られているととらえると、特定のアーティストだけが天文学的数字の収入を得ることを説明しやすくなる」（アビング、2007）。アーティストの世界は競争の世界であり、しかも「勝者が総取り」する世界である。アビングによればそれは「人々が受け入れる心の収納スペースの限界」であり、人々が覚えていられるスターの数は限られているからである。

人々の頭の隅には、スーパースターでは満たされない潜在的な欲求もある。消費者は常に新しいものを求める存在でもあるのだ。だから（人々の頭の中の）のスーパースターの隣を探す。つまり人々の潜在的な欲求を満たす革新的な才能を発掘することが、コンテンツ企業のマネジメントにとって重要である。どのようにしたら発掘できるかについてセオリーはない。何が革新的かを判断するためには、過去の作品への膨大な知識が必要だ。

⑤「権利」のマネジメント

著作者の権利を保護するのは、創造活動を盛んにするためである。権利が保護されなければ、いくらでもマネしたりコピーしたりできる。著作者はいくら創造しても収入にならないので、ばかばかしくなってしまう。著作者の権利が保護されることによって初めて、創造活動が活発になる。だから著作権の担当官庁は他の知的財産権（特許権など）と違い、経済産業

省ではなく、文化庁なのである。

　マネジメントとして大切なことは、第1に自ら著作者の権利を尊重することである。著作権や著作隣接権にどのようなものがあるかを理解し、社員・職員に対してそれを守ることを徹底する必要がある。著作者であるアーティストにはどのような権利があるのか、法人著作（著作者が法人であると認められる場合）はどのようにすれば成立するのか、を完全に把握し、自らの事業とアーティストを守る必要がある。著作者の権利としては著作者人格権と財産権としての著作権、著作隣接権としては実演家の権利、レコード制作者の権利、放送および有線放送事業者の権利がある。行政や非営利団体はこのあたりの認識が甘くなる傾向があるが、目的の公益性は権利の侵害の正当な理由にはならないことを認識する必要がある。

　第2に、権利に関する法制やその運用や法解釈が時々刻々変わることをウォッチしなければならない。ICTの発達やグローバル化によって権利に関する法律の制定時には想定されなかった事態が次々と生まれる。たとえば、2018年のTPP11協定発効に伴い著作権法が改正され、著作物の保護期間が著作者の死後50年から70年に延長された。また著作権等侵害罪の一部が非親告罪化され、著作権者の訴えがなくても取り締まれるようになった。いわゆるコミックマーケットにおける同人誌等の二次創作活動については、「一般的には、原作のまま著作物等を用いるものではなく、市場において原作と競合せず，権利者の利益を不当に害するものではないことから」（文化庁ホームページ）、親告罪となり「お目こぼし」が制度化された。権利に関する法制の変化は、マネジメントに大きな影響を与えるのである。

　第3に、近年深刻になっているインターネット上などにおけるアーティストへの人権侵害に対して、どのように対応するか。コンテンツ企業にしろ、後述する仲介企業・サービス企業にしろ、毅然としてアーティストの人権を守る姿勢を示すとともに、具体的な対策を講じることによってこうした動きを潰していく必要がある。

3-2 仲介企業・サービス企業の場合

　仲介企業・サービス企業とは、アーティストが創り出す価値を直接コンテンツ・商品化して広く販売するのではなく、その価値を何者かにとっての価値に転換することを担う企業、あるいはそのプロセスに対してサービスを提供する企業のことである。古くからあるのは、広告代理店、イベントなどさまざまな制作・プロデュース会社、アーティストのマネジメントを行う企業、クラシック音楽事務所などである。ギャラリーやオークションを運営する企業もこの分野に入るだろう。

　このような企業のマネジメントの要諦については、本書2章2節3−2「創りたいものがないプロデューサー」の項を参照していただきたい。大切なことは、顧客・クライアントのニーズを潜在的な部分や置かれている状況まで含めて把握し、クライアントの課題に対してアート・アーティストによるソリューションを提供することである。言われたことを下請け然として言われた通りやるだけでは、大きな付加価値は発生しない。クライアントの思いもよらぬアイディアを企画・提案する必要があり、そのために綿密なリサーチは欠かせない。

　仲介企業・サービス企業は、アーティストが創り出す芸術的価値を何者かにとっての効用価値に転換するプロセスにおいて発生する付加価値によって事業が成り立っている。それはクライアントが民間企業であろうと非営利団体であろうと変わりはない。その構造は筆者の論文「『芸術仲介産業』の事業構造と付加価値分析」(桧森、2004) に詳しい。

　しかしこの分野では、テクノロジーの発展によって革新的なビジネスモデルを擁する企業が生まれている。たとえばGAFA (グーグル・アップル・フェイスブック・アマゾン) の提供するプラットフォーム上でアーティストやクライアント企業にサービスを提供する企業だ。その典型がYouTuber事務所である。この分野の最大手、UUUM (ウーム) 株式会社 (以下、ウーム) によれば「YouTuberを中心とするクリエイター (注、以下クリエイターで呼称を統一) をサポートしながら、様々なコンテンツを世の中に発信しています。その中でもYouTube上の広告収益の一部をYouTubeから受領するアドセンス収益と、顧客企業の商品やサービスを

紹介する動画を制作・公開する広告収益が当社収益の大部分を占めております」（同社ホームページより）とのことである。

　詳しく説明すると、ウーム所属クリエーターがYouTubeに動画を投稿し、一定数以上の動画視聴を得ると、YouTube（Google）が広告主から受け取る広告出稿料の中から一定額をウームがアドセンス収益（Google AdSense）として一括して受け取る（Googleとウームの契約）。一部をウームが所属クリエーターに支払う。

　クリエーターが直接Googleと契約せずにウームに所属するメリットは、個人では難しい企業とのつなぎやノウハウ提供、画像・音楽素材提供、動画撮影・編集補助、その他困りごと対応などさまざまなサポートを受けられるからである。

　このビジネスモデルの革新性は、第1にアーティストの定義を変えたことにある。筆者は2章2節において、アートを「心（アーティストのイメージ）を何らかのメディア（表現媒体）に載せ、そこに腕前（技術）があるもの」と定義した。YouTuberが創り出す動画が果たしてこの定義に当てはまるのだろうか。YouTuberの創る動画は、アーティストである映像作家が創りこむ映像と比較すれば技術面で（機材や撮影チームも含めて）比べるべくもない。しかしYouTuberが繰り出す瞬間的なひらめきは、多くの視聴者の支持を得ている。腕前（技術）がなくても、何らかの人々の琴線にふれるひらめきがあればアーティスト（筆者の定義にあてはまらないが）になれるのである。

　次に、このビジネスモデルではアーティストと視聴者の区別を取り払っている。視聴者はいつでも自らがアーティスト（クリエーター・インフルエンサー）になれるのである。そして、いかにコンテンツを購入する顧客を増やすかが従来のアートマネジメントであるのに対して、いかにアーティストを増やすかがこのビジネスモデルにおけるマネジメントである。なぜならば、アーティストが増えれば動画が増え、動画を見る視聴者が増える。そうすればGoogleを介したアドセンス収益が増える。

　同社にとってはYouTubeの広告主とYouTuberの両方が顧客なのである。このようなビジネスモデルのもと、ウームは売上高224億6,000

万円、当期利益3億5,800万円をあげている（2020年5月期、同社IR情報より）。

4 企業の費用支出としてのアートマネジメントの場合

4-1 広告・宣伝

　今まで企業とアートマネジメントについて収益事業としての側面を述べてきた。本項では企業の視点から、企業の費用支出の側面としてのアートマネジメントを述べる。収益事業として関わっていなければ、企業とアートの接点はほとんどない。あるとすれば、広告宣伝か寄附・メセナである。広告宣伝においては、アーティストあるいはアート作品（この場合はエンターテインメントまで含む概念ではなく芸術・芸術家として）をコマーシャルなど広告宣伝に起用する場合、コンサートやアートイベントに名前を出して協賛する場合（いわゆる冠協賛）、そして広告宣伝だけでなく店舗のディスプレイや商品に至るまでコラボレーションする場合の3通りが考えられる。

①広告宣伝へのアート・アーティストの起用

　広告宣伝に起用する事例としては、2章で紹介したヨーヨー・マのサントリーウィスキーCMや、古くは1981年にマクセルがビデオカセットのCMに岡本太郎を起用して「芸術は爆発だ」という名セリフを生み出したことがある。

　マネジメントとして考えなければならないのは、まずアーティストの芸術を尊重すること。次にアーティストや作品が自社の企業イメージや商品イメージを向上させる効果があること（自社のイメージの方向性に合致していること）。CM映像のクオリティが高く、アーティストや作品とのバランスがとれていること。何よりもアーティストを起用することによって伝えたいメッセージ（たとえば「信頼」「品質」「革新性」「時代のセンス」など）がはっきりしていることが重要である。

　結婚式場のCMにライブペインティングのアーティストが出たり、引っ越し業者のCMに声楽家とヴァイオリニストが出演したりするなど、地

方のCMにアーティストが起用される事例は多いが、必ずしも企業とアーティストの双方にとってプラスになる事例ばかりではない。アーティスト側もCM出演が自身の芸術的価値にとってプラスになるかどうかは考える必要がある。

②冠協賛（企業名を前面に出したコンサート・イベント）

次に冠協賛の場合を見てみよう。世界の超一流のオーケストラ・指揮者・ソリストを招聘して全国約8か所で公演する「東芝グランドコンサート」は1982年に第1回が開催されて以来38回続く代表的な冠コンサートである。他にも1986年に始まったヤマト運輸（現・ヤマトホールディングス）による「音楽宅急便クロネコファミリーコンサート」などがある。多くのケースで企業が協賛金を（広告宣伝費として）支出して、放送局や新聞社の事業部や自治体が設立した文化振興財団が主催（公演のリスクをとる）し、音楽事務所やイベントプロデュース会社のような専門企業が実際に制作（アーティストの招聘やコンサートの企画・運営）する。

1980年代には、今とは比べ物にならないくらい多くの冠コンサートが行われていた。海外から招聘された有名オーケストラや有名演奏家の公演にはほとんどにいずれかの企業の冠がついていた。当時は日本経済の最盛期で多くの輸出企業は利益を上げていた。利益が大きすぎると法人税も多額になるので「税金を払うくらいなら経費を使え」とばかり各社がこぞって協賛した。本章図表5-2-1の販管費・一般管理費を増やして利益を圧縮するために図のb.に使ったのだ。

1990年代後半以降、冠コンサートの数は大幅に減った。原因は企業の業績が悪化したからばかりではない。1980年代まで、日本企業の間では株式の持ち合いが一般的で企業経営者が株主を意識することはほとんどなかった。しかし1990年代になると外国人株主の比率が増え、彼らは日本の経営者の行動に厳しく目を光らせることになった。企業の収益にとって意味のない株式の持ち合い解消や、無理やりの利益圧縮（利益圧縮は税金を少なくするが株主の取り分・配当も減る）をさせない、など経営者の恣意的な行動が制限されるようになった。この仕組みがコーポレートガバナンスである。

今では、コンサートやアートイベントへの協賛、特に多額の協賛金が必要で企業名が前面に出る冠協賛について、企業目的と企業価値（企業や商品イメージの向上など）の向上、ひいては株主価値の向上にどのように寄与するか、を明確に説明する責任がある。たとえば、「三井住友カード宝塚貸切公演」（2019年は13公演）の場合、カード会員ならさまざまな特典が受けられる。カード会員募集の販売促進活動という目的が明確なのである。

　筆者がヤマハ勤務時代にプロデュースを担当していた「ヤマハジャズフェスティバル」の目的は、1つは本社所在地である浜松市（ユネスコの音楽創造都市）の音楽文化への貢献、もう1つはジャズという音楽ジャンルへの貢献であった。「音・音楽を通じて人々の心豊かな生活に貢献」という企業目的に沿うものであり、ジャズの普及は管楽器や打楽器の市場拡大にもつながる。企業目的とどう関連づけて説明するかが大事なポイントである。

③アーティストとのコラボレーション

　アーティストとのコラボレーションでは、2章で取り上げたルイ・ヴィトンと草間彌生の事例のほかに、同じくルイ・ヴィトンと村上隆の事例がある。有名なBMWのアートカープロジェクトではアンディ・ウォーホルやデイビッド・ホックニー、フランク・ステラ、加山又造などそうそうたるアーティストがBMW車を作品に仕立てた。

　ユニクロがアーティストとコラボするグラフィックTシャツブランドUTも毎年話題になる。2020年8月には米津玄師とのコラボTシャツが発売され、反響を呼んだ。

　マネジメントにおいて、アーティストとのコラボレーションで最も重要なのは、アーティストと互角に渡り合える自社のクリエイティビティである。ルイ・ヴィトンにおけるマーク・ジェイコブスのような存在が社内にいるだろうか。ヤマハとメディアアーティスト岩井俊雄とのコラボレーションで生まれた新しい音楽インターフェースTENORI-ONの開発に当たっては、優秀な社内のデザイン部門が大きな力になった。このような存在があって初めて企業とアーティストの相乗効果が発揮される。

4-2 企業の社会貢献とメセナ

　企業は社会的な存在である。企業目的とそれを実現する事業そのものが社会に貢献するものでなければ、企業は存在しえない。再三述べているように収益は企業目的の達成を測る指標の1つに過ぎない。

　しかし現代の企業は、事業を通してだけでなく、事業以外でも、お客様、株主投資家、従業員、取引先、地域社会、地球環境への責任を果たすことが求められている。昨今、国際社会の共通目標としてのSDGs（Sustainable Development Goals）を目指すことでもある。このような企業のマネジメントをサステナビリティマネジメントと呼ぶ。そのために必要な費用支出を（経費であれ原価であれ）社会貢献活動支出と呼ぶ。

　だとしたら、企業が利益から支出する寄附金にはどのような意味があるのだろうか。寄附金は「見返りを求めない行為」であり反対給付（企業にとって得すること）がないため、原則として損金不算入つまり経費とは認められない。しかし社会的な責任や事業に関連のあるものとして必要な寄附は、税制上一定限度で損金算入が認められる。企業は自社にとって「必要な寄附」とは何かを見極めなければならない。

　自社のサステナビリティマネジメントの範囲で寄附（それが芸術文化に対する寄附・メセナであっても）をすることが必要なら、株主投資家の理解を得るためにも損金算入できる寄附にすることが必要だ。企業は国または地方公共団体に対する寄附金や指定寄附金（国立大学法人、日本赤十字社や中央共同募金会の事業への寄附）は全額損金算入することができる。特定公益増進法人や認定NPO法人等に対する寄附金は一般の寄附金とは別枠で損金算入ができる。公益社団法人企業メセナ協議会の助成認定制度は、芸術文化団体が損金算入の対象になっていなくても、その団体の事業が協議会によって助成認定されれば、企業がその事業に寄附した場合に損金算入できる制度である。寄附税制は複雑だが、マネジメントとして理解しておく必要がある。

5 アートマネジメントの仕事をするとしたら？

　筆者の定義ではアートマネジメントとはアートに関わる組織のマネジメントである。アートに関わる組織の中でも、企業にはコンテンツ企業と仲介企業・サービス企業があるのは前述したとおりである。そのような企業でアートマネジメントの仕事をするためには、入社してから努力してマネジメント層（経営者やアート関連部門の上級管理者）になるしかない。もちろん転職しながらスキルアップしてマネジメント層になるか、独立起業して経営者になる道もある。

　ICTが急激に発達している現代社会ではアートの分野でも新たなビジネスモデルが生まれている。自分で思いついて起業するのも1つの道である。たとえばコンサート・イベントのサブスクリプションという画期的なアイディアで2018年に創業した株式会社Sonoligoは名古屋大学の大学院生による大学発の創業ベンチャーである。

　フリーランスとしてさまざまな経験を経るなかでプロデュースの腕を磨き、マネジメント層になる道もある。実際に中小の制作会社の経営者やプロデューサーは演出家など劇団出身の人が多い。クラシック音楽の事務所の経営者は演奏家出身の人が多い。この場合、最も重要なスキルは営業力であるのは、2章2節にある通りである。

　一般企業の「お金を使う部門」のアートマネジメントはどうか。入社した企業で総務部や広報部に配属され、そこでマネジメント層になるしかない。企業の人事は多くの場合「めぐり合わせ」である。筆者がヤマハで営業や商品企画、経営企画等さまざまな部門を経験したうえで音楽企画制作室長になったのも偶然に過ぎない。

　最後に1つエピソードを紹介しよう。筆者が数十年前にある大学教員の方から聞いた話である。その方は学生時代から演劇制作の道を志し、首尾よくある大手劇団に採用され制作部に配属された。ところが、仕事は来る日も来る日も、先輩と一緒に企業の福利厚生部門や労働組合を訪問し、団体チケットを売ることだった。ある日たまりかねて先輩に質問した。「先輩、いつになったら制作をやらせてもらえるのでしょうか」。先輩は聞い

た。「君は毎日何をやっている？」「はい、毎日団体チケットを売り歩いています」。先輩は言った。「それが制作だ」。

《参考文献》
ハンス・アビング『金と芸術──なぜアーティストは貧乏なのか』山本和弘訳、グラムブックス、
　　2007
桧森隆一「『芸術仲介産業』の事業構造と付加価値分析」『文化経済学』文化経済学会（日本）、
　　第4巻第1号、2004

3節
劇場、音楽堂等のリスクマネジメント

株式会社シアターワークショップ　伊東 正示

1 リスクマネジメントの重要性

　私たちが日常生活を送っていくうえで、身の周りには常にさまざまなリスクがあふれている。突然雨が降り出すかもしれないし、地震が起こるかもしれない。道を歩けば交通事故にあうかもしれない。自分に起因するリスクもたくさんある。寝坊して大事な約束に遅れてしまうかもしれない。そうしたたくさんのリスクを回避するために、人々は意識する、しないにかかわらず、リスクマネジメントをしている。

　現代社会において、企業を取り巻くリスクは事故や災害のリスクだけではなく、法務、財務、労務、政治経済あるいは社会の変化などに係るリスクがある。そして、これらのリスクは自然災害や人為的なミスに起因するリスクのように、損失のみを受ける「純粋リスク」と経済的な変動や法改正のように、損失を受けることもあるが、逆に利益を得ることもある「投機的リスク」に分けられる。従来、リスクマネジメントは純粋リスクに対する備えと考えられてきたが、近年では投機的リスクも含めた全てのリスクを対象とするマネジメントとしてとらえられるようになっており、リスクマネジメントは企業経営にとってより大きな意味を持ち、さらに重要な役割を担うようになっている。

　「ハイリスク、ハイリターン」と言われるように、リスクはチャンスを生むきっかけにもなる。リスクを恐れずだれもやらないことに思い切って挑戦することによって、新たな道が拓けることも、社会的な名誉を受けることも、大きな収益を生むこともある。

　筆者は1983年に日本で初めての劇場コンサルティング会社を起業したが、当時は諸先輩から無謀なことは止めたほうが良いという多くの忠告をいただいた。それでも会社を立ち上げ、その後多くの劇場建設プロジェク

トに参加してきた。その実績が認められ2008年には「職能としての劇場コンサルタントの確立と一連の業績」で日本建築学会賞（業績）を受賞した。現在では100名近いスタッフを抱え、施設建設のコンサルティングだけではなく、管理運営計画の策定や公演事業の企画制作、施設の管理運営も行う総合的な劇場プロデュース企業となった。その間にはリーマンショック（2008年）や東日本大震災（2011年）などが起こり、景気の低迷や建設資材の不足、建設費の高騰などの社会問題に直面してきたが、適切なリスクマネジメントを行うことにより、企業経営の多くの危機を乗り越えてきた。

　企業は収益の確保や組織の存続、将来的な発展といった内部の課題解決を行うだけでなく、社会の主要な構成員として大きな社会的責務を負っている。日本には「三方良し」という言葉があるが、これは近江商人の持っていた経営理念のことであり、ビジネスは売り手と買い手にとって良いだけではなく、世間にとっても良くなければならないという意味である。この理念は日本を代表する国際企業にも受け継がれており、企業は直接的な顧客満足だけではなく、社会的な役割も果たすことによって、安定した経営の継続や発展につなげることができ、その実現にはリスクマネジメントが大きく関わっている。当然、文化芸術や文化芸術施設に関わる全ての組織や団体、それは自治体や劇場、音楽堂等の指定管理業務を行う公益法人、NPO法人なども含み、さらには個人においても現代社会のなかでその役割を果たしていくために、リスクマネジメントの重要性はますます高くなっている。

② 劇場、音楽堂等の危機管理とリスクマネジメント

　リスクマネジメントというと自然災害や2020年に世界中に蔓延した感染症などに対する対策のことと思われがちであるが、前述したように現代ではさらに幅広いリスクが含まれている。自然災害などはリスクの中でも危機という言葉が使われ、その対策は危機管理と呼ばれている。そして、危機管理は英語ではクライシスマネジメントと訳され、リスクマネジメン

トとは異なる概念でとらえられている。国内でもクライシスマネジメント
を危機管理と表記し、リスクマネジメントとは分ける例が多くなっている。
　社団法人（現・公益社団法人）全国公立文化施設協会の作成したガイド
ブックでも、「公立文化施設の危機管理／リスク・マネジメントガイド
ブック」というタイトルとし、危機管理とリスクマネジメントを併記して
いる。
　このガイドブックでは、危機とは、「ある組織の存在意義が脅かされる
ような状況」、あるいは「通常活動に回復することが極めて困難な状況の
こと」であり、一方、リスクとは、「今後起こりうる"あること"によって、
価値あるものが失われる可能性があるもの」、あるいは「目的や目標の達
成に悪影響を与えるもの」としている。そして、危機管理とは、「いかな
る危機にさらされても組織が生き残り、被害を極小化するために、危機を
予測し、対応策をリスク・コントロールを中心に計画・指導・調整・統制
するプロセスのこと」であり、リスクマネジメントとは、「収益の源泉と
してリスクを捉え、リスクのマイナスの影響を抑えつつ、リターンの最大
化を追及する活動」であるとして、その違いを示している。

2-1　危機の要因と危機管理の方法

　劇場、音楽堂等における危機の要因として、次の3項目があげられてい
る。

- 相次ぐ大規模地震や重大事件・事故の発生
- 不安定な世界情勢等を背景としたテロに対する脅威の拡大など
- 経営者、管理者、従業員の傲慢、無神経、姿勢や態度の悪さや過失に対
するステークホルダーたちの我慢が限界を超え、信頼を失墜し、批判・
非難を統制できなくなること（信頼・統制モデルと呼ばれる）
　また、リスクを高める要因としては、次の3項目があげられている。
- IT化の進展による緊急事態発生時の社会的影響（リスク）
- 企業や組織のコンプライアンス（法令遵守等）違反、リスク・マネジメ
ント／コーポレート・ガバナンス／内部統制の不備、社会的責任（CSR）
への不対応など、社会的信用を失う行為の影響（リスク）

- 高度化された舞台機構の使い方を誤った場合の想定外の大事故を発生させる危険性（リスク）

そして、これらの危機やリスクを管理するための方策として、次の5点があげられている。

- 危機の予測、管理体制と計画の確立
- 平素の予防対策
- 緊急時の緊急・応急対策による被害拡大の防止、事後対策による事態の収束
- 事態収束後の復旧対策
- 管理体制と計画の改善

2-2 施設の安全管理とステークホルダーのリスク分担

　劇場、音楽堂等の建設においては、建築基準法やバリアフリーに関する法律、消防法、興行場法あるいは各種の指針などによって、だれにでも使い勝手が良く、安全な施設とするための規則が定められている。さらに、劇場、音楽堂等の管理運営についても法整備が行われ、指針が示されており、「劇場、音楽堂等の事業の活性化のための取組に関する指針」では「質の高い事業の実施に関する事項」の中に安全管理に関して以下のような内容が示されている（ここでは、危機管理あるいはリスクマネジメントという用語ではなく、安全管理と表現されているが、内容的には同義である）。

- 施設・設備の定期的な保守点検等
- 経年劣化した施設・設備の改修等の計画を立て、着実に実施
- 設置者と運営者間の責任の明確化と適切な役割分担
- 質の高い事業の実施と施設・設備の安全管理との両立
- 事業を安全に実施し得る環境を確保するための安全管理に係る規定の整備、職員への徹底、体制の整備
- 関係団体が連携・協力して作成する劇場、音楽堂等の安全管理に関する基準等を参考
- 災害応急対策及び災害復旧等の非常時における対応の検討と対策

- 非常時における優先業務の選定、事業継続体制、他施設との連携・協力体制等の整備
- 災害時における一時的な被災者の受け入れ

　実演芸術の上演が安全に、安心して開催できるようにするために、全ての関係者は最善の努力を行うとともに、相互連携を図り、リスクを分担し、災害を未然に防ぐことが求められる。
　実演芸術の上演に関わる関係者を分類すると、次の4つのグループに分けられる。

①施設設置者

　公立文化施設であれば、都道府県、市町村などの自治体である。また、民間では興行会社や上演団体が自らの活動の場として設置する場合のほかに、一般企業が周年事業や新規事業開拓、CSRなどの目的で設置する場合もあり、さらには再開発事業における共有施設として設置するケースなどがある。

②施設管理者

　公立文化施設においては、自治体直営の場合には施設設置者が施設管理者となるが、指定管理者制度を導入した場合には、指定管理者が施設管理者となる。
　施設の日常的な維持管理には空調設備の運転、全ての機器の点検・整備、消耗品の交換、清掃、警備など専門的な業務がある。直営では、全ての専門的な業務は専門業者に委託される。指定管理者の場合には、チーム内に専門業者が入っていない業務については委託されている。業務については、各業者に責任があるが、同時に設置者や指定管理者の代表企業にも責任が生じるため、各業者の業務内容についても管理、監督することが必要である。

③公演主催者

　公演主催者は施設の設置者や管理者とは立場が逆になり、施設を借りて事業を実施する側になる。公演全般の責任を担い、公演を実施するためには多くの関係者が参加する。出演者、舞台、照明、音響、映像などの技術

スタッフ、舞台部と呼ばれる衣裳、メイクアップ・ヘアメイク、小道具などの担当者、ケータリングなどを担当する楽屋スタッフ、そして、チケット、招待、取材などを担当する表方スタッフなどが参加し、その全体の責任を担うのが公演主催者である。

④観客、来館者

実演芸術は観客の眼の前で演じることで成立する芸術であり、そのことが最大の醍醐味である。観客の反応が公演の良し悪しに密接に関係することから、観客もまた公演を創る重要な役割を担っている。

上演を妨げる行為の禁止や危険物の持ち込みなど観客が守らねばならぬ規則があり、今回の感染症対策では入場時の検温、手指の消毒が義務づけられたが、これが常態化し今後のスタンダードになる可能性もある。

3 施設設置者の役割

①監督責任

公立文化施設の場合、施設設置者である自治体は、施設が自治体の政策や施策に合致した管理運営を行っているかを管理、監督する責務がある。指定管理者制度を導入した場合でも、公立文化施設は収益性が低く、利用料金収入や事業収入のみでは施設の維持管理および事業の実施が十全にできないため、指定管理料を算定し、予算を確保するのは自治体の所管部署の重要な役割である。また、指定管理者が行うべき業務内容は設置者である自治体と指定管理者との間に取り交わされる協定書により定められる。指定管理者は協定書に従って管理運営を行うのであって、決して独自の判断で全てを決めて良いという訳ではない。

②モニタリング

また、指定管理者の業務内容についてモニタリングを行うことも重要な業務であり、自治体によるモニタリングだけではなく、第三者機関を設置して、毎年の管理運営状況について指導、助言を行うことも重要なリスクマネジメントである。

③劣化等に伴う施設、機器の改修・修繕

　施設や設備については、建設時に設定された機能および性能を保ち続けることは施設設置者の責務である。当然、施設や設備は日常的な点検・整備を行っていたとしても、経年劣化するものであるから、定期的な改修あるいは機器の入れ替えをしなければならない。また、バリアフリーやユニバーサルデザインの取り組みなど、時代とともに施設に求められる性能が変わっているため、時代のニーズに合わせた改修、増設などが求められる。

④特定天井

　2011年9月11日に三陸沖で発生したマグニチュード9.0の東日本大震災では、地震による被害だけではなく、東北地方の太平洋側を中心に津波による大きな災害がもたらされた。1万5,000人を超える死者や約2,500人の行方不明者という大惨事となり、太平洋岸の多くの文化施設は使用不能となった。関東圏の劇場、音楽堂等にも被害が及んだが、神奈川県内のコンサートホールでは客席の天井がほぼ全面的に落下するという事故が起こった。さいわい客席内に観客がいない時間帯だったことで、人命に関わる災害にはならなかったが、ホールの客席天井の危険性が見直されることとなった。

　コンサートホールは、ホールの中でも特に優れた音響性能が求められる。舞台から発せられた音が客席の壁面や天井面からはね返って、適切な時間遅れで全ての客席に届けられるように設計されており、客席の内装は音が漏れないように隙間をなくし、音の反射率を高めるために固くて重い仕上げ材料とすることが求められる。一方、建築基準法では「地震」「風圧」「衝撃」等によって天井が脱落・落下することがないよう対策を講じることが規定されていたが、東日本大震災では前記のコンサートホールの場合と同様、天井が落下した事例が多かったことから、建築基準法の改正により「特定天井」が定義され、脱落・落下防止の技術的な基準が定められた。

　「特定天井」とは「日常的に人が利用する場所の高さ6メートル超、面積は200平方メートル超、質量は2kg/平方メートル超の吊り天井のこと」であり、多くの劇場、音楽堂等の客席天井は特定天井に該当している。

　特定天井の改修工事にはいくつかの方法があり、最も簡単な対策は天井

面にネットを貼り、天井の部材が落下しないようにするものであるが、美感上あまり適した方法とはいえない。正式な特定天井とするには、工事方法に大臣認定が必要であり、施工も困難であることから、構造部材に天井材を直結することで吊り天井ではなくする準構造化という改修方法をとる例が多くなっている。

　そうしたなかで、サントリーホールは日本を代表するコンサートホールであることから、音響性能に影響がない改修とするため、公式な手続きにより特定天井への改修工事を行った。そして特筆すべき点は、演奏会を止めることなく、コンサートを継続的に実施しながら、改修工事を行ったことである。

④ 施設管理者の役割

　施設設置者と施設管理者は施設を貸し出す側であり、常に公演主催者が安全で安心して使用できるように、施設や設備を良好な状態に維持しておく責任を負っている。もし、施設や設備、あるいは備品など施設側が提供するものに不具合が生じた場合には、その責任を負うべきセクターがどちらであるのかを明確にしておく必要がある。

　公立文化施設でも指定管理者制度が導入されたことにより、施設設置者と指定管理者間の責任範囲を明確にすることが特に重要になっている。また、PFI制度を導入した施設整備において、施設整備と管理運営をセットにしてSPC（特別目的会社）が実施する場合でも、同様である。それぞれのセクターが行うべき業務と危機やリスクが起こったときに対応する責任者を明確にするため、協定書にはリスク分担が明確に記されている。ただし、想定を超える事態が起こることもあり得るため、例外規定も記載されることが一般的である。

4-1 貸し館に関する項目

　公立文化施設は公の施設であり、公平性、平等性の遵守が求められる。だれにでも、何にでも貸出を行うことが原則であるが、公序良俗に反する

ことなどの例外規定を設けてリスクを回避している。また、公演内容や演出によっては、関係機関に届け出が必要な場合もあるため、主催者との事前打ち合わせを丁寧に行うことが重要である。

　また、公演時に行う観客アンケートなどでは個人情報を集めることになるため、個人情報の管理や漏洩<ruby>漏洩<rt>ろうえい</rt></ruby>対策には十分な注意が必要である。

4-2 施設維持管理に関する項目

　施設・設備の不具合は、経年劣化に起因するものであれば施設設置者の責任であるが、日常的な点検、補修、消耗品の交換は施設管理者の責任範囲である。故障や不具合の原因が不明確な場合も多いため、リスク分担を明確にするとともに、施設管理者は未然に防ぐ対策を講じなければならない。

4-3 舞台の安全管理 (仕込み、バラシなどの作業に伴う安全対策)

　劇場での仕込み、バラシは多くの危険を伴う作業であり、これまでにも人身に関わる重大な事故が多数発生している。舞台の上部には照明機材や大道具類が吊り込まれており、吊物機構設備によって昇降する。手動バトンの場合には、バトンに吊った照明機材や大道具と同等の重さのカウンターウェイトによってバランスをとって昇降させるが、バランスが崩れることによって、吊り込んだ道具類が舞台上に落ちて来る、あるいはカウンターウェイトが綱元に落ちてくるという事故が起きている。また、舞台上部のライトブリッジでは舞台照明スタッフが作業中に誤って転落したという事故もある。

　舞台上でも迫りが奈落に下がり、舞台面に穴が開いた状態で出演者等が転落したケースもある。工事現場であれば、床に開口部ができるときには周りに落下防止の囲いを設けなければならないが、舞台の迫りではそういうわけにはいかない。細心の注意を払っていたとしても、ちょっとしたはずみで事故は起こり得る。こうした事故の責任は公演主催者側にあるが、施設管理者側はそうした事故が起こらないように指導・監督する義務がある。

4-4 平常時の準備対策

　その他、平常時の準備対策としては、危機管理体制の構築、緊急連絡網の作成、各種マニュアルの作成、実地訓練、図上訓練、機器の操作訓練（消火器、消火栓、AEDなど）を行う必要がある。

4-5 避難訓練コンサートの開催

　「備えあれば憂いなし」という格言もあるように、地震や火災など、いつ訪れるかわからない災害に対しても、施設の管理運営者は観客、出演者、スタッフをはじめ、全ての館内にいる人々を安全に避難させ、被害を最小限に食い止めるためにマニュアルの作成や事前の検討を行っておくことが大切である。そして、机上での検討だけではなく、実際の災害が起こった状況を想定したシミュレーションを行い有事に備えるためのさまざまな試みが行われている。

　観客を入れての避難訓練コンサートは、東日本大震災からの復旧工事が完了し、再開場した水戸芸術館で2011年8月に実施されて以来、全国の劇場で実施されるようになっている。災害対策のマニュアルやガイドラインの実地検証として実施し、問題点を洗い出し、マニュアルやガイドラインの改訂を行うことが目的であり、併せて市民参加で実施することで発表の機会をつくり、また、危機意識の共有が図られている。

　秩父宮記念市民会館（秩父市）では主催事業として毎年避難訓練コンサートを実施している。2020年1月の避難訓練コンサートには、「公演中に、もし災害が起こったら」というサブタイトルが付けられており、280名の来場者と秩父消防音楽隊をはじめ地元の太鼓クラブや公民館で活動している文化団体、合わせて12団体、総勢216名が出演

秩父宮記念市民会館で開催された避難訓練コンサート

し、日ごろの活動成果を発表するなかで、火災が発生したという想定のもと、全員に避難の体験をしてもらうという催物であった。今回は発火場所を１階ホワイエ下手側の自動販売機としたことで、観客の来場したときの動線から避難ができないという状況設定とし、日ごろとは異なる方向への避難を促すという試みであった。会館のスタッフには市民ボランティアのレセプショニスト（会場案内係）も参加しており、声がけであったり、指示の仕方であったり、実地体験をする貴重な機会となった。アンケートも行い、避難訓練コンサートについての評価をしてもらうとともに、情報の入手手段や来館方法の項目を設けており、通常の事業運営にも役立つ情報を得ている。

5 公演主催者の役割

5-1 準備段階からのリスクマネジメント

　上演台本の遅延や稽古の遅れ、大道具、衣裳などの遅れ、出演者の体調不良など作品が完成するまでの準備段階にも多くのリスクが潜んでいる。筆者がプロデュースしたミュージカル公演でも、主役の俳優が本番前日に声が出なくなり、慌てて専門医に連れていった経験もある。

　興行収入の大半は、チケット販売によるものであるが、「興行はみずもの」と言われるように、多くのリスクがある。また、2019年にチケット不正転売禁止法が施行されたが、チケットの流通に関するリスクの回避は今後の課題でもある。

　また、今回の新型コロナウイルス対策において、稽古開始の２週間前から公演が終了したあとの２週間後までを公演期間と考え、感染症予防対策を徹底するとともに、不要不急の外出や３密を避ける行動をとることを求めるガイドラインも作成されている。

5-2 公演期間中、開会期間中の安全対策

　公演主催者は、全ての観客が安全に楽しいひと時を過ごせるよう対策を講じる義務がある。

2019年のあいちトリエンナーレで開催された「表現の不自由展・その後」のように、展示物や来館者に危害が加えられる恐れがある場合には、展示中止を決断しなければならない状況になる。劇場でも同様の事態が想定され、公演主催者の素早い的確な判断が求められる。

　感染症予防対策としては、公演主催者には換気やソーシャル・ディスタンスの確保、あるいは清掃・消毒の実施、発熱や味覚・嗅覚障害などの身体的不調を持つ人の入場制限などの感染防止策を講じることが求められている。また、公演関係者の中からの感染者の発生に備えて、来場者の名前や連絡先、来場日時がわかる名簿を作成し、最低1か月以上保管することが求められている。

　また、出演者同士の接触も避けることが求められ、オーケストラの配置では飛沫の飛散防止のために衝立を立てる、あるいは距離をとって椅子を並べるという対策をとっている。また、公演中の観客との接触を避けるとともに、終演後の面会は出演者と観客との接触を避けるために中止するなどの対策が行われている。

5-3 都内小劇場における感染クラスターの発生

　政府が2020年5月25日に緊急事態宣言を全国で解除したことにより、都内の小劇場においても協議会を結成し、6月2日に「東京都内の小劇場における新型コロナウイルス感染症対策ガイドライン」を公表して、逐次公演を再開し始めた。

　そんな矢先、都内の小劇場で同年6月30日から7月5日にわたって行われた公演でクラスターが発生した。公演内容は、アイドルグループによるゲーム形式のエンターテインメントで、舞台に十数名が登壇し、歌や踊り、クイズ形式での客席とのやりとりなどを含む公演（全国公立文化施設協会が発表した見解による）であり、公演が終了した2日後に出演者の感染が判明し、その後、約1週間で出演者16人、スタッフ5人に加え、観客16人の合わせて37人が感染したと主催者は発表した。保健所は全ての観客およそ800人と、出演者やスタッフおよそ50人の約850人が濃厚接触者にあたるとして、PCR検査を受けるよう呼びかけるという事態と

ソーシャル・ディスタンスを考慮した客席利用例（長崎・とぎつカナリーホール）

なった。観客は近県からも集まっており、感染の拡散を招く事態となった。

6 観客、来館者の役割

6-1 依頼事項、禁止事項の遵守

　実演芸術の観客は、創造活動に参加するメンバーであるという自覚を持って、自分の身の安全を確保するとともに、他の人にも決して迷惑をかけないよう、決められたルールにきちんと従うことを心がけなくてはならない。

　これは感染症予防対策に関することだけではなく、たとえば携帯電話や音のなるデバイスの電源を切ることや上演中の写真撮影や録音、録画はしないということなどを含んでいる。

今後の展望

7-1 リスクマネジメントで次世代を切り拓く

　近年、劇場、音楽堂等の大規模改修や新築が盛んに行われており、昨年度末にも多くの施設が完成した。しかし、新型コロナウイルス感染症対策のために、開館できないケースが相次いでいる。

　弊社が計画段階からコンサルティングを行い、2020年3月に完成した立川ステージガーデン（立川市）も竣工式が中止になり、その後、関係者向けのミニパフォーマンス付き内覧会は行ったものの、開館記念式典、こけら落としコンサートなどは軒並み中止となった。そして、7月25日にこけら落とし公演で出演が予定されていた辻井伸行コンサートを招待者のみで開催し、その動画を配信した。カメラは客席からの映像だけでなく、通常のコンサートでは決して見られないピアノの真上からの映像もあり、映像配信だからこそ見ることのできるアングルを提供した。

　これまでもライブビューイングは行われており、興行が行われる頻度が少ない都市においても、人気の高い上演団体の公演を観る機会を提供して

立川ステージガーデン内覧会。客席後方の壁を開放し、野外ステージから舞台を望む

きた。さらに通信技術の発達によりライブ会場では味わえない楽しみ方の演出などが加えられることで、新しいエンターテインメントビジネスの可能性が生まれている。

　新しい生活様式がスタートした後でも、今回の新型コロナウイルス対策で取り入れられたシステムや新しいテクノロジーにより、将来の劇場、音楽堂等がより安全で安心して楽しめる場所となり、映像技術などの演出技術の発展は実演芸術の新しい可能性を拡げ、新たなアートを生み出すことにつながる。リスクをうまくマネジメントし、チャンスに変えていくことで、次の時代が切り拓かれていくに違いない。

《参考文献》
『公立文化施設の危機管理ガイドブック』文化庁、社団法人全国公立文化施設協会、2003.3
『先進企業から学ぶ事業リスクマネジメント実践テキスト―企業価値の向上を目指して―』(事業リスク評価・管理人材育成システム開発事業、経済産業省、2005.3
『博物館における施設管理・リスクマネージメントガイドブック　基礎編』2007年度 文部科学省委託 地域と共に歩む博物館育成事業　博物館における施設管理・リスクマネージメントに関する調査研究報告書、株式会社三菱総合研究所、2008.3
『博物館における施設管理・リスクマネージメントガイドブック　実践編』2008年度 文部科学省委託 地域と共に歩む博物館育成事業　博物館における施設管理・リスクマネージメントに関する調査研究報告書、株式会社三菱総合研究所、2009.3
『公立文化施設の危機管理／リスク・マネジメントガイドブック』社団法人 全国公立文化施設協会、2008.3
『劇場等演出空間の運用および安全に関するガイドラインver.3 [2017]―公演に携わるすべての人びとに』劇場等演出空間運用基準協議会、2017年11月1日、第2版 2018.4.30
『舞台技術の共通基礎　公演に携わるすべての人々に　【改訂版 2020】』劇場等演出空間運用基準協議会、2020.3.31
「劇場、音楽堂等における新型コロナウイルス感染拡大予防ガイドライン」公益社団法人全国公立文化施設協会、2020.5.14、改訂版 2020.05.25
「クラシック音楽公演における新型コロナウイルス感染拡大予防ガイドライン」クラシック音楽公演運営推進協議会、2020.06.11
「舞台芸術公演における新型コロナウイルス感染予防対策ガイドライン」緊急事態舞台芸術ネットワーク、2020.06.30
「東京都内民間劇場における新型コロナウイルス集団感染の発生について」公益社団法人全国公立文化施設協会事務局、2020.7.14
「東京都新宿区の民間劇場における新型コロナウイルスクラスターの発生に関する見解について」公益社団法人全国公立文化施設協会事務局、2020.7.31

4節
舞台芸術の産業化

成蹊大学　李 知映（イ ジヨン）

① 観光コンテンツとしての舞台芸術

　日本政府観光局（JNTO）が発表した「平成29年度訪日外国人消費動向調査」のうち、「訪日外国人旅行消費額と訪日外国人旅行者数の推移」[1]をあらわしたデータをみると、2011年以降から訪日外国人旅行者数が徐々に増加しており、2014年以降はさらに増えていることがわかる。

　このような傾向から考えてみると、今後も続けて訪日外国人は増加すると予測され、2020年の東京オリンピック・パラリンピックを控えている日本では観光需要が増加することはいうまでもなく、これにより、観光インフラだけではなく観光コンテンツの多様性を求められるようになると考えていた。

　しかし、だれもが予測していなかった大きな変数、新型コロナウイルス感染症が2019年12月以降発生し、2020年に入って短期間で全世界に広がり、日本のみならず世界中でコロナウイルスが蔓延しその猛威を振るった。その影響力は想像を絶するもので、人類の脅威といえた。このコロナウイルス流行によって多くのエンターテインメント関連の公演が延期や中止、規模縮小などに追い込まれた。

　しかしこのような状況のなか、舞台芸術の持つパワーや歴史、文化の灯を絶やさないよう、さまざまな企業・個人が今までになかった鑑賞手段を生み出し、創意工夫がなされ、従来の観客のみならず、新たな観客を取り込み始めたのである。その観客を離さぬよう、官民で協力をして公演を立ち上げることができる土台づくりをすることが今最も重要である。そして、このような領域においてのアートマネジメント人材が必須不可欠となると考える。

2 観光市場の変化と「公演観光」

　観光市場は持続的な発展の可能性と多様性を持つため、世界的に最も高い成長を見せる経済部門の1つとして大きな関心を集めている。こうした状況下で、世界の各国は観光客を誘致するため激しい競争をしている。世界観光機関（World Tourism Organization：以下、UNWTO）は、海洋観光、スポーツ観光、冒険観光、生態系鑑賞観光、文化観光、都市観光、農村観光に加え、クルーズ、テーマパーク、国際会議といった発展産業を、21世紀の観光形態として選定・発表した。また、21世紀の観光環境の流れに関し、世界化から地域化への移行・Free-Plan・SIT（Special Interest Tourism）・再訪問の観光客の増加・情報収集の方法の多様化など、観光形態の変化が持続すると発表した（NWTO〈2001〉, *Tourism 2020 Vision.*）。

　上記の観光形態の中からここで注目したいのは「文化観光（cultural tourism）」である。一般的に文化観光とは、文化コンテンツを享受するために行われる観光の総称である。初期の文化観光は、観光客による遺跡地の訪問や博物館の観覧などといった受動的な様相を示していたのに対し、近年の文化観光は観光客自身が現地生活を体験する、すなわちフェスティバルやイベントへの参加、芸術家や芸術作品などと関連がある地域への訪問など、能動的（主体的）な様相を示す傾向にある。

　さらにこの文化観光の下位概念の中に「芸術観光（arts tourism）」がある。これは、芸術における「seeing」（見ること）という行為が観光における「生産と消費」という同じ地平線で出合うことを意味する。すなわち、芸術が本来持っている創造性・芸術性・純粋性・表現性という観光にとって魅力となる芸術資源と、それを見るため実際に地域に足を運ぶ観光客との間に観光活動とサービスを提供していくことが包含されている。したがって芸術観光とは、観光客が公演芸術や視覚芸術、そして芸術フェスティバルなどに参加することなどで、刺激を受ける「体験的観光」という様相を帯びる[2]。この中の1つの領域が、まさに「公演観光（performing arts tourism）」である。

公演観光とは、公演と観光を結びつけ、公演関連のサービスを利用する目的で観光客を引き寄せることで、観光の主要動機の1つとして公演鑑賞を設定する観光を意味する。これは公演が行われる空間に観光客が観客として直接参加することで美的体験が得られ、現地を訪問して鑑賞するというリアルな効果があるため、すでに海外においては観光の直接的な目的として設定されたこともある。その最も代表的な例として、ニューヨークのブロードウェイやロンドンのウエスト・エンド、そしてラスベガス等があげられる。

　ここで、都市全体がテーマパーク化されているラスベガスにおける公演観光について少し言及したい。1980年代初頭までは賭博と歓楽の都市として知られていたが、80年代中盤からはカジノによる観光需要が停滞現象をみせ、多様なプログラムとイベントおよび観光施設の投入という処方せんを受け、レジャーイベントタウンとしてのイメージ変身を試みる。処方せんとして、アドベンチャードーム、エッフェル塔、ミラージュボルケーノ、シークレットガーデン、ベラージオ噴水などの施設で開かれる多様なプログラムにより、ラスベガスは賭博を楽しむマニア層だけではなく、家族観光客を含めた一般観光客の誘致に成功することとなる。毎日どこかで披露されている多様なイベントやショー（英語がわからなくても家族全員で楽しいシルク・ドゥ・ソレイユのオー、カー、ミスティアやマジックショー、コンサート等）により、カジノ以外にもラスベガスを訪ねてくる目的が生まれたのである。ラスベガスはカジノ都市からエンターテインメント都市へと変貌を遂げた。最近はコンベンションの開催に果敢に投資していて、全世界の指導者たちが参加する国際会議を開催することで、政治的、文化的交流の中心地として確実に位置づけられた。このような変化の結果、アメリカ人が夏休みの休養地の2番目としてラスベガスを選ぶようになり、年間4,000万人以上の観光客が訪ねてくる観光都市となった。

　UNWTOがすでに展望していた今後の観光市場は、観光の目的が明らかなテーマを持つ形態に変わっていく動向がうかがえる。このように芸術（舞台芸術）と観光をつなぐことは、鑑賞に値する文化的価値の生産と普及ならびに享受であり、短期的には経済的価値の産出と消費の拡大を、長

期的には国家的・地域的文化イメージを好転化させる順機能を持つと言える。

 ## 3 貞洞劇場の伝統公演『ミソ（MISO）』

　観光客は公演鑑賞を通じて、現地文化に関する実際的で感覚的な体験をすることができるが、そのなかでも、特に伝統公演の場合は、その国の文化的特色の理解・経験を通じて好感度を高め、再訪問のモチベーションを引き起こす要因としても作用する。

　韓国観光公社の統計資料によると、韓国を訪ねてくる外国人観光客数は2009年781万7,533名から2014年1,420万1,516名へと81％増加、そのうち公演鑑賞をした観光客数は2009年33万6,153名から2014年66万9,665名へと99％大きく増加した。それは公演鑑賞が含まれている観光商品の人気が高くなっていくことと比例する。韓国におけるその代表的な先例の1つが、ここで紹介する『ミソ（MISO）』（以下、『ミソ』）である。

　日本では伝統芸能を政策的に保護対象として扱っているが、韓国では伝統芸能を産業化の対象としても扱っている。これについては韓国の歴史的な事情に少し触れておきたい。植民地時代の韓国においては民族精神と深く関わりを持つ伝統芸能等に対し、日本による抹殺政策が行われていたため、解放後、国の政策として強くアピールしたこと。また、1980年代の民主化運動の際、伝統芸能の様式を借りて行っていたことが多くあり、韓国における伝統芸能は保護の対象でもあるが、より身近な存在としての産業化の対象にもなっている。ここでは、伝統公演芸術が観光コンテンツとして成功した韓国の貞洞（ジョンドン）劇場で伝統公演芸術を産業化している『ミソ』を取り上げ、その経緯について紹介、そして成功要因を明らかにし、舞台芸術の産業化のためアートマネジメント領域において何が求められているのかを詳しくみていく。

　貞洞劇場は1995年6月17日に韓国国立劇場の分館として開館した。最初の約2年間は国立劇場の分館としての位置づけであったため、主に貸し館として運営することを目的としていた。しかし、1997年、ホン・サ

ジョンが劇場長として就任することによって、本来の劇場の設立目的である公演芸術振興事業および伝統文化の保存・継承発展に寄与、公演芸術を発展させ、民族文化の普及に寄与することに力を入れるようになった。公演芸術経営を導入し、ソウルの中心地である德壽宮（トクスグン）、ソウル美術館等と、文化の街貞洞エリアの立地条件を活用して、伝統公演芸術を中心とする、伝統芸術マーケティングを導入した。そして同年、財団法人として独立を果たし、劇場運営の効率性と自立性を確立するに至った。

　劇場の設立趣旨である伝統公演芸術を奨励することに合わせ、国民はもちろん、韓国を訪れる外国人観光客、さらには世界中の舞台で韓国の文化的価値や美しさを広く知らせるため、1997年からは国内旅行会社と提携した。その観光パック商品として『伝統芸術常設舞台』プログラムを披露することになったのだが、それが『ミソ』の原型である。

　貞洞劇場の『ミソ』公演の変化発展していく過程について、以下4つの時期区分で説明することができる。

3-1　導入期：貞洞劇場『伝統芸術常設舞台』（1997～1999年）

　1997年、初代劇場長ホン・サジョンの就任後、伝統芸術のブランド化・大衆化・国際化というミッション（現在も同様）のもと、以下の運営目標が設定された。

①伝統芸術の発展と普及を重要な運営目標とし、外国人観光客を主な対象とする『伝統芸術舞台』を通年で上演する。

②「まひるの芸術舞台」「訪ねていく文化活動」など、生活の中から簡単にアクセスできる文化芸術プログラムを持続的に行うことで、文化を享受できる層の拡大に寄与する。

③青少年文化の育成のため、「青少年文化特別活動」を初めとする多様なプログラムを展開して、我が国の伝統芸術の理解を高め、体験させ、今後の文化芸術の潜在的な観客の顕在化に力を注ぐことを目的とする[3]。

　この3つの運営目標を中心に伝統公演芸術を奨励する事業が構築された。そのなかで、『伝統芸術常設舞台』は、1997年から1999年まで毎年2月から11月までの火曜日と金曜日週2回、午後7時30分から開催された。

貞洞劇場（左上：入り口、右上：ロビー、下：客席から見た舞台）2017年7月、筆者による撮影

　これは伝統芸術の「歌・舞踊・器楽」を公演に導入した形で、つまり「パンソリ・伝統舞踊・サムルノリ」[4]などを融合し、1つの公演プログラムで長期公演を敢行する最初の伝統公演芸術の作品であった。プログラムの構成は、打楽を中心とするサムルノリがメインとなり、その他の伝統芸術がオムニバス形式で構成された1時間程度のものであった。出演者は劇場の専属団体ではなく、外部の伝統芸術団体および伝統芸術家と直接交渉して公演する方式であった。

　この『伝統芸術常設舞台』は、韓国の公演業界において観光商品化のための初めての試みであり、国内外の旅行会社を中心とするマーケティング

活動を通じて、特に固定の海外観光客等を確保して、公演鑑賞へと導いた。また、劇場の所在地である貞洞周辺の德壽宮、ソウル美術館等との文化芸術機関等と連携することも可能であったため、「文化観光商品」の1つのパッケージとして伝統公演芸術商品を創出することができた。

3-2 常設公演の定着期（2000～2004年）

第2代劇場長のパク・ヒョンシクの就任期には、他の国立・公立劇場等の競争力の強化とブランド差異化のため、「家族連れの公演文化」「愛好家中心の公演文化」「社会公益のための公演活動」というように公演機能を分岐させ、この三本柱を基に劇場運営を行っていくことになる[5]。したがって、伝統公演、児童公演、音楽愛好家のための深夜コンサート、伝統文化体験教室等に劇場の活動領域を広げた。

このような運営方針のもと、劇場は2000年、公演名称を『伝統芸術常設舞台』から『伝統芸術舞台』へと変更し、公演内容も既存の歌・舞踊・器楽に、女性国劇と唱劇を追加し多彩な内容へと拡大した[6]。また、公演回数も2000年4月からは本格的な常設公演システム（毎日午後8時開演）を導入することによって、既存の年間80回程度から、年間約300回程度へと大幅に増加させた。なお、常設公演の運営のために、最も必要とされていることは、質の高い公演であった。導入期の際、質についての指摘を受けたことから、従来の外部の伝統芸術団体および伝統芸術家との渉外による上演メンバーの構成から、公演の質の高さを確保するため、外部団体と契約を結び常駐団体を形成する上演メンバーの構成へと移行した。常駐団体は舞踊団、国楽団、サムルノリ団の3つのチームで構成され、外国人の嗜好に合わせたものと韓国を代表する伝統文化で固定プログラムを2つつくり、これを毎日公演するシステムを構築した。

常設公演システムを取り入れることで、外国人観光客を集客する礎を築いたといえる。当時『伝統芸術舞台』は、韓流ブームに合わせて日本の大手旅行会社等のパッケージ観光として商品化されたこともあり、外国人観光客、とりわけ日本人観光客に好評を得た。この時期は貞洞劇場の観光商品としての確実なポジショニングが形成された時期で、伝統公演が定着し、

拡大化に成功した。

3-3 常設公演の成熟期（2005～2007年）

2004年後半、当時国立バレエ団の団長であったチェ・テジを劇場長として迎えることとなり、財団法人として独立してから10周年となる2005年以降の劇場運営の方針に関し、次の3つの戦略を発表した。

①「高級化及び専門化された劇場の運営」を目指し、既存の家族連れの公演レパートリーシステムから離れ、貞洞劇場の規模に合う新しい創作舞踊及び伝統公演芸術にも差異化戦略を立てる。

②「常駐伝統芸術団の公演レパートリーの拡充」で、既存の伝統常設舞台のようなオムニバス形式の公演レパートリーから、一つのテーマで構成されている公演レパートリーを展開する。

③「観客のため、差異化・専門化されたマーケティング」で観客に配慮した会員制度及びサービスを用意し、観客にくつろぎを提供する[7]。

以上のような運営戦略のもと、常駐伝統芸術団の質向上と公演のレパートリーの専門化に力点を置いていくこととなる。

2000年から2004年までの定着期が、劇場の海外広報システムの構築、伝統芸術団の常駐契約、プログラムの多様化を通じた形式の量的側面の変化だと定義すれば、この成熟期は実質的な内容強化という質的側面の変貌を図り、飛躍的な発展を成し遂げた時期だといえる。常駐団体の資質向上および公演レパートリーの専門化に力点を置き、既存のオムニバス形式のガラ公演の形式からナラティブな形式への移行がみられた。この試みが『伝統芸術舞台』から『ミソ』へと跳躍する端緒となった。

また、『伝統芸術常設舞台』～『ミソ』の実績（1997～2011年）[8]からも読み取れるように、招待観客数より有料観客数が上回り、伝統公演芸術の観光コンテンツとしての可能性も確認できた大事な時期でもあった。

3-4 持続成長期：「貞洞劇場」劇場ブランドから『ミソ』公演ブランドへと発展（2008～2016年春）

この時期をさらに細分化すると、2008～2009年と2010年以降に分

『ミソ』公演ポスター（貞洞劇場ホームページより）

けられる。2008年は『伝統芸術舞台』から『ミソ』[9]へと独自の名称を持つようになった時期でもある。2007年以前の成熟期が、オムニバス式構造に若干ナラティブの要素を加味した程度の公演構成であったとすれば、2008年から2009年の間は、『ミソ』という名称のもと、本格的なテーマを持つナラティブ的構成の公演として成長した時期である。

　『ミソ』という独自の名称を使うことによって、これまでの「貞洞ショー」という場所との関連を脱皮し、海外プロモーションの際、または集客の際に「伝統」というイメージを新たに寄与するきっかけとなった。どこでも観ることができる伝統公演作品から、貞洞劇場だけで観られる『ミソ』という公演ブランドへと発展したのである。

　2010年3月29日、文化体育観光部（日本の文化庁のような機関）により、貞洞劇場は『ミソ』専用館として指定され、4月からは毎日2回の常設公演が実施、運営されるようになった。これにより国立・公立団体の中、唯一の専用館時代が開幕したのである。そして、2011年7月からはソウル以外にも、政府と慶州（キョンジュ）市の支援を受け、『ミソⅡ』というタイトルで貞洞劇場慶州でも常設公演を行うようになった。これは、文化体育観光部が伝統芸術を通じた国内外の観光活性化を目標として、地域における貞洞劇場のコンテンツ制作および運営力を強化したものである。

　以上の貞洞劇場の『ミソ』公演の変化・発展過程の調査結果を図表5-4-1のようにまとめることができる。

図表5-4-1　『ミソ』公演の変化過程

時期（年度）	公演名	プログラム	特長
導入期 (1997～ 1999年)	『伝統芸術常設舞台』	オムニバス形式のガラ公演	観光市場を狙った公演観光商品として産業化を試みる
定着期 (2000～ 2004年)	『伝統芸術舞台』第1期	オムニバス形式のガラ公演	• 契約を通じた常駐団体 • 安定的なプログラムの開発 • 海外マーケティングの実施
成熟期 (2005～ 2007年)	『伝統芸術舞台』第2期	オムニバス形式のガラ公演	• 海外マーケティングの安定化により、集客機能が安定化される • 芸術団の常駐契約 • プログラムの多様化
持続成長期 (2008～ 2016年春)	『ミソ』	ストーリー構成	• 貞洞劇場ブランドから『ミソ』公演ブランドへ • 1日2回公演実施 • 貞洞劇場芸術団
	『ミソⅡ』	地域＋歴史＋ストーリー構成	• 慶州常設公演実施（2011.7）

貞洞劇場内部資料にもとづく筆者によるまとめ

4　『ミソ』公演の成功要因の分析

　貞洞劇場は、韓国内でも最初に伝統芸術の観光商品化の戦略に集中して『伝統芸術常設舞台』に着手し、『ミソ』専用館を備えての1日2回公演を行う、公演観光の機関として位置づけられた。公演観光市場において、このように短時間で公演観光市場に観光コンテンツとして安定的な軌道に乗ることができたのは、伝統公演芸術を通じた観光市場に関する一歩先のアプローチと分析による結果であるといえる。

　ここでは『ミソ』公演の観光コンテンツとしての成功要因を「基盤の確保」「公演的要素」「マーケティング戦略」「人材」という4つのキーワードからみていく。

4-1　基盤の確保（専用館、常設公演、劇場へのアクセス）

　1995年、韓国国立劇場の分館として開館された貞洞劇場は、2010年、

『ミソ』公演の専用館としてその姿を変えた。1997年、週2回であった公演が、2000年から毎日午後8時公演へと進化し、そして専用館の開館により2010年以降は1日2回公演を実施することができた。2010年以前からも常設公演は行われてきたが、専用館以前の貞洞劇場の常設公演は企画公演および貸し館公演も併行していたため持続性がある程度欠けていた。

　この専用館への移行が持つ意味は、公共機関である貞洞劇場が、公演業界のものから観光業界にも活用されるものへと領域横断的な変化を遂げたことに対し、公式な認知が付与されたことである。またこれは、劇場に付随したブランドが公演自体のブランドへと変容し、定着していく結果につながることであった。

　また劇場へのアクセスは、韓国ソウル市庁の隣に位置し、国内主要ホテルが集まっている中心街と遠くないところにあり、外国人観光客がアクセスしやすい場所であったことも成功の一因となった[10]。

4-2 公演的要素（普遍的素材、伝統素材、非言語、体験的要素、案内文／字幕、作品評価の反映）

　2010年からはストーリー中心の公演内容に変えるが、このストーリーの素材は韓国で最も有名な古典『春香伝』（春香〈チュニャン〉と夢龍〈モンニョン〉、そして学道〈ハクド〉のすれ違う愛を描いた物語）からとったものである。シェイクスピアの『ロミオとジュリエット』に類似している『春香伝』は、外国人も理解しやすい普遍的素材を扱っている。『ミソ』の最も大きな利点は、ほかでもない伝統芸術をコンテンツ化したことである。公演観光市場では、非言語劇である「ノンヴァーバル（nonverbal）」が多いが、この『ミソ』も同様の性格を有し、また本公演に先立って公演のあらすじを、4か国言語で紹介している。当然リーフレット等にも記載はあり、公演中も字幕表示がなされるが、観客が理解できない状況を事前に防止するために説明映像を最初に上映する手段を講じている。

　公演業界の中でも伝統芸術はその重要性に比べ、韓国内では人気のないジャンルとして認知されていた。それにもかかわらず貞洞劇場は、公共機関として伝統芸術を保護、育成、広報するという目的意識を持って、作品

の制作に邁進した。「伝統芸術をコンテンツ化することで、伝統芸術業界から批判もあったが、成功に伴い、業界から逆にいろんな助言を求められるようになった」と、マーケティングチーム部長パク・ジンワンはインタビュー（実施日：2017年7月10日）の際に述べている。

　また、本番中に即興的に客席にいる観客を舞台の方に招待し、楽器等の演奏の機会を提供するなど、実際に体験できる要素も入れている。また終演後は出演者らと一緒に写真を撮ることができるなど、公演外での体験も充実させている。

　加えて、劇場は作品の客観的な評価のために、観光業界の関係者および一般観光客を対象としたアンケート調査（4か国の言語による調査）と、芸術分野の専門家による評価を毎年2回実施している。この結果を公演に反映し、公演のアップグレードを図る判断材料としている。

4-3 マーケティング戦略（関連機関の協力、海外フェスティバルへの参加、広報／広告、予約の簡易性、サービス）

　貞洞劇場は関連機関から多様な側面で協力を得ている。文化体育観光部はもちろんのこと、韓国観光公社をはじめ海外文化広報院、韓国文化芸術会館連合会など、関連機関との協力関係を構築している。また、海外フェスティバルや観光フェアなどへの積極的・持続的な参加を通じて、公演の価値を向上させた。特に2011年には「Korean Crossover Miso & K-pop」というタイトルで、台湾、フィリピン、タイ3か国ツアー公演を行い、3,000余名の海外の現地観客と直接交流する機会をつくった[11]。

　また、貞洞劇場は観光客を主要観客として設定しており、一般観客よりも重きを置いている。観客の動員や広報のマーケティングにおいても公演業界とは異なる方式で、戦略的に国内需要よりは、国外需要を明確なターゲットとして設定して、観光会社を通じての一括予約で簡単に予約することができる等の施策を講じた。

4-4 人材（専門人材の確保、優秀な出演者の確保、出演者の訓練システム）

　劇場は、公演の質を向上させるために専門委員を、また安定化した公演

制作システム構築のためには制作プロデュース、外部の専門制作スタッフ
などを迎え入れた。1999年から迎え入れた海外マーケティングの人材は、
既存の公演業界ではなく、ホテル、リゾート、旅行会社などからの海外
マーケティングの経歴のある者を迎え入れ、マーケティングの基盤を拡大
させた。

　また、専門委員を中心に『ミソ』がしっかりしたストーリー構成の公演
ができるようにシステムを構築した。毎年、オーディションを通じて優秀
な人材を選び、また、既存の出演者もオーディションを受けることで、表
現力の向上につなげた。分野別に専門トレーナーを迎え入れ、年間の教育
プログラムを構築し、出演者の技量を伸ばすため努力を図った。さらに、
出演者およびスタッフ等の福祉のため、指定病院と了解覚書（Memoran-
dum of Understanding、略称・MOU）を締結している。

5　公演観光の重要性と日本への示唆

　以上、舞台芸術の産業化の１つの先例としての韓国の貞洞劇場の『ミ
ソ』を、公演観光の文脈から伝統公演芸術が観光コンテンツとして成功し
ていく過程およびその要因について紹介した。『ミソ』は、専用館、公演
のコンテンツ、マーケティングのトライアングルが安定的に構成されてい
て、さらに卓越した人材起用により、公演観光市場での観光コンテンツと
しての成功事例と位置づけられたといえる。この先例を基に、公演観光市
場を考えたとき、具体的な観光市場の分析、国内外の観光客を含む消費者
の動向分析、そして伝統芸術を理解したうえでの活用と普遍的な素材のコ
ンテンツ制作の試みが必要であることがわかる。

　韓国においてはこの『ミソ』以外にも、舞台芸術の産業化が進んでおり、
公演観光として例示される代表的なものとして『NANTA(ナンタ)』と、
『JUMP（ジャンプ）』等がある。これらの作品は『ミソ』と異なり、民間
資本による舞台芸術の産業化の先例である。

　『NANTA』は、国籍・年齢問わず楽しめる韓国初のノンヴァーバルパ
フォーマンスで、1997年の初演以来、ロングラン公演でヒットを続けて

おり日本や海外でも公演を行い、高い評価を得ている。韓国の伝統的なリズムである「サムルノリ」のリズムをベースにし、キッチンで起こる出来事をコミカルにドラマ化しておりだれもが気軽に楽しめる。ソウルと済州島にある専用劇場で常設公演を行っており、ナンタアカデミー体験プログラムも開催している。そこでは現役ナンタ俳優からナンタのリズムを学ぶことができる。

『JUMP』は、韓国の伝統武芸テコンドーとテッキョンを基本としたアクロバティックな演技が楽しめるもので、世界中が注目する一押しの公演である。これも1997年の初演以来、ロングラン公演でヒットを続けておりソウルに専用劇場を設けている。

前述したように、観光形態が、各所旧跡の訪問などのような受動的な様相を示していたことに対し、観光客自身が現地生活を体験する、能動的（主体的）な様相を示す傾向になりつつあることを考えると、外国からの観光客を誘致するには、ショービジネスが観光コンテンツの1つとして必然となる。しかし残念ながら、日本はその点が弱く、今後舞台芸術の産業化が急務となってくる。それゆえ、アートマネジャーは旧来の博物館・美術館だけではなく、訪日外国人向けのショービジネスでも、活躍する可能性が広がるだろう。そのためにも、公演観光の先例となる、米国、英国、韓国などのようなエンターテインメントと産業の育成を念頭におきながら日本でも試みることが大事である。

最後に、舞台芸術の産業化はまるでインバウンド観光のためだけに行うような誤解を招く恐れがあるかも知れないが、実はその地域、その国の人々から長く愛され、ロングラン公演ができるような環境づくりが、舞台芸術の産業化の基本であることを忘れてはならない。すなわち、インバウンドに偏った観光資源開発ではないことだ。今後アートマネジメントを考えるうえで不可欠であるのが、この舞台芸術の産業化であり、アートマネジメントを学ぶ若者たちの新たな就職先としても開拓されることを期待したい。

＊ 本原稿は李知映「伝統芸能の産業化─韓国貞洞（ジョンドン）劇場の『ミソ（MISO）』を事例として─」『文化政策研究』日本文化政策学会、第12号、2019.5、92-101頁、李知映「エンターテインメント都市、ラスベガスの成功戦略」日本文化政策学会第13回研究大会、さいたま文化センター、2019.12.22（科学研究費助成事業〈19K13023〉助成金の交付を受けて行った研究の成果の一部）を加筆修正した。

[1] 平成29年度「訪日外国人消費動向調査」日本政府観光局（JNTO）より。

[2] Hall, C. M. & Zeppel, H. Cultural and Heritage Tourism: The New Grand Tour? *Historic Environment*, 7(4), 1990, pp.86-98.

[3] 貞洞劇場「1997年重要業務計画」（1997）を参照。

[4] サムルノリ（사물놀이）とは韓国の伝統楽器であるケンガリ・チン・チャング・プクを用いた音楽。パンソリ（판소리）とは1人の歌い手とプク（太鼓）の奏者によって奏でられる物語性のある歌と打楽器の演奏（韓国精神文化研究院編、『韓国民族文化大百科辞典』、韓国精神文化研究院、1991より）。

[5] 貞洞劇場「2000年重要業務計画」（2000）を参照。

[6] 唱劇とは唱を基本とする韓国固有の音楽劇であり、女性国劇とは唱劇を基本に女性のみ出演する音楽劇である（注4と同様）。

[7] 貞洞劇場「2005年重要業務計画」（2005）を参照。

[8] 「公演実績分析資料」（貞洞劇場、1997～2009年）をもとに筆者による再構成。

| 年度 | 公演回数 | 観客数 | 区分 | | 有料観客比率 |
		合計	有料	招待	（％）
1997	76	25,460	3,873	21,587	15.2
1998	86	18,841	7,411	11,430	39.3
1999	88	18,402	8,879	9,523	48.3
2000	238	42,915	19,315	23,600	45.0
2001	312	56,753	23,098	33,655	40.7
2002	299	54,163	23,841	30,322	44.0
2003	301	52,705	20,773	31,932	39.4
2004	289	55,413	32,171	23,242	58.1
2005	297	35,143	33,109	2,034	94.2
2006	300	39,244	35,228	4,016	89.8
2007	281	37,779	31,784	5,995	84.1
2008	296	48,877	43,275	5,602	88.5
2009	312	65,613	59,458	6,155	90.6
2010	549	85,439	79,640	5,799	93.2
2011	615	106,596	92,568	14,028	86.8

[9] 「ミソ」は日本語で「ほほ笑み」を意味する。公演を観賞する間、そして観覧後もほほ笑むような作品であるという意味から名づけられた（パク・ジンワン〈貞洞劇場マーケティングチーム部長〉のインタビュー〈実施日：2017年7月10日〉より）。

[10] 貞洞劇場は主要ホテルや市庁駅から近く、アクセスしやすい場所にある。

[11] 「韓流二つの羽で飛んだ」『東亜日報』2011.9.10より。

5節
フリーランスの働き方

1 フリーランスとは

　この節では「フリーランス」として働くアートマネジャーの現状に光を当てる。フリーランス (Freelance) とは、特定の企業や団体、組織に専従しない、個人事業主的な働き方をする人のことを指す。個人事業主的、と書いたのは、個人事業主となるのは税務署に開業届等を提出した場合に限り、実際にフリーランスとして働く人々の中にはこうした届けを出さずに活動している場合もあるためだ。

　なお、よくフリーランスは「フリーター」と誤解されることも多い。フリーターは内閣府『国民生活白書』の定義によれば、「15 〜 34歳の若年 (ただし、学生と主婦を除く) のうち、パート・アルバイト (派遣等も含む) 及び働く意志のある無職の人」ということである。フリーランスとフリーターは相似する点もあるが、年齢的な範疇や雇用形態等の点から異なりがある。

　芸術ジャンルによっても異なるが、現在における日本のアート業界でのフリーランスの役割は大きい。NPO法人 Explat により行われた「舞台芸術に関わるマネジメント専門人材の労働環境実態調査 2016」(Explat、2017) によれば、特定の組織に雇用されているのは7割で、その約半数は雇用期間の定めがある「非正規雇用」である。また、特定の組織に雇用されていない場合は実演団体や文化施設からの業務受託を行っている方が多く、半数以上が複数の業務を掛け持ちしている。非正規雇用の職員の場合は、もともとフリーランスとして働いていた人々が一時的な職として雇用されている場合も多く、雇用機関が満了したら再びフリーランスとしての働き方に戻るケースもある。調査では、「一般と比較すると必ずしも舞台芸術関係者の所得が低いわけではない」が、「労働時間は長く、また残

業代も十分に支払われていないため、時間あたりの単価が低い方が多く不満足感が高い」とまとめ、「これらの条件を放置していった場合、他の業界と比較して人材の質が劣後する可能性が高く、各事業の芸術的質の向上や公共で掲げられる各種政策の目標の達成は今以上に難しくなっていく」と示唆している。

2 政策的な背景

　こうした非正規雇用がスタンダードになっている大きな理由に、行政による雇用の問題がある。2003年に地方自治法が改正され、指定管理者制度が導入された。指定管理者制度は、それまで地方公共団体等が運営に携わってきた公の施設（文化施設のほか、スポーツ、公演、医療・福祉、生活インフラなど幅広い分野にわたる）の管理運営を包括的に代行させることができる制度である。民間の知見を公の施設に導入することによるサービス向上と運営費の軽減を目指したものであった。各地方公共団体が定めた条例により指定管理者候補の団体を選定し議会の承認を得ることとなっている。

　しかし本稿に関する問題点をあげると、定期的に指定管理者が選定されるプロセスを経るため、指定管理者が運営する公の施設に勤める者にとっては終身雇用的に同じ施設で勤めるということが約束されていない。文化施設の指定管理者については、複数の文化施設の指定管理を同時に行っている場合もあり、団体選定の際に職員を異動させ雇用をつなげているケースもあるが、多くの場合は指定管理者として選定されている期間（おおむね3〜5年程度）までの任期付き雇用となる場合が多い。こうした環境のなか、文化施設の担い手として志を持ち雇用される側は、複数の任期付きの職を渡り歩くことになる。

　また公の施設だけでなく、行政が主体として実施されるアートプロジェクトや芸術祭、演劇祭などにおいても、その年に補助・助成を受けることのできた予算に応じて雇用が左右されることも多く、やはり任期は資金元の事情によって短くさせられがちである。また、補助金によっては年度が

変わる春にならないと結果がわからないという事情がある場合や、年度を
またいで雇用することが難しいといった場合もあり、非常に中途半端な時
期にならないと求人が出ないということになってしまう。結果、「渡り鳥」
のようにあちこちの芸術祭などを転々としながらキャリアを形成する若
手・中堅アートマネジャーも数多く、そのようなアートマネジャーの雇用
環境は得てして脆弱である。

　こうした厳しい雇用環境で働き続けたところで、公共施設などの正規の
職が階段状に見えてくるというようなキャリアアップの道筋があるわけで
もない。また、正規の職自体が決して多くなく、フリーランスの状況にお
かれたまま活動を継続し、人によっては自ら起業したり、同業者団体を形
成したりするなどして相互扶助的なネットワークの形成を行ってきたとい
えるだろう。

③　2020年の動き

　2020年、このようなフリーランスを取り巻く窮状が思わぬ形で顕在化
した。新型コロナウイルス感染症である。

　新たな感染症の出現は、「ソーシャル・ディスタンス」「3つの密」「不
要不急」などといった新語とともに、多くの芸術文化関係者の活動を停止
させるに至った。特に音楽や演劇、ダンスというような舞台芸術の分野は
深刻で、まさにディスタンス（距離）を縮め、密になりながら生み出され
る芸術活動が不要不急と名指しされるのも無理はなかった。こうした活動
が中止に追い込まれるのは、社会的雰囲気としてはやむを得ないという空
気感もあった。

　こうしたことが起こるたびに、「芸術家は好きなことをやって生きてい
るのだからリスクを負って当然である」という言説もはびこる。なぜ芸術
家の自己責任論として片づけるのが不適切であるかは、文化の公的支援に
関する諸理論の議論に譲りたいが、それにも増してここで重要視したいの
は、芸術文化の労働は必ずしも芸術家だけにより構成されているわけでは
ないということだ。たとえば筆者が暮らす福岡県福岡市での民間調査「福

岡における文化芸術関係者の新型コロナウィルスの影響に関するアンケート調査」の結果によると、個人で活動する芸術関係者の収入の損失額は活動自粛が叫ばれた2020年2月中旬ごろから調査時点の5月上旬までの間に平均で約44万円であった。これらを技能分野別にみた際に、創作発表や企画制作に携わる個人の平均が27万円であったのに対し、技術提供や施設運営等に携わる個人の平均は92万円であった（大澤・古賀・長津、2020）。これらの技能については自己申告であるため厳密な区分けは難しいが、舞台・照明・音響などの劇場の裏方や、施設運営に携わるアートマネジャーたちの窮状が浮き彫りになったといえるだろう。

またケイスリー株式会社による「新型コロナウイルスによる芸術文化活動への影響に関するアンケート」（ケイスリー株式会社、2020）をもとに、NPO法人舞台芸術制作者オープンネットワーク（以下、ON-PAM）は制作者や制作側として回答した1,077件（この回答にはセルフプロデュースのアーティストも含まれるという）の結果をもとに分析を行っている（舞台芸術制作者オープンネットワーク、2020a）。回答者のうち約8割が収入の低下、活動できないことを困りごととしてあげており、中長期的に求める支援としては事業に対する金銭的支援を求める声が数多く集まったという。「活動できなくなったアーティスト、劇場、団体などには、それぞれに対して倍数以上の舞台スタッフがついています。その半数以上がフリーランスです」という自由回答からも、フリーランスがこのコロナ禍において大きな被害を受けているということがわかるだろう。

このような窮状にあることを考えると、フリーランスというのは非常に脆弱な環境におかれていると言わざるを得ない。では、実際にフリーランスとして働くアートマネジャーはどのように仕事をし、そこにどのような可能性を見ているのだろうか。次項からは制作者のインタビューにより検討していく。

4 フリーランスで働く制作者の声

4-1 なぜフリーランスか

　今回話を聞いた武田知也（1983年生まれ）は、埼玉県に居を構えながら関東圏および関西圏を中心に活動するフリーの演劇制作者である。2008年からはNPO法人アートネットワーク・ジャパンで国際舞台芸術祭「フェスティバル／トーキョー」の立ち上げに事務局スタッフとして関わり、2011年から制作統括を務めた後退職、2014年からは公益財団法人京都市音楽芸術文化振興財団の職員として、京都市の公立劇場であるロームシアター京都の事業・企画を担当した。その後家庭環境の変化によりフリーランスとなり、ロームシアター京都の事業にも携わりつつ活動の拠点を埼玉県川越市に移し、「さいたま国際芸術祭2020」などの複数の活動に関与しながらフリーランスとして活動している。

　念のため記しておくと、制作者とは、作品をつくるアーティストのことではない。演劇公演を支えるためのあらゆる業務の担い手で、いわば演劇分野のアートマネジャーである。武田はフェスティバル／トーキョー時代からロームシアター京都で活動する際も、複数の作品制作の現場で制作者として働いてきて、現在はフリーランスという形で現場を支えている。

　一般にフリーランスの制作者は、たとえば主として所属している劇団がある場合には、本公演がある場合にはその立ち上げから終演後の処理まで一式を担うことになるが、それ以外にも公演当日の増員（当日の制作業務を補助する役割）として別の劇団やフェスティバルの公演に赴くこともある。こうした仕事は「請け仕事」と呼ばれることもあり、話が来て言われたことをこなす、というスタイルである。

　だが、武田が関わっているうちの1つは、ロームシアター京都という、公立劇場である。なぜ劇場がフリーランスの制作者を求めるのか。武田によると要因はいくつもあるというが、そのうちの1つは、劇場の正規職員として雇用される人だけでは、新しい作品のクリエーションの現場を担うことが難しいことにあるという。特にここ数年の傾向として、公立劇場で作品をつくった場合に、それをツアーで他地域に展開しよう、というとこ

ろに正規職員が付くと、数週間から1か月以上も劇場を空けることになってしまう。そうした場合に、現地の制作会社に委託したり、フリーランスの人に頼んで現場を任せる、というようなことが発生するというのだ。「本当の現場の細かい調整はフリーランスの人が入って、連絡係も含めやってもらって。ポイント、ポイントでプロデューサーが入るみたいなことじゃないと回らないんですよね」と武田は語る。

　もっとも武田の場合は、ロームシアター京都の正規職員であったところからのつながりでフリーランスとして関わっているため、事情は少々複雑で、正規職員時代に立ち上げたプロジェクトや関わった作品の継続的な展開を外部からサポートする形でフリーランスとして関わってきたという。ただそれにしても、現在のロームシアター京都の職員だけでは関わりづらいポイントを武田が担っているという点では、昨今のフリーランスの働き方のうちの1つではあるかもしれない。

4-2 職の不安定さと、その打開のために
　一方現実的には、フリーランスの立場になることのデメリットも多いという。多くのフリーランスは「仕事が来年あるのかどうかまったくわからないような状態が毎年来る」なかで、「いつまで持つのかというのが大きな課題」と武田は話す。また、自分で企画しない限り、フリーランスの立場で依頼される仕事の場合には「ゼロからは関われない」ことが多いというのもデメリットとあげられるかもしれない。ある一定の枠組みの中で自由度高く任されることはあっても、これまで武田が勤めて来たフェスティバル／トーキョーやロームシアター京都のように、企画をゼロからもしくはイチから立ち上げるというような経験は少なくなってくる。

　また、フリーランスであるうえで最も問題となるのは、報酬が示されないまま企画に関わることや、場合によっては制作者の報酬が他に比べて落とされがちであるという現状がある点だという。特に新作をつくる際には、予算がはっきりと確定しないままプロジェクトが進行していくため、自らの雇用に割かれる予算が変化する可能性を抱えながら仕事をするようなことも慣習的に行われているという。

（上）武田が制作として携わった作品
（ロームシアター京都レパートリー
作品 木ノ下歌舞伎『糸井版 摂州合
邦辻』(2020) 写真：東直子)

（左上）武田が制作として携わった作
品 (OiBokkeShi『認知の巨匠 ワー
ク・イン・プログレス』(2019) 写
真：hi foo farm)

（左下）武田がプロデューサーとして
携わった作品（フェスティバル／ト
ーキョー20 村川拓也『ムーンライ
ト』写真：石川純)

（下）武田がキュレーターとして携わ
った、「さいたま国際芸術祭2020」
で、上演できなかったパフォーミン
グアーツプログラムのチラシ

ただ、こうした契約の不透明さは前述のとおり新型コロナウイルス感染症に伴う社会的状況とともに浮き彫りとなった課題でもあり、この状況を打開する動きも始まった。たとえばON-PAMは2020年7月8日に「舞台芸術事業の契約について─持続可能な創造環境整備のためのステートメント」（舞台芸術制作者オープンネットワーク、2020b）を発表した。これは、新型コロナウイルス感染症対策として舞台芸術関係者の仕事が失われていることを、「口頭のみによる依頼・発注の慣行など、舞台芸術業界における業務委託（請負）の方法や業務内容、期間と対価・報酬額の考え方について見直す機会」ととらえ、ともにフリーランスの舞台芸術関係者がどのように契約を行ってゆくべきかというステートメントと、「舞台芸術事業の契約について：ON-PAM政策提言調査室　契約ワーキンググループからの提案」と称したガイドラインの提案を行った。その中では、受注者・発注者双方がフリーランスと契約する際の留意事項についてまとめている。

　特筆すべきは、興行収入がない場合にキャンセル料を支払えないという局面にあたった場合に発注者が「どこまで、何に対して支払いが可能なのか、受注者へ事前に説明し、合意を得て、出来るだけ契約書あるいはそれに準ずる書面に明記しておくことが大切」という記述が加わっていることだ。これまで慣習的に口約束による雇用関係が結ばれていたことについて、同業者団体のネットワークにより改善の提案がなされているということの意味は大きい。

　武田はON-PAMの会員としてこのステートメント作成の旗振り役の1人となった。フリーランスになると個人個人の労働となり、日々いろいろな情報が入ってくる環境でなくなってくるので、こうした団体を通じて新陳代謝していくことの意味は大きいと武田は語ってくれた。

4-3 フリーランスであるメリット

　こうした課題のなか、それでもフリーランスという働き方を選ぶ際のメリットとはどのようなものか。もちろんこれは個別に事情が異なるところではあろうが、武田の場合は「基準を自分でつくる」「個人としてコミュ

ニケーションする」ということがあげられるようだ。

　「基準を自分でつくる」というのは、仕事をしていくうえで、自分自身で良いか悪いかの基準をつくり行動するということである。武田は、「常に社会的にアウトプットしなければならないと考えるとそれは結構しんどいと思うんですけど、その範囲をプロジェクトによって、自分で射程を決めると、肩の荷がおりることはありますね」と、自分のできる範疇のことを自分で見定めているという。何か新しい仕事を引き受けたり、新しい仕事を起こそうとしたりするときに、組織や第三者による価値基準にただ乗っかって仕事を進めていくだけではなく、なぜ仕事をしているのかということを自分自身にも他者にも説明できるようにしている。「ルールをつくってくれないので、鍛えられる。それもやっぱりフリーランスの特徴であり、良いところだと思います」と武田は語る。

　「個人としてコミュニケーションする」というのは、対アーティストや対スタッフとのコミュニケーションのあり方が、組織に所属してきたときとまったく変わったという武田自身の感触に基づいている。アーティストやスタッフの多くもまたフリーランスであることが多く、組織に属した自分は権力に守られていて、否が応でもそのように見られていたのだという。それが、フリーランスの立場になると「同じ目線で価値判断をするしかない」状況になり、何が面白いからやるべきか、だれを信頼してやるべきか、という構図が非常にシンプルになってくるという。

　───（組織にいると）仕事で話す、という感じじゃないですか。フリーランスは良くも悪くも、仕事か仕事じゃないかわからない会話が多い。特に芸術関係は。そうやってじゃあ何で時間使って何で話すのってときには、その人と話すと楽しいとか、意味があるとかそういうところになってくると思うんですよね。仕事を超えて何かの価値が将来生まれるかもしれないっていうことがお互いに前提となってお話しすることが多くて、必然的に良いコミュニケーションが生まれやすいっていうのがあるのかもしれないですね。

このような、クリエイションの現場におけるコミュニケーションの回路がより豊かになっている状況をみるに、働き方の過渡期としてフリーランスがあるだけでなく、フリーランスだからこその働き方の良さも見えてくる。武田はロームシアター京都に在職中に、正規職員でなくても劇場のプログラムに関われる枠組みがもっとあってもいいのではないか、と考えていたという。実際にすぐに導入するのは簡単なことではないというが、アーティスト、研究者、ドラマトゥルクといったいろいろな立場の人が劇場に関わりつつ、職員の側も柔軟に劇場に関われる仕組みがあっても良いのではないかと提起してきたという。

4-4 フリーランスとして生き抜く

武田に、フリーランスとして生き抜くために求められる力について尋ねたところ、「相手や仕組みを知り、自分で物事を組み立てる」ということと「得意技を育てる」ということがあげられた。

アートマネジャーになりたければ、まずは一般企業に就職して社会を知るべきだ、という話はよく耳にする。ただその一方、武田の場合は、それは完全に人それぞれではないか、という視点を示す。社会の仕組みを知り、その中で自分がどのように動くか、ということを学ぶ機会を持つことは大事であろう。武田は20代でNPO法人アートネットワーク・ジャパンのスタッフとして行政や多様な舞台関係者との交流や業務を通じた学びの場があったことが、その後の成長につながったという。

また、フリーランスの制作者について言えば、「これが得意です」ということがはっきりしていないと生き残りづらいという。だれかフリーランスの人に仕事を頼もう、という発注側の視点に立つと、その人の特性がどのようなところにあるのか、という点が重要になってくる。「同じ制作者っていっても、現場のコーディネートやマネジメントがすごく得意とか、いろんなアーティストとしゃべるのが得意とか、コンサルタント的にアーティストや劇場が考えていることを形にしてあげるのが得意とか、企画を考えるのが得意とか、それぞれあると思うんです、細分化していくと。それが人それぞれ際立っていると、あの人に仕事頼みたい、頼もう、となる」

と武田は語っていた。

 5　浮かび上がってきたこと

　本節では、フリーランスの働き方をめぐる事象に触れてきた。なかでも、雇用環境が脆弱になりがちな状況や、そのような環境を取り巻く制度的な問題をあげた。2020年という年はコロナ禍とともに、フリーランスの働き方をめぐる諸問題が社会的に可視化される時期となっていることにも触れた。

　そのうえで、武田の話から浮き彫りになるのは、フリーランスという存在から生まれる新たなクリエイションの可能性である。武田は、フリーランスとして働くことの面白みを次のように語ってくれた。

　————自分でいろんなレイヤーの仕事を選べていて、なんで自分がその仕事を今しているのかっていうことの、必要性を感じられる。フィードバックがダイレクトにあるから。もちろん、力不足だなって感じることも、ダイレクトに感じられている。これは自分が力になったのかな、と思うこともダイレクトに感じられますし。それはやっぱり面白いですね。

　武田は、組織の中で働いていたときに比べ、アーティストたちとの距離が縮まり、コミュニケーションの質が変わったと話した。創造により新しい価値観を社会に投げかけようとするアーティストに対して、同じ立ち位置からものを言いながら、ともに並走していくこと。ここに、新たな価値が生まれる最前線を走り続けるフリーランスの可能性をみることができる。

　しかしこうした走り方は同時に危うさをも抱え込む。コロナ禍が可視化したのは、こうした多様な働き方に対する社会的サポートの必要性であろう。国や地方公共団体による金銭的なサポートだけではない。行政の側も、窓口対応を工夫したり、給付金を応募しやすくしたりするようなフォーマットを検討するなどの、非金銭的なサポートの可能性もあるだろう。フリーランスであることの面白みと同時に武田の話から気づかされるのは、

ON-PAMのような、フリーランス同士の横のつながりを得て、疑問に思ったことは声をあげ、ともに活動していくようなインフォーマルなネットワークの重要性ではないだろうか。

謝辞
フリーランスとしてのお仕事に加え、子育て真っ只中という大変忙しいスケジュールの中、インタビューに応じていただいた武田知也さんに感謝いたします。

《参考文献》
特定非営利活動法人Explat「舞台芸術のアートマネジメント専門人材の人材育成と労働環境を考えるシンポジウム〜統計・調査から分かる労働環境とこれから必要な人材育成〜京都・札幌・福岡・仙台・名古屋・東京・仙台　事業報告書」2017
　　http://www.explat.org/research/Explat_research_2016.pdf (2020年9月1日閲覧)
大澤寅雄・古賀弥生・長津結一郎「福岡における文化芸術関係者の新型コロナウィルスの影響に関するアンケート調査　2020年5月11日　速報版」2020
　　http://www.as-fuk.com/20200511covid19.pdf (2020年9月1日閲覧)
ケイスリー株式会社「新型コロナウィルスによる芸術文化活動の影響に関するアンケート結果」2020
　　https://uploads.strikinglycdn.com/files/72f1f02a-5ff7-4050-98b1-9794ba056f00/%E8%B3%87%E6%96%99%E2%91%A3-1%E3%80%90%E3%82%A2%E3%83%B3%E3%82%B1%E3%83%BC%E3%83%88%E7%B5%90%E6%9E%9C%E3%80%91%E5%88%86%E6%9E%90%E7%B5%90%E6%9E%9C.pdf (2020年9月1日閲覧)
舞台芸術制作者オープンネットワーク「新型コロナウィルスによる芸術文化活動の影響に関するアンケート結果 (制作者・制作側)」2020a
　　http://onpam.net/wp-content/uploads/2020/05/%E5%88%B6%E4%BD%9C%E7%89%88%E3%82%A2%E3%83%B3%E3%82%B1%E3%83%BC%E3%83%88%E7%B5%90%E6%9E%9C.pdf (2020年9月1日閲覧)
舞台芸術制作者オープンネットワーク「舞台芸術事業の契約について―持続可能な創造環境整備のためのステートメント」2020b
　　http://onpam.net/?p=4706 (2020年9月1日閲覧)

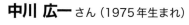

インタビュー**04**

中川 広一 さん（1975年生まれ）

札幌交響楽団総務営業部次長

公益財団法人札幌交響楽団（通称・札響）は1961年に設立された道内唯一のプロオーケストラ。例年120回の演奏会を開き、約70回は札幌市内、残る約50回は道内外で実施。このほか年50回程度のアンサンブル公演も行う。2020年7月末までで計6,512回の公演を重ね、道内全179市町村全てを回った。演奏者は20年7月現在73人。

楽団の現状と課題は？

2018年度決算では一般会計10億5,300万円。収入の内訳は事業収入が4億8,914万円。行政の補助金3億6,097万円、寄附金1億4,200万円。新型コロナウイルスの感染拡大は北海道が先駆けだったので2020年2月22日の公演を最後に休演した。東京より1か月早く演奏活動を止めたので、影響が大きかった。事務局は総務営業部と事業部の2部制で総勢14人。北海道新聞社から専務理事を迎え、事務局長は札響の元クラリネット奏者が務める。

なぜ楽団の事務局に？

話は1994年にさかのぼります。道内の岩内町で育ち、札幌の大学に進学して吹奏楽団に入部した。同級生から「運び屋のアルバイトをしないか」と誘われた。当時の札響事務所は中央区の札幌市教育文化会館に置かれ、練習は南区の札幌芸術の森で行った。練習終了後は、本番会場へ移動するためにトラックに楽器を積み込む。ふだん見ることができない舞台裏の運営に興味を持ち、4年間続けた。

卒業後も札響でアルバイト生活に。ステージスタッフと楽譜を管理するライブラリアンとして働いた。2001〜03年の3年間「パシフィック・ミュージック・フェスティバル」（愛称・PMF）の組織委員会に勤務してチケットの販売、協賛金や助成金の申請などを担当した。2003

年、札響事務局職員の公募が行われ、応募して採用された。

◖🎤◗ 札響はなぜ事務局職員の公募を？

　2002年に札響の経営危機が表面化した。累積赤字を抱えて存続が難しくなり、再建のために事務局員を総入れ替えすることに。経営難の理由の1つは聴衆開拓の取り組みが少なかったこと。2つには基本財産（当時10億円）の国内金利が低くなって、高配当とされたアルゼンチン債を買ったこと。運用益は出したものの債務不履行になり損害を被った。新体制では「顔の見える札響」をスローガンに掲げて楽団員を積極的に外に出した。まちかどコンサートなどを盛んに行うようになった。

　同時に事務局を増強した。固有職員9人に加えて道、札幌市、JR北海道、北洋銀行、北海道銀行などから6人の出向を受けた。経理、広報、マーケティングなど経験豊かな職員と一緒に仕事をすることができた。

◖🎤◗ いつから総務営業の仕事に？

　最初は企画制作グループ（当時）に配属され、2年後、事業推進グループ（同）に異動した。広報宣伝、行政の補助金、民間財団の助成金・協賛金、民間企業や道民からの寄附などを獲得する業務に携わってきた。

　行政の補助金（2018年度）は札幌市から1億6,000万円。北海道から1億円。総収入の34％を占めている。事業収入の内訳は、自主公演が1億4,700万円、依頼公演が2億3,178万円、音楽教室が1億875万円など。寄附（パトロネージュ）は法人会員（1口10万円から）と個人会員（1口5万円から）の会員全体で8,270万円。会員ではない一般寄附が6,007万円。寄附は全体の14％にとどまるので今後もっと増やしていきたい。法人会員はざっと300社で、公表されている限りでは「日本で最も法人会員数の多い楽団」とされている。

　支援していただけた場合、税控除の対象になるほか、企業名を演奏会プログラムやホームページに掲載したり、何かの記念行事の際に楽団からアンサンブルメンバーを派遣したりしている。

　札響ではパトロネージュ企業の商品を大切にしてきた。パーティー等

では協賛企業のビールをお出しする。楽団で使用する自動車も、東京等へのお土産も、支援企業の商品を購入する。ポスターやチラシの印刷は支援をいただいている複数の印刷会社に見積もりを依頼する。

◀━━▌▌▌ 遺産の一部をいただく遺贈について

もっと増額できれば、と考えている。毎年数件のお申し出をいただく。演奏会終了後コンサートマスターが舞台に残り、客席の遺族に奏でたこともあった。

2020年5月には2件の遺贈をいただくことができた。1件は父を亡くされた息子様からの申し出で、父親がよく札響公演に来ていただいていた。もう1件は、長年会員だったご夫妻のうち、妻が先立たれた旦那様からの申し出。「私たちが生きてこられたのは札響のおかげ。毎月の定演に出かけ、終了後2人で食事を楽しんだ」と話された。

新型コロナウイルスの感染拡大に伴い収入が途絶えた時期だっただけに、心から感激した。もっと積極的に遺贈に臨みたい。遺産を管理する信託銀行や信用金庫などの金融機関と連絡を密にしていきたい。

◀━━▌▌▌ 海外留学の経験も

ずっと札幌で仕事をしてきたので、一度は欧米に留学したいと夢見た。36歳の2012年、文化庁の在外研修員制度に応募して選ばれた。12年から13年にかけて英国マンチェスター市に本拠を置く交響楽団「BBCフィルハーモニック」で学んだ。米国では民間企業の寄附で支えられている。ドイツでは政府の補助金が中心となる。対して英国では、政府の補助金、民間企業の助成金、事業収入の3本柱に支えられており、日本の実情と似ているので留学先に選んだ。BBCは英国の公共放送で、イングランドに3つ、スコットランドとウェールズに各1つ。計5楽団が活動している。ロンドンに2つあるが、札幌と同じような地方中核都市であるマンチェスターを研修地に選んだ。

どんな仕事でも引き受けた。広報、チケット販売、事業企画。「日本だったらどうする？」とよく聞かれ、こちらからも提案した。英国の経

験は今も演奏楽曲の選定や音楽家の招聘^{しょうへい}などの面で生かされている。英
国ではどの楽団も子ども向けワークショップと真摯に取り組んでいた。
最先端が英国だった。とても勉強になった。札響でも積極的に実施して
いる。

🎤 公益財団改革について

21世紀に入って財団法人改革が行われ、公益財団と一般財団に分か
れた。札響の事業のうち90％は公益事業なので、公益財団に認定され
た。公益事業として認められると、お客様からの安心感が違う。寄附を
いただくと税控除の対象になる。法人は必要経費に認められる。個人会
員も年度末に確定申告すれば税金が戻ってくる。

デメリットもある。公益財団になると内部留保ができない。補助金を
いただいている分、黒字が出て内部留保したら補助金は不要という考え
方なのだが、今回の感染拡大では事業収入が大幅に減ったため、内部留
保がないと経営が苦しくなる。

🎤 総務営業部のやりがいは？

事業部は楽団員や主催者と接するが、総務営業部はお客様と接するの
が仕事。お客様の反応が日々の演奏で違う。良い演奏会では、お客様は
すがすがしい表情で帰って行かれる。「今日の演奏はすごかったね」と
話しかけてくださる。「この仕事をしていて良かった」と思う。

行政や民間財団に対する補助金・助成金申請の書類は、主に私自身が
作成している。思いを込めて書いた申請が認められたとき、やりがいを
感じる。

英国留学から帰国して札響に復職したのが2013年7月。BBCマン
チェスターでは経営学を学んだ事務局員が数人いて、楽団経営に対する
しっかりとした考えを持っていた。自分自身もっと勉強をしたいと願っ
た。そこで翌14年4月から国立小樽商科大学の大学院・商学研究科ア
ントレプレナーシップ専攻に社会人入学した。MBAコースで、私は11
期生。同期は多士済々で、企業経営者、行政職員、新聞記者らと一緒に

論議した。人脈は今も生きている。

アートマネジメントの仕事を志す若者たちに助言を

　第1に語学の習得は絶対に必要。総務であれ、事業であれ、英語の力が不可欠になっている。語学ができると世界が広がる。第2に頭で考えず、体を動かすこと。腰軽く、何にでも興味を持つ。いろんな部署を経験して俯瞰して全体を見る力をつけてほしい。

（松本 茂章　インタビュー：2020年7月6日、7月8日）

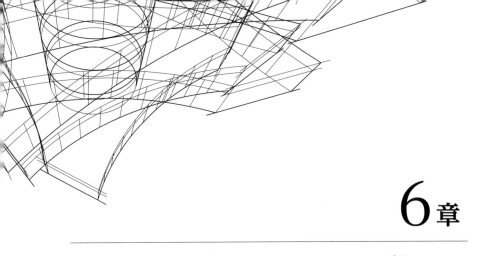

6章

アートマネジメントをいかに学ぶか

1節
海外の学び

昭和音楽大学　武濤 京子
（一財）地域創造　佐藤 良子

1　グローバル化のなかで

　本書の読者のなかには、大学や大学院でアートマネジメントを学ぶ学生・卒業生もいることだろう。この分野では、理論科目や実践科目を含む多様なカリキュラムが組まれており、大学ごとに特色あるプログラムとなっている。言い換えれば、大学あるいは研究者によってさまざまなアプローチがあり、これからアートマネジメントを学ぼうとする人にとっては、何を手がかりに学び始めると良いのか、わかりづらいと感じている人もいるかもしれない。

　アートマネジメント教育の歴史を紐解くと、国や地域によって導入時期やその背景は異なっている。しかし今、国際的な視野に立ってアートマネジメント教育を考えようとする立場から、教育関係者を中心に国や地域を超えたダイナミックな連携を試みる動きもみられる。そもそも高等教育機関でのアートマネジメント教育はいつ、どのように始まったのだろうか。グローバル化が進む現代において、アートマネジメント教育をめぐる国際的な潮流はどうなっているのだろうか。本節ではこのような疑問に焦点を当てて、アートマネジメント教育について考えてみよう。

2　国際的にみたアートマネジメント教育の歴史

　高等教育機関におけるアートマネジメント[1]の専門的な教育は、国際的にみてもそれほど歴史の古いものではない。文化芸術活動が活発になり多くの人々が参加するようになると、芸術運営の専門家が求められるようになった。20世紀半ばを過ぎると、米国ではアメリカ交響楽団連盟（American Symphony Orchestra League、現在の League of American Orchestras）

などで、マネジメント・スキルを高め管理職のポジションを得るためのトレーニングプログラムが始まり、さらにはロックフェラー財団の報告書(1965年)において、アートマネジャーたちは正式に、つまり大学等で教育を受ける必要があることが指摘された[2]。当時の米国では、1965年に全米芸術基金(National Endowment for the Arts、略称・NEA)が設立され、オーケストラなどの舞台芸術団体の財政逼迫が明らかとなり、政府による芸術支援の必要性への関心が高まっていた。そのためアートマネジャーたちには、芸術組織のマネジメントに加えて、公的支援への説明責任を果たしていくという新たな役割も期待されていたのである。

　このような気運に乗って、米国では大学院を中心にアートマネジメント教育が開始され、1960年代にイェール大学、シンシナティ大学、カリフォルニア大学ロサンゼルス校、ウィスコンシン大学マディソン校、1970年代にニューヨーク大学、インディアナ大学、ドレクセル大学、アメリカン大学などが相次いでプログラムを設置していった。さらに、1990年代に入ると大学学部レベルのプログラムも増加した。

　一方、英国では、1967年に英国芸術評議会が主導し、ポリテクニック・オブ・セントラル・ロンドン(Polytechnic of Central London)のSchool of Management Studiesにおいて1年間のアーツ・アドミニストレーション・コース(ディプロマ課程)が設立されたのが、高等教育機関におけるアートマネジメント教育の始まりとされる。このディプロマ課程は、のちに1974年にシティ大学に移管された。

　英米圏から発展したアートマネジメント教育だが、ヨーロッパ(大陸)で教育・研修プログラムが始まったのは1980年代に入ってからと言われる。ドイツでは、1980年代後半に最初の大学のプログラムが設置された。英米圏ではプライベート・セクター(民間)の市場が発展していたのに対し、ドイツでは地方政府による文化芸術活動に対する手厚い支援が行われてきた。しかし、商業的な娯楽産業との厳しい競争にさらされ、公的部門においても民間の経営手法の導入を進めるといった、いわゆるニュー・パブリック・マネジメント(NPM)の流れを背景に、基礎的なビジネスの知識がアートマネジメントにおいても求められるようになったことが、アー

トマネジメント教育の導入へとつながったとみることができる。

　アジアに目を移すと、中国では1987年から北京映画学院（Beijing Film Academy）においてアートマネジメント教育は開始されていたが、本格的な導入の動きはその後10年以上が経ってからとされる。2000年代の初めから、中央美術学院（Central Academy of Fine Arts、略称・CAFA）をはじめとして、芸術系大学でアートマネジメント教育が次々に開始された。改革開放が進み、文化芸術分野の市場が急速に成長してきたことがこうした動きを後押ししたものと考えられる。

　このように、それぞれの国や地域で文化を取り巻く政治・経済の仕組みが変化し、その大きなうねりを受けて、文化芸術活動の支援や活性化に向けた課題解決が求められるなかで、アートマネジメント教育が導入されていった。

　次項では、米国のアートマネジメント教育の事例を詳しくみていくこととしよう。

３　多様な米国のアートマネジメント教育

　米国の高等教育機関のアートマネジメント教育プログラムは多岐に渡っている。視覚芸術、実演芸術、文学、メディア芸術、文化芸術サービス組織のマネジメント等の分野を含むとともに、非営利組織に焦点を当てているもの、営利組織、政府関連組織を扱うもの等幅広い。また、プログラムの名称も多様で、得られる学位についても、単科大学や総合大学で与えられるもの、芸術系大学とビジネススクール、公共政策系や教育、建築系などの教育機関が合同で学位を授与する場合もある。

　ドレクセル大学はフィラデルフィアにある1891年に設立された大学で、2020年9月現在の学生数は2万4,205人（学部1万5,346人、大学院8,859人）である[3]。200以上の学位プログラム、15のカレッジとスクールを有しており、全米で最も歴史があり規模が大きいコーオプ教育（インターンシップの一種で専門分野と密接に結びついている）を通じた実践的なリーダーシップ教育に定評がある。

大学院のアーツ・アドミニストレーション・プログラムは1973年に設立され、2006年のカリキュラム改訂では、ビジネス・知的財産・テクノロジー・マーケティングリサーチ等の内容を充実させ、リサーチディレクターのポジションを新設した。また、同じ年に学部のプログラム（Entertainment & Arts Management）を開設し、2008年からオンラインコースをスタートさせている。

　大学院のプログラム（Arts AdministrationおよびMuseum Leadership）は、45年以上の歴史を持つ老舗プログラムとしての実績と、文化芸術の分野で活躍する数多くの卒業生のネットワーク組織を持つことが強みで、それを活用した仕事や学びの場が数多く提供されている。仕事をしながら学位を取得できるよう、キャンパスでの授業はウィークデーの夜を中心に行われている。オンラインあるいは併用プログラムも用意されており、フルタイムの学生は最短15か月で学位を得ることが可能となっている。Arts Administration、Museum Leadership両専攻ともに、組織マネジメント、マーケティング、リーダーシップなど7つのコア科目、それに加えて専攻ごとの必修5科目と選択3科目、合計45単位が卒業の要件となっている。関連の文化芸術団体での複数のインターンシップの機会が用意されており、Arts Administrationでは修士論文の執筆、Museum Leadershipではプラクティカム（practicum:専門の実習）を行うことが必要である。

　学部（Entertainment & Arts Management）では、メディア、パフォーミングアーツ、スポーツまたはビジュアルアーツマネジメントの4つの専攻があり、各専攻はさらに、映画、テレビ、舞台芸術、ダンス、劇場、ビジュアルアーツ、デジタルメディア、スポーツエンターテインメントなどの専門分野に分かれており、営利・非営利の区別なく集中して学ぶことができることが特徴で、アートマネジメントが学べる全米の大学トップ10の1つに選ばれている[4]。

　学部で優秀な成績を修めた学生（最後の2年間のGPA平均が3.5以上）は、自動的に修士プログラム（Arts AdministrationまたはMuseum Leadership）に進学が可能となっている。また、5年間で学士号（Bachelor of

Science) と MBA(Master of Business Administration) の両方を取得できるプログラム (Dual Degree BS/MBA Option) がある。

　米国の多様なアートマネジメント教育を少し俯瞰して見るために、次項ではネットワーク組織の活動に触れることとする。

4　教育者への支援と啓発 ― AAAE の活動

4-1 AAAE の設立

　アートマネジメントという新興分野において、米国では当初、実務家あるいは実務家から教員に転身した人が教鞭をとることが多かった。そのうえ、教育者たちはそれぞれの所属大学でアートマネジメント教育に取り組むのみならず、この分野の教育の質を高め、専門性を高めていく必要があった。そこで、教育者や研究者、実務家が交流する場をつくり、情報を共有し、この新たな学際的分野を発展させていくことを支援するネットワーク組織として Association of Arts Administration Educators (以下、AAAE) が 1979 年に正式に設立された[5]。

　当初は大学院レベルのプログラムが中心であったが、1990 年代には米国全体で学部レベルのプログラムが増えた。さらには国際的にもアートマネジメント教育プログラムが開設されるようになったことから、そうした状況を反映して、学部やアメリカ以外の国のプログラムもメンバーとなることが認められるようになり、2020 年現在は米国、カナダ、英国、シンガポール、香港、フィリピン、そして日本を含む各国の大学が参加し、大学学部 57 プログラム、大学院 94 プログラムがメンバーとなっている[6]。ちなみに、日本で現在加盟しているのは昭和音楽大学 (2000 年～) と静岡文化芸術大学 (2010 年～) の 2 校のみである。

4-2 AAAE の役割

　AAAE は、年次総会の開催や講師の派遣などを行い、メンバーが互いに理解を深め、サポートしあい、分野の専門性を高めていくことによってアートマネジメント教育の発展に貢献してきた。

AAAEの年次総会は1982年より開催されている。開催地は米国内が中心であるが、英国、カナダ、オーストラリア、イタリアなどで開催された年もある。2020年の総会はニューヨークで開催予定だったが、新型コロナウイルス感染症拡大の影響によりオンラインで実施された。総会では、基調講演やメンバーミーティングのほか分科会も開催され、各大学で実践している授業内容や指導方法などの事例報告をはじめ、各国におけるカリキュラムの傾向や卒業生のキャリア開発といったアートマネジメント教育全体に関わる諸問題についてのセッション、あるいは学問分野としての専門化についての議論が交わされている。

メンバー限定のサービスとしては、毎月1回News Letterが事務局より配信されるほか、会員間のメーリングリストでは、シンポジウムやセミナー等の情報共有、国際学会やジャーナルへの投稿呼びかけ、授業やインターンシップの運用に関する質問やアドバイス、アンケート調査の実施なども行われている。最近では、新型コロナウイルス感染症に対応した授業の進め方や、インターンシップの評価の仕方などについて活発な情報交換が行われた。

5 AAAEのカリキュラムスタンダード

5-1 カリキュラムスタンダードとは

前項で述べた活動を通して、AAAEはアートマネジメント教育者たちを支援し、啓発する役割を果たしてきた。その中でも大きな役割の1つが、学部および大学院のカリキュラムスタンダードの策定と提示である。

プログラムごとに与えられる学位や基盤とする学問分野が異なっていても、「これらのプログラムが達成すべき共通したアカデミックな目標が存在し、アートマネジメントを学んだ者はある一定のアウトカム（成果）を得るはずである」、というのがカリキュラムスタンダード策定のきっかけとなっている[7]。また、このカリキュラムスタンダードは、プログラムを「認可」するためのものではなく、会員である大学・大学院等が参考とする「基本的な考え方」であり、会員が教育の質保証に役立てつつ、各大学

の強みを生かした創意工夫を行うためのツールとして用いることが期待されている。

　AAAEのカリキュラムスタンダードは2000年代の初めから検討が開始され、大学院、学部それぞれに改訂が重ねられている。策定のプロセスでは実務家と連携し、フィードバックを受ける体制がとられ、彼らの意見も反映されている。

5-2 カリキュラムスタンダードの内容

　紙面の都合上、ここでは、「学部カリキュラムのためのスタンダード」の最新版である2018年版を参照する[8]。

　カリキュラムスタンダードを構成する項目は、下記の13項目で構成されている。

Arts Administration Principles & Practices（アーツ・アドミニストレーションの原則と実践）

Data Literacy（データ・リテラシー）

Diversity, Equity, and Inclusion（多様性、公平性、包摂）

Entrepreneurship（アントレプレナーシップ）

Experiential Learning（経験学習）

Financial Management（財務管理）

Funding（資金調達）

Legal and Ethical Environment for the Arts（芸術の法的・倫理的環境）

Marketing the Arts（芸術をマーケティングする）

Organizational Management（組織のマネジメント）

Policy for the Arts（芸術政策）

Production and Distribution of Art（芸術の生産と流通）

Strategic Planning（ストラテジック・プランニング）

　個々の項目の学修成果を記述するにあたっては、習熟度を基礎、発展、ベストプラクティスの3つの段階に分け、発展的に示す手法が採られてお

り、これによって基本的には基礎レベルをベースとして、各大学の特性に応じた選択が可能になっている。

たとえば、最初の項目の詳細は図表6-1-1のようになっている。

図表6-1-1　アーツ・アドミニストレーションの原則と実践

項目	Arts Administration Principles & Practices （アーツ・アドミニストレーションの原則と実践）
学修成果	**基礎** • アーツ・アドミニストレーションの一般原則を特定する（記憶する） • アーツ・アドミニストレーションにおける分野特有の現代的課題を認識する（理解する） • 解決案を現在のアーツ・マネジメントの課題と比較対照する（分析する） **発展** • 非営利組織と営利ビジネスのマネジメントの違いを説明する（理解する） • 創造産業や文化産業特有の特徴を他の経済産業と区別する（分析する） • 芸術組織のマネジメントプランを評する（評価する） **ベスト・プラクティス** • 芸術組織のマネジメントプランを作成する（創造する）

出典：佐藤良子・武濤京子・中尾知彦・伊志嶺絵里子「AAAEのカリキュラムスタンダード」、2019年、15頁より抜粋

「データ・リテラシー」「多様性、公平性、包摂」「アントレプレナーシップ」「経験学習」は、2018年版で新しく設けられた項目であり、注目される。アートマネジメント教育を取り巻く最新の状況に応じて、大胆な改訂が行われたといえるだろう。

「データ・リテラシー」では、データの収集方法、分析、伝達を理解し、これを芸術組織の意思決定のために活用できるようになることを目指している。「多様性、公平性、包摂」は、近年AAAEにおいて特に重視されているテーマであり、アートマネジメント教育の中に多様性、公平性、包摂の実践を取り入れることが急務であるとしている。「アントレプレナーシップ」には、非営利または営利目的の事業体の創造、キャリアマネジメント、起業家的思考などが含まれ、キャリアのある時点で起業家的環境で働くために必要なスキルを身につけることを目指している。「経験学習」はこの分野の教育プログラムの大きな柱であり、プロジェクトベースのク

ラス活動、地域社会のニーズに合致した奉仕活動、ボランティア、キャンパス内外でのコーオプやインターンシップ、学生組織などさまざまな活動からの学びを対象としている。これらの活動は就職可能性を増やす機会としてもとらえられている。

　学部プログラムのためのカリキュラムスタンダードは、リベラル・アーツ教育をベースに、アートマネジメントの実践に向けた基礎的な学習を重視するスタンスがとられている。一方大学院プログラムのためのカリキュラムスタンダード（最新版は2014年版）においても、経営学の諸論（組織論、戦略論、財務管理等）と関連する項目がみられるほか、芸術を取り巻く環境について理解を深める項目があげられている。そして、芸術の制作や支援について学ぶこととされている。

5-3 カリキュラムスタンダードの活用事例

　先に紹介したドレクセル大学では、学部を紹介するホームページの「このコースで学べるスキル」として、前述のAAAEのカリキュラムスタンダードの項目から、ストラテジック・プランニング、データ・リテラシー、アントレプレナーシップなど、いくつかを掲げている[9]。また、2016年秋に大学院プログラムの大幅改定を実施した際には、これまでのカリキュラムの検証とともに、専任・非常勤教員間のミーティング、学外や学内他コース教員へのインタビュー、卒業生アンケートなどを行ったが、教員ミーティングでは、2014年版大学院プログラムのためのカリキュラムスタンダードをもとに活発な議論が行われた。最初のミーティング時には、項目ごとの学修成果をベースに、関連する授業の担当教員がミニグループをつくり、それぞれが教えている内容を説明し、重複がないよう調整を行った。次のミーティングでは、再度カリキュラムスタンダードを使用して、研究分野、学修成果、各専攻に適した習熟度を検討している[10]。

　AAAEのカリキュラムスタンダードを一見すると、米国におけるアートマネジメント教育カリキュラムは体系化が進んでおり、全体として一定の質保証を達成しているかに見受けられる。しかし、アートマネジメント教育受けた卒業・修了生が望む現場のポジションが用意されているかと

いえば、米国においても必ずしも実態はそうとは限らない。さらに、新型コロナウイルス感染症の影響を踏まえた技術革新への対応や、現在大きな問題となっている人種差別に対するアートマネジメント分野における取り組みなどが、喫緊の課題となっている。

　以上、米国の状況についてみてきたが、次項からは、その他の国や地域の状況についても把握しておこう。

6　ヨーロッパの動向

　英国の大学でアートマネジメントを学ぶ場合、学部は3年、大学院では1年間のプログラムが一般的である。2020年6月のAAAE総会（オンライン開催）において、アナ・ガイオ（シティ大学教授）は、「英国のアートマネジメントカリキュラムの潮流」[11]というタイトルでプレゼンテーションを行い、以下のように述べている。

　これまで英国では、アートマネジメント／文化政策系の専攻が主であったが、ブレア政権（1990年代後半）において「クリエイティブ・インダストリー政策」が推し進められたことにより、近年、文化／クリエイティブ産業／ビジネスとクリエイティビティなどを冠した専攻が増えてきている。こういった専攻の核となる授業には、クリエイティビティ、アントレプレナーシップなどの言葉がみられる。一方、従来のアートマネジメント／文化政策系のコースでは、同じ大学の他学部やコースの協力を得て、「選択科目」として、バラエティに富んだ多様な科目が履修できるようになっている。2000年代の後半以降、アーツカウンシルや政府の助成金が減少していることから、自らビジネスモデルを立ち上げ、民間セクターとのパートナーシップを構築するなどの適応が求められており、こういった、社会情勢の変化に対応していくため、それぞれが工夫を凝らしている。

　ところで、「アート」に対応するドイツ語は一般的には「Kunst」であるが、いわゆる「ハイ・アート」の意味合いが強いこともあり、ドイツ等では、より広い意味を持つ「Kultur」（文化）という言葉を使用した「文化マネジメント」という言い方が一般的である。

ヨーロッパにおいて文化マネジメントおよび文化政策の教育を主軸とし
たネットワーク組織に、European Network on Cultural Management
and Policy（以下、ENCATC）がある。米国に拠点を置くAAAEに対応
するヨーロッパの組織として、1992年に設立された。2020年現在、ベ
ルギーに拠点を置き、EUのCreative Europeプログラムの支援を受けて
活動している。40か国を超えるヨーロッパやその他の地域から、141以
上の教育・研修機関等がメンバーとなっている[12]。

　ENCATCの主な活動としては、年次総会の開催をはじめ、さまざまな
意見交換や情報交流の機会を設けることにより、文化マネジメントや文化
政策の分野に関わる大学教員、研究者、実務家、学生等の研修の場を提供
している。なかでも、若手研究者が中心となるフォーラムやディベート、
海外を含むスタディ・ツアー、博士論文のアワードなど、学生や若手研究
者に多彩なプログラムを用意しており、大学院生やポスドクの参加機会に
も目配りされている。

　グローバル化の影響を受け、アートマネジメント教育においても国際的
な視野で連携が模索されている。AAAEとENCATCは2003年にトリノ
（イタリア）にて年次総会を合同で開催したのをはじめ、組織間で役員の
派遣交流を行うなど、連携関係を築いてきた。そのうえで、近年はダイナ
ミックなネットワーク化を目指す動きも見せており、2017年にはAAAE
とENCATCのそれぞれの年次総会で"Global Conversations"と題した
共同セッションの企画を立ち上げ、2020年現在も継続している。

　しかし、国際組織や国、地域間の足並みは必ずしもそろっているわけで
はない。各国におけるアートマネジメントをめぐる社会的、経済的、文化
的背景の違いを乗り越えて、新たな視点や課題解決の方策を提示するまで
には、まだ少し時間が必要と思われる。

 7　アジアの動向

　中国では、2006年に中央美術学院の主導でアートマネジメント教育を
行っている15の高等教育機関が集い、China Arts Administration Edu-

cation Association（以下、CAAEA）が設立された。CAAEAでは、設立当初よりAAAEのカリキュラムスタンダードに注目し、中国独自のスタンダード策定を目指している。CAAEA会長ユ・ディン（中央美術学院教授）は2019年春のAAAE年次総会に参加したおりに、"Global Arts Administration and Education Conference" の開催を呼びかけ、準備のための会合を2019年秋に北京にて実施した[13]。

　また2015年には台湾でTaiwan Association of Cultural Policy Studies（以下、TACPS）が設立され、活発に活動している。TACPSのメンバーはENCATC年次総会の共同セッションに毎回参加している。

　アジアのネットワーク組織としては、シンガポールのラ・サール芸術大学（LASALLE College of the Arts）の主導により、2011年にAsia-Pacific Network for Cultural Education & Research（以下、ANCER）が設立された。ANCERは、アジア太平洋地域のアートマネジメントや文化政策分野でのネットワーク組織として、芸術と文化に関する問題について調査や研究、意見交換などのさまざまなプラットフォームを提供し、参加者同士の会話を促進することを目指している。

　隔年開催の「ANCERカンファレンス」は、新しい研究と実践を共有することにより個々の能力を高めることを目的としている。研究者や大学関係者のみならず、実務家やアーティストも参加しており、若い研究者や大学院生、アーティストたちによるパネルディスカッション等も開かれている。2012年にシンガポールで開催された第1回「ANCERカンファレンス」には、AAAEやENCATCの関係者も参加した。2020年9月の第4回「ANCERカンファレンス」は、新型コロナウイルス感染症の影響によりオンラインで実施された。

　「ANCERラボ」では、東南アジアの1つの都市に数日間滞在し、現地の文化セクターについて知識を深め、交流とネットワーキングのための公開討論会を開催しており、現地のパートナーや関係者とより深い関係を構築することができる。2019年10月にホーチミン市で行われた「ANCERラボ」には、ベトナム、マレーシア、カンボジア、インドネシア、シンガポール、韓国からの参加者があった。

8 日本への示唆

　以上に見てきたように、アートマネジメント教育は、今や世界各国で行われている。しかし、高等教育機関での教育プログラムに絞っても、プログラムの名称や与えられる学位、基盤とする学問分野は多様である。その理由は、各プログラムの成り立ちや特色と結びついており、さらにはその国や地域がアートマネジメント教育を導入した経緯と深く関わっているからだ。

　本節では特に、米国のアートマネジメント教育の事例とAAAEが策定しているカリキュラムスタンダードについて述べたが、カリキュラムの内容は経営学の諸論を基礎としつつ、近年では営利・非営利の両面からの文化芸術活動を対象とし、さらには社会情勢の変化を踏まえた新しい要素を取り入れながら更新されている。

　翻って日本はどうであろうか。本節の冒頭でも述べたとおり、大学ごとに多彩なアプローチでプログラムが構成されており、この点は諸外国と同じ事情である。だからこそ、アートマネジメント教育に焦点を当てた議論の場が必要であるが、そうした機会はほとんどない。また、これまでにも国レベルで指摘されているが、実践的な学修によって卒業後の活躍を期待するためには、実務家との連携は欠かせない。さらに、めまぐるしく変化する社会の要請を受けて、カリキュラムの変革も求められるであろう。こうした課題に対応し、アートマネジメント教育の質保証をしていくために、カリキュラムスタンダードの考え方は大いに参考になるといえるだろう。

　AAAEやENCATCの年次総会等における議論からは、未だアートマネジメントや文化マネジメントは歴史の浅い分野であるという見解も聞かれ、この分野の専門性の確立に向けて、今後もさまざまな取り組みが求められるであろう。こうしたなかで、日本でも共通する問題は少なからずある。AAAEの取り組みをはじめ、世界のさまざまな国や地域のアートマネジメント教育関係者と情報交換をすることによって、日本でもより良い方向に導くことができるのではないだろうか。

＊本稿はJSPS科研費基盤研究 (C)「アートマネジメント教育に係る国際組織の研究」(課題番号：JP17K02386) の助成を受けた研究に基づいている。

[1] 「アートマネジメント」の用語は、日本国内でも「アーツ・マネジメント」等異なる表記が見られる。また、国際的にも arts management、arts administration 等の用語が混在している。本節ではこれらを「アートマネジメント」の語に含めて用いることとする。ただし、原文 (英語) を筆者において訳す場合は、原文で用いられた語をカタカナ表記として用いることとする。

[2] Rockefeller Brothers Fund. *The Performing Arts: Problems and Prospects; Rockefeller Panel Report on the Future of Theatre, Dance, Music in America.* New York: McGraw Hill, 1965.

[3] https://drexel.edu/about/glance/fast-facts/ (2020年9月25日閲覧)

[4] https://www.niche.com/colleges/search/best-colleges-for-arts-management/ (2020年8月7日閲覧)

[5] これまで発行された書籍やパンフレット類では1975年との表記もあるが、1979年7月16日に正式に非営利組織として登録された。

[6] 2020年5月29日、AAAE Online Conference におけるメンバーシップミーティングでのAAAEエグゼクティブ・ディレクター発表資料を参照。

[7] 武濤京子「AAAE (アートアドミニストレーション教育者連盟) とアートマネジメント教育のカリキュラムスタンダード」昭和音楽大学アートマネジメント研究所『昭和音楽大学音楽芸術運営研究第8号』、2015、30頁。

[8] 5-2における「学部カリキュラムのためのスタンダード」(2018年版) の内容は、佐藤良子・武濤京子・中尾知彦・伊志嶺絵里子「AAAEのカリキュラムスタンダード」、2019をもとに一部再構成して記述している。

[9] https://drexel.edu/westphal/academics/undergraduate/EAM/ (2020年9月3日閲覧)

[10] Julie Goodman Hawkins, Neville Vakharia, Andrew Zitcer, and Jean Brody, "Positioning for the Future: Curriculum Revision in a Legacy Arts Administration Program," *Journal of Arts Management, Law, and Society*, Vol.47, Issue1 [March 2017], pp.64-76.

[11] "Trends in Arts Management Curricula in the UK" (2020年6月16日、オンラインにて)

[12] ENCATCホームページを参照。
https://www.encatc.org/en/ (2020年9月5日閲覧)

[13] 本会議は2020年に実施の予定であったが、新型コロナウイルス感染症の影響で延期された。

2節
わが国の学び

志村 聖子

1 日本のアートマネジメントを取り巻く状況

本稿では、前節「海外の学び」を受けて、国内におけるアートマネジメントの学びや教育の状況を扱う。なかでも、大学におけるアートマネジメント教育と、現場で行われる実践に焦点を当てる。

まず、日本の場合、大学の学部においてアートマネジメント教育が1990年代に始まったことから、その経緯や現状を概観する。

また、特に芸術系大学のアートマネジメント教育では、企画制作演習などの実践型科目が重要な部分を成しているが、その実現において文化施設や実演団体、文化財団等をはじめとする現場との連携は欠かせなくなっている。文化の現場では、鑑賞者の育成や多様化を目指してさまざまな取り組みが行われており、そのような「教育普及活動」について精通することも求められる。このような趣旨から、本稿の後半では、鑑賞者開発をはじめとする現場の取り組みについても扱うこととする。

1-1 アートマネジメント教育の発展経緯

欧米のアートマネジメント教育が主として大学院において行われてきたのに対し、日本のアートマネジメント教育は学部教育から始まった。

わが国でアートマネジメントへの関心が高まったのは1980年代後半といわれる。その背景には、1980年代以降に公立文化施設（劇場、音楽ホール等）が急増し、ハードは整備されたものの、事業運営などソフト面のノウハウが不足し、アートマネジメントの必要性が認識されたことがある。社会が成熟化し「量から質」へと価値観が変化するなか、精神的に潤いのある日常を過ごすことや、文化活動に対する市民の関心も高まっていた。また、バブル経済の絶頂期を迎え、企業の社会貢献やメセナ活動への関心

が高まっていた。このような状況を反映して、1990年代以降、音楽大学を中心にアートマネジメント関連学科・講座が設置される例が増加していく。その契機となったのは、1991年、慶應義塾大学が文学部内にアートマネジメント講座を開設したことである。その後、他大学・学部でもアートマネジメント科目が開講されるようになり、「アートマネジメント」という言葉を学生に知らしめるなど影響を与えた。既に1992～1993年頃には、アートマネジメントを「どのような教育・研修プログラムで人材育成へと発展させるか」が課題とされていた[1]。博物館学芸員や図書館司書などと異なり、劇場運営の専門人材について資格制度はなく、新たにカリキュラムを構築していく必要性があった。人材育成に関するこのような問題意識は、一方では英米の大学等におけるカリキュラムの紹介、もう一方ではアートマネジメント講座や研修会のための教材制作という形で具体化していった。1994年には、実演芸術・音楽の分野における体系的なアートマネジメント教育として、昭和音楽大学に音楽芸術運営学科が創設されている。

アートマネジメントは1990年代の当初から、幅広い分野や学問領域を網羅していたことがわかる。たとえば「芸術経営学」では美術、音楽、演劇、映像の4つのジャンルが扱われ、「文化行政」「公共経済学」「公共劇場の運営」など「公共」が重要なキーワードの1つであった。自治体文化行政や地域の公立文化施設を軸にした芸術文化の振興への問題意識を反映し、理論が積み重ねられてきた。

2000年代になると、アートマネジメント教育に体系的に取り組む大学が続く。2000年に日本ではじめての文化政策学部が静岡文化芸術大学に発足している。2001年には京都橘女子大学（当時）文化政策学部、2002年に東京藝術大学音楽学部音楽環境創造科、跡見学園女子大学マネジメント学部マネジメント学科、その後、2007年に武蔵野音楽大学音楽環境運営学科、2011年に相愛大学音楽マネジメント学科などが続いている。

2008年の東京藝術大学による調査によると[2]、全国の大学等のうちアートマネジメント教育の専攻・コースを備えた教育機関は40校であると示されている。また、専攻・コースはないが「アートマネジメント科目」

を開講している機関も30校、文化政策・地域経営など関連のある科目を開講している機関が12校あるなど、全体では90機関でアートマネジメント関連教育が実施されているとされる。

　アートマネジメントの専門人材育成を掲げる大学が共通して掲げている「人材理念」として、①自主性・意欲・文化芸術への熱意、②文化芸術に対する理解、「担い手」たる自覚、③「社会的要請に応える」「積極的に働きかける」（ニーズへの対応力）、④「創造性」「普及・発展」「企画制作能力」「情報処理・発信」「マーケティング」「プロデュース」「運営」（総合的アートマネジメント能力）であると分析している[3]。

　また、舞台芸術に関するアートマネジメントの専門人材育成に特化したカリキュラムモデルの構築についての課題意識が示され、音楽、演劇、舞踊のカリキュラムモデルが提案されている[4]。音楽についてのカリキュラムモデルについてみると、2年次からの「専門発展」科目として、企画制作論（公演企画・制作、契約実務ほか）、教育普及論（アウトリーチ、鑑賞者開発、生涯学習、コミュニティ・アート）、人材開発論（マネジメント人材、キャリアマネジメント）、劇場論Ⅰ（構造、建築史）、劇場論Ⅱ（運営論、観客論）があげられているほか、文化経営論（組織論、マーケティング論、財務・簿記会計）、文化政策論（国・自治体の文化政策、舞台芸術政策）、文化法制論、文化環境論といった科目があげられている。

　上記のうち特に「教育普及論」に着目すると、「鑑賞者拡大の要請、生涯学習意欲の高まり」といったニーズに対応して「教育普及分野の手法習得」を目的とするとともに、「音楽・演劇・舞踊を社会において活用することについての考え方を学ぶ」との趣旨が示されている[5]。

　また、アートマネジメント教育の今後の課題として、「現場との連携を強化」することや、学生が「現場」で経験を積む機会を増やすべきであるとの提言が示されている[6]。

　一方、近年では、大学におけるアートマネジメント研究の潮流として、新たな視点や問題意識が反映されるようになっている。2013年度から始まった文化庁「大学による文化芸術推進事業」採択事業[7]をみると、アートマネジメント人材育成のための事業として、実演芸術、音楽、伝統芸能、

劇場・音楽堂の評価、ミュージアム、学芸員、文化政策、地域アート、地域おこし、アートプロジェクト、都市空間、社会包摂、メディア、ドキュメンテーション、デザイン、医療、ヘルスケアといった多様な領域で事業が実施されている。芸術と他領域を横断する、学際的なアプローチの事業が展開される傾向にある。

　もっとも、アートマネジメント教育に対する指摘として、「大学それぞれにおいて多様であるものの、必ずしも劇場・音楽堂等や文化芸術団体などの経営とリンクしたものとなっておらず、文化芸術活動の現場において求められる実践的な資質・能力の育成につながっていない」と言及されてきた（文化審議会文化政策部会、2009年7月）。この指摘は2009年時点のものであるが、その期待にどのように応えるかは、アートマネジメント教育の責務であり続けるといえる。

1-2 大学におけるアートマネジメント教育の意義・役割

　以上のように、わが国のアートマネジメント教育は各大学、学部の専門性に立脚しつつ、諸外国とは異なる展開を辿ってきた。そのような特徴を念頭におきながら、大学でアートマネジメント教育を行う意義や大学の役割は、以下にあるといえるだろう。

専門基礎教育

　日本では学部での専門性が新卒採用（就職）時に評価されず、現場で必要な専門性はOJT（On-the-Job Training、実際の職務を通じた教育訓練）で身につけていくという慣習がある。しかし、アートマネジメントの場合は、現場においてきめ細やかに人を育てる余裕がないことが多い。また、欧米のように専門別に分業しておらず、さまざまな業務を兼務できるゼネラリスト、かつ即戦力が求められる側面がある。

　その一方で、アートマネジメント専攻生には「芸術各ジャンルについての一般的な基礎知識、舞台芸術の鑑賞経験、舞台機構に関する知識等」が不足しているとの指摘がなされてきた。舞台鑑賞経験や知識の涵養は即席で蓄積できるものではなく、学生時代に素養を培っておくことが期待されている。

現場での実践とリフレクション

　アートマネジメントは、実演団体や劇場などの現場を基盤に発展してきた学問領域である。研究のみならず教育においても「理論」と「実践」は車の両輪であるが、それらが有機的に関連するなかで学生達が学べることが必要だ。たとえば、学生が座学で企画制作について知識を得た後に、演習科目で地域のＡ病院の入院患者を対象としたアウトリーチを企画運営する機会を得たとする。「Ａ病院」という生身の相手方の存在があってこそ、企画提案にあたり、相手方の要望や言語化されていないニーズを汲み取ったり、事業の文脈を把握したりすることの意味を実感できるだろう。現場での試行錯誤や関わり合いを通して、学生の想像力や関心領域は広がっていく。そのようにして芸術と人々、社会の多様な側面を知り、各々学びを深めていけるところにアートマネジメント教育の意義がある。

醸成の場としての大学

　大学におけるアートマネジメント教育は、実務教育や単なるスキル習得の場ではない。というのも、現実社会ではこれまでの前提が覆るような変化が生じている。日本アートマネジメント学会の設立時においても、これからのアートマネジメントは「芸術文化プロパーとしての領域におさまらず、社会構造転換に真摯に関与していく」との展望が述べられている（日本アートマネジメント学会設立趣意書）。大学とは、今後に来る新たな社会体制や価値観を構築するための「種を醸成する場」でもあるのだ。そこでは、現実の状況を共有しつつも、人々が既成概念から自由になって、あるべき理想や方向性について思考を巡らすという機会が開かれている。

　以上、国内の大学におけるアートマネジメントの状況やその意義を概観した。

　多くの大学では、演習やプロジェクト系科目が導入されており、特に音楽系大学では、演奏コースとの連携による学内外公演に関わる機会があるなど、実践を通して学ぶことが不可欠なものとなっている。

　さらに、学外の団体や施設など、文化の現場との連携も欠かせなくなっている。たとえば、筆者の勤務校である相愛大学音楽学部アートプロ

デュース専攻でも、演習の一環として、これまでに大阪市中央区役所や日本生命病院、地域企業団体である堺筋アメニティ・ソサエティなど、地域の関係団体との連携協力を通じてコンサートやイベントの企画運営等を行ってきた。2020年度は、大阪における初秋のフェスティバル「大阪クラシック」とのコラボレーション企画により、学生達が企画し出演する動画作品「お家でリフレッシュ」を制作、配信している。これは、大阪フィルハーモニー交響楽団のメンバーによる演奏に合わせてリズムゲームやストレッチをするもので、クラシックファンのみならず、新たな層に向けてクラシック音楽を日常に取り入れることを学生達が提案したものである。ストレッチの動きについては専門家の監修を受け、収録・編集には株式会社ウォークオン、企画の選定や広報については御堂筋まちづくりネットワークやJ:COMといった地元団体や企業のほか、大阪市が関わっている。このように「現場」といっても実際のプロジェクトの展開は多種多様であり、企画ごとに新たな人間関係や成果が生まれる。プロセスも多様であるが、得られる教育効果は総じて高いものである。いずれにしても、大学と現場との連携は、アートマネジメント教育を進める上で不可欠なものとなっている。

　一方で、アートマネジメント教育の主体は大学に限らない。そもそも、実演団体や文化施設などの現場でも、関係づくりや育成事業、鑑賞者を育てる努力を続けてきた。たとえば文化団体・施設では舞台体験教室や鑑賞教室、ワークショップといった事業を行っている。このような取り組みは、目先としては「そのジャンルに興味を持ってもらう」「気軽に学べる機会の提供」といったものかもしれないが、長期的な視点では芸術に対する理解を促し、芸術のオーディエンスを育成し、ひいてはアートマネジャー育成につながる、という意味で（広義の）アートマネジメント教育に含まれると解釈できる。

　このような理解は決して特殊なものではない。実際に、日本の大学におけるアートマネジメント教育の嚆矢となった慶應義塾大学アートマネジメント講座では、そこでの教育の目的の1つを「優れたオーディエンスの形成」としていた[8]。アートマネジャーの資質の「第一歩」は芸術の理解者

であることであり、アートマネジメント教育の底流にあるものは、芸術の理解者すなわち優れたオーディエンスを育てることであるといえる。

このような趣旨から、以下では、現場で行われてきた取り組みに焦点を当てることとする。

2 実践を通して学ぶ

実演団体や劇場・音楽ホールをはじめとする現場は、いわばアートマネジメントの最前線である。本稿では、現場で行われている活動の中でも特に「鑑賞者開発」（audience development）に着目する。

鑑賞者開発は英国発祥の概念であるとされ、現在ではわが国でも積極的に行われるようになっている。鑑賞者開発が重要である理由として、大きく2つのことがある。

1つ目は、実際に音楽ホールや劇場に足を運べるのは限られた人々であるということへの問題意識である。実演団体にとってファンや固定客の存在はもちろん重要であるが、常に限られた層にのみアピールし、特定層に受けることを考えるとすれば、やがてその活動は行き詰まることになる。聴衆やファンを増やし、広げていくには積極的かつ継続的な働きかけが必要である。この点で、芸術活動の持続可能性に関わる視点である。

もう1つは、実演団体の公共性への認識である。公的支援を受ける芸術活動は、地域の多様な人々がアクセスでき、享受できるものであることが望ましいという考え方である。このような観点に立つ場合、地域間や地域内の格差解消や社会包摂といった理念とも結びつきやすく、地域におけるコミュニティ活動とも親和性が高い。

このように、鑑賞者開発は、聴衆育成やアクセシビリティの改善、社会包摂といった概念と関わりながら、各地でさまざまな活動が行われてきた。

一方で、河島伸子によると、鑑賞者開発の名の下で行われる多様な活動について、概念整理がなされていないとの指摘がなされている[9]。そこで以下では、先行研究の分類を参考にしながら、筆者なりに、事業の対象や目的、形態等によって整理するとともに、新たに類型を追加し、具体例を

加えてみる。

Extended Marketing【拡張されたマーケティング】

　この活動の対象は、既にアートにある程度の関心があり、潜在的なニーズを持つ鑑賞者層である。この層にあたる人々は、今まで劇場に来場するきっかけが不足していたために来場ができていない。こちらから働きかけ、その障壁を低減することが有効であると考える。聴衆の多様や関係の深化を目指して積極的にコミュニケーションを図っていくための活動ともいえ、その意味ではマーケティング活動の一環として位置づけられる。「どのような要因が、来場の障壁となっているのか」という観点から、経済的・物理的・心理的といったバリアーを明らかにし、アクセシビリティの改善を図ろうとする取り組みでもある。なお、提供するプロダクトの内容についてはほぼ変えないことを基本的な考え方とする。

　たとえば、都心のホール等における「ランチタイムコンサート」がある。昼間の時間帯にプロの出演により1時間程度のコンサートを行うものである。仕事の合間や買い物ついでにホールに立ち寄りやすくなり、新たな客層の開拓につなげられる。料金も1,000円など手軽な価格設定にする。

Taste Cultivation【広げる】

　オーディエンスの興味関心を、さらに別のジャンルなどへと広げていく活動である。たとえば音楽公演に合わせて、演目と関連するテーマの展覧会（美術、意匠など）や映画等に誘導し、当時の芸術や社会背景について多面的に興味関心を引き、嗜好の幅を広げようとすることなどである。

[例]「ルネサンス時代の絵画と音楽」絵画についてのレクチャーと古楽の
　　　コンサート

Audience Education【深める】

　作品やパフォーマンスに対する理解をさらに深化させるための活動。たとえば、作品等に関係するテーマでセミナーやガイドツアーを行うなどがある。

[例] マスタークラス（聴講）、オペラセミナーなど

Outreach【アウトリーチ】

通常アートが行われる場所（劇場、ホール等）から、芸術へのアクセス

が限られる場所（病院、高齢者福祉施設等）へとアートを届ける活動。いわゆる狭義のアウトリーチといえる。

［例］病院における出張コンサート等

体験型ワークショップ

上記の取り組みとは異なったアプローチとして、「参加型」や「体験」を打ち出し、興味を引こうとする試みである。

人々の芸術に対する興味の度合いや、おかれた状況はさまざまである。少しのきっかけさえあれば来場につながる人もいれば、そもそも「そのようなジャンルがあることすら知らなかった」という場合もある。

一方、伝統芸能の分野などでも、活動が地域の人々に十分に知られていなかったり、敷居が高いと感じられている場合も多い。この状況を打破するために、手始めとして「少し特別感を感じられるような」きっかけをつくり（たとえば、能舞台に上がって謡を体験するなど）、本物を気軽に体験してもらおうとする取り組みなどが行われている。

このようなワークショップの意義を、「人々にとって、未知なるジャンルとの『ファースト・コンタクト』が重要だ」と表現する識者もいる。芸術にはさまざまなジャンルがあるが、多様なメニューが提供され、気軽に体験できる環境があることが理想形といえるだろう。

［例］伝統芸能の体験ワークショップ

双方向性の鑑賞プログラム

欧米の美術館などでは、展示室の一隅で、教師に引率された子ども達が作品の前で車座になり、話を聞いているというような風景が日常的にみられる。また、カップルや友人同士が作品を前にしながら語り合っている風景も自然である。美術館によっては、来場者がスケッチブック等を持ち込んで模写していたり、連日のようにテーマ別にガイドツアーが行われているところもある。美術館での「日常」は各国や地域、施設によって大きく異なる。

「対話型鑑賞プログラム」とは、グループで作品を見ながら発見や気づき、感想を出し合う「対話」を通して、鑑賞体験を深めていくというものである。ニューヨーク近代美術館（MOMA）で発展し、京都芸術大学教

授福のり子によって日本に紹介・導入された。土台にあるのは「正解はない」という考え方で、一枚の絵画作品を媒介に、個人の思いや発想を引き出したり、他者と対話したりすることが可能となる。ある意味では新しいコミュニケーション方法ともいえるメソッドである。

[例] 美術館やギャラリー等における対話型鑑賞プログラム

　特に最近の興味深い事例として、大阪の国立文楽劇場「親子で楽しむ舞台裏方体験」（2020年8月開催）を紹介しよう。というのも、この事例は小中学生と親を対象に、普段見られない文楽の裏側を体験する機会を提供するものであるが、前記の類型のうち複数の要素を含み、伝統芸能の専用劇場という点でもユニークな試みであると考えられるからである。約2時間のプログラムでは、廻り舞台や船底などの舞台機構を見学したり、大道具体験として「松」「大岩」「青アシ」を舞台に配置したり、音響体験としてさまざまな効果音をつくるほか、照明体験として調光卓やスポットライトを操作し、舞台に月や雲を投影するなど照明演出を体験することができる。いずれも専属スタッフが親身に指導し、質問にも答えてくれる。ホワイエでは、文楽人形のかしら、床山、衣裳について、実物を見ながら職人や人形遣いによる実演や解説を聞くことができる。人形の鬘の素材にはチベットのヤクの毛（しゃぐま）といった希少な素材が使われるが、これは当時、陶器などの梱包材として使われてきた、といった話が聞ける。

　これらの体験を通して、舞台上演に不可欠な装束や楽器、道具のつくり手など関連産業の状況を知る契機にもなり、伝統芸能や実演芸術の舞台公演が、さまざまな関連産業やテクノロジーなどの担い手の総合によって成り立っていることを立体的に学ぶことができる。また、歴史についての知識を得ることで、演じ手のみならず、パトロンとして芸能を支えて来た人たちの存在にも気づくことができ、地域で芸能が脈々と継承されてきたことの価値を実感できる。芸術や文化を取り巻く動的な環境を理解し、それが現代ではどのように変化しているのかという現状の認識にもつながるものである。

3 これからのアートマネジメント教育への示唆と可能性

一般的に、鑑賞者開発やアウトリーチは、「メイン」としての公演活動に対する「サブ」の活動とみなされたり、教育普及活動といった名称でひとくくりにされたりしがちである。

しかし、実際に行われている活動は多様性に富み、さまざまな層の潜在的ニーズや、新たな層に働きかけうる可能性があることがわかる。

本稿では大きく6つに分けてみてきたが、たとえば「Taste Cultivation」（オーディエンスの興味関心をさらに別のジャンルなどへと広げていく活動）が弱いので、新しい取り組みができないか、といった指標として使うこともできるだろう。一方で、複数の要素を併せ持つ複合型や、新しい類型を追加することも考えられる。

このような鑑賞者開発は、本書が扱ってきた文化施設や実演団体、文化財団のマネジメントとも密接に関わる。音楽業界では特に、短期的な視点ではファンを増やしたり、人々のニーズを汲み取りながら多層の観客にわたってきめ細やかにアプローチするという意味で、長期的な視点では芸術に対する理解を促し、芸術のオーディエンスを育成し、ひいてはアートマネジャー育成につながるという意味で、実演団体のプロデュース能力や経営能力を高めていくことはもとより、ひいては、実演団体の持続可能性を担保するものであるといえる。

また、文化行政担当者（公務員）の業務の底流にある芸術理解の促進としてもきわめて有効であると考えられる。

それゆえに、大学のアートマネジメント教育でも「現場の学び」が必要である。アートマネジメント教育の遂行においては多様な考え方があり、大学教員が100人いれば「百様のアプローチ」があるだろう。いずれにしても、アートマネジメント教育として実践的な取り組みを行い、その充実や効果をねらうには、大学の構内だけでは限界がある。一方で、文化施設・文化団体のみでも長期的な人材育成という点で限界があるのは明らかである。

人材育成を図るためには、相互の取り組みが連携しあうことが有効かつ

必要であり、実践しながら考え、そこから学び続けるという点では大学と現場に共通項があるといえる。

　その意味で、大学教員は文化現場とつながる必要があるし、現場（文化施設や文化団体）も、アートマネジメントの学びに関係しているのだという理解が必要である。

---

[1] 伊藤裕夫「アーツ・マネジメント教育の展開（1990年代後半～2000年代中頃）」『日本のアーツ・マネジメント教育の歴史記録Ⅱ』慶應義塾大学アート・センター、2015、30頁。
[2]「アートマネジメント人材の育成に関する調査研究報告書」東京藝術大学、2009、27頁。
[3] 前掲報告書、29頁。
[4] 前掲報告書、27-39頁。
[5] 前掲報告書、38頁。
[6] 前掲報告書、6頁。
[7] 文化庁「大学における文化芸術推進事業」採択実績一覧。
https://www.bunka.go.jp/seisaku/geijutsubunka/shinshin/daigaku/
（2020年8月1日閲覧）
[8] 美山良夫「慶應義塾大学におけるアート・マネジメント教育の形成と展開（1991～2011）」『日本のアーツ・マネジメント教育の歴史記録Ⅱ』慶應義塾大学アート・センター、2015、57頁。
[9] Kawashima, N., Audience Development and Social Inclusion in Britain: Tensions, Contradictions and Paradoxes in Policy and Their Implications for Cultural Management, International Journal of Cultural Policy, 12, 1, 2006, pp.55-72.

3節
福祉・医療からの学び

高島 知佐子

1　文化芸術と社会包摂

　近年、高齢者や障害者を対象にした文化芸術活動が増えており、このような活動は社会包摂という概念で語られることが多い。社会包摂の広がりを背景に、アートマネジメントと福祉や医療の関係も深まりつつある。

　文化芸術活動の享受者や制作者は、一定の層に偏りがちである。文化芸術に関わる人々の多くは、幼少期から文化芸術に触れた経験があり、文化芸術を愛する思いを持ち活動に携わる。しかし、生まれた環境やその後の生活環境において、文化芸術に触れる機会のない人もいる。たとえば、両親が文化芸術に関心のない家庭で育った場合、親の嗜好に左右される子どもが文化芸術に触れる機会を持つことは難しい。また、文化芸術に触れたくても障害や病気のため、文化施設にアクセスできない人々もいる。文化芸術活動への参加は、経済的余裕と時間、健康に恵まれた人だけのものになる傾向があり、不平等が生まれやすい。そのため、公的支援によって学校公演やアウトリーチ等、不平等を是正する活動が行われてきた。

　2000年代からこのような不平等の是正という枠を超えて、文化芸術の持つ創造性を生かす活動が広がっている。数または力を持つマジョリティによってつくられたものをマイノリティに押しつけるのではなく、文化芸術を通して違いを理解、尊重し、さらには受け入れる社会を目指す活動である。こうした活動においては、困難な状況にある人々が自己表現を行うことで自己肯定感や充実感を得ること、彼（女）らをエンパワメントすることも重視される。活動の対象は、失業者、被災者、移民、障害や病気を持つ人々等さまざまである。具体的には、カフェやゲストハウスを経営しながらホームレスの人々と活動を行うNPO法人こえとことばとこころの部屋、高齢者劇団「さいたまゴールド・シアター」を持つ彩の国さいたま

芸術劇場、障害を持つ人々の文化芸術活動を行う一般財団法人たんぽぽの家、東日本大震災の記憶を紡ぐ活動を続けるせんだいメディアテークなど、アートNPOや公立文化施設を中心に全国で多くの取り組みがみられる。

　このような活動は、劇場やホール、博物館・美術館といった文化施設の中だけに限られたものではなく、むしろ当事者が過ごす施設、屋外等、さまざまな場所で多様な形で実施される。複数領域の知識や技術が求められるため、芸術団体と対象となる人々を支援する団体や研究機関等が連携して活動を行うことも多い。本節では、福祉・医療と文化芸術の関係を、芸術団体の経営、イギリスとの連携、具体的な取り組みの3つの視点から考え、その可能性を示したい。

2　文化芸術と福祉・医療の組織

　福祉施設や病院は、専門性を持つという点で芸術団体と似ている。福祉施設や病院は、当然のことながら福祉や医療を専門に扱う団体で、医師や看護師、介護士、臨床心理士などの専門職とそれを支える事務局スタッフによって成り立つ。実演団体と同じ構造である。福祉・医療、文化芸術ともに高い専門性が必要とされるため、専門とする分野で部署が分かれ階層化される。専門性を身につけるには資格取得や学校に通う必要があり、組織で働く人々の同質性は高く、組織や専門領域に対する価値観にしばられやすい側面を持つ。2章1節「組織のマネジメント」で述べた芸術団体の特徴と同じである。それゆえに、福祉施設や病院、芸術団体が連携することは、双方に異なる価値観との出合いをもたらし、新しい活動を生み出し、それが組織の力になる可能性に満ちている。個々の組織の力が高まれば、社会全体への影響は一層大きくなり、より良い社会をつくることにつながる。

　組織構造や組織文化以外にも、似ている点はある。福祉施設や病院は非営利組織であり、公益的な目的を持っている。国や自治体から支援を得て活動を行っているが、公的支援だけで経営は成り立たない。福祉施設では、入所者の就業支援も兼ねたカフェや仕出しといった飲食や縫製事業なども

営み、その収入をもとに経営しているところは多い。病院では、健康診断等の健康保険が適用されない事業を行い、その収入を治療に時間を要し赤字になりやすい部門の補填や研究等の活動に充てている。人間ドックのような収益事業に力を入れる病院が増える背景には、公的支援だけで経営していくことが難しく、利益を利益の出ない事業に投入する、または病院経営自体を安定化させるためである。芸術団体、特に自治体の関与の深い団体では、収入に占める公的支援比率が高く、公的支援の増減に経営が左右されやすい。収益事業をしつつ、公益的事業を継続していくという点で、芸術団体が福祉や医療の団体から学ぶことは多い。

　類似性がある一方、違いもある。福祉施設や病院は、比較的に目的と成果を明確にしやすい。しかし、芸術団体は目的も成果も曖昧という場合が少なくない。病院は病気を治す、または未然に防ぐことを目的にしている。病院の成果は、治療期間や治療した病気の種類、治療内容と結果といった形で、客観的データとして示すことができる。福祉施設は生活に支援が必要な人々に介護や援助を提供することを目的にしている。福祉施設の成果は、入所者や利用者への支援という形で見える化しやすい。福祉施設や病院が何のためにあるのかわからないという人はいないだろう。しかし、残念なことに芸術団体に対してはその存在意義に同意しない人がいるのも事実である。その理由の1つに、成果がわかりにくい、成果が出るまでに時間がかかることがあげられる。

　社会包摂を目的とした活動では、参加者が一度活動に参加しただけで目に見える成果が出るわけではない。困難にある人々が参加し続けること、または参加をきっかけに数年、数十年先に変化が表れるかもしれない。しかもその変化は、自己肯定感や生き方、考え方等、目に見えない人々の心のうちに関わるものであることが多い。つまり、文化芸術活動は、その成果を表すこと自体が非常に難しいという課題を抱える。さらに、社会包摂活動には、成果がわからないなかで、その可能性を信じ長期間活動を続けなければ、成果そのものが表れないというジレンマもある。成果を形で示しにくい活動だからこそ、企画や実施段階から領域を超えて多くの人々を巻き込み、実際に経験し感じてもらうことが重要になる。現場を知る人々

の声が蓄積されることが活動継続を後押しすることにつながる。

 ## 3 福祉・医療と文化芸術の連携～イギリスから日本へ

　福祉・医療における文化芸術活動の先進国はイギリスであろう。障害を抱えた人々や病気の高齢者等を対象にしたイギリスの取り組みが日本で多く紹介されている。この領域の活動を学ぶべく、関係者がイギリスへ調査に行ったり、イギリスから専門家を招いた研修やシンポジウムなどが度々開催されている。

　イギリスは1990年代から国をあげて政策的に社会包摂に力を入れてきた。イギリスはかつて「ゆりかごから墓場まで」と呼ばれた手厚い社会保障を提供する福祉国家であった。しかし、1970年代から1980年代の経済低迷と財政負担の拡大で、福祉国家を維持することができなくなり、「小さな政府」と呼ばれる政策へ転換した。小さな政府とは、民間でできることは民間に任せ、政府の負担を軽減する考え方である。長引く経済低迷のなかで小さな政府を目指した結果、失業者、貧困者が増加し、社会的排除が社会問題になった。社会的排除とは、失業者やホームレスなど何らかの形で社会から排除されることである。雇用や教育等の機会から排除されている、または排除されやすい環境にいる人々、たとえば長期的に不安定な雇用にある人、貧困層や障害を持つ人々等も社会的排除には含まれる。

　社会的排除を解消するため、1990年代後半から社会包摂を政府の政策の大きな柱とした。特に、国や自治体、民間企業、非営利部門の連携に力を入れ、2010年代からは「大きな社会」を掲げ、非営利部門の強化を進めた。市民に近い非営利部門と国や自治体が連携し、非営利部門が活動をしやすい環境を整えることを目指した[1]。1990年代後半から現在までの政策的後押しもあり、文化施設や実演団体をはじめ、多くの芸術団体が障害者や失業者、高齢者等を巻き込んだ社会包摂活動に取り組むようになった。このようなイギリスの活動では、文化芸術と福祉・医療の団体や専門家が連携する場合が多い。

　日本では、イギリスの文化施設や実演団体と連携し、イギリスの取り組

みから学ぼうとする事例が登場してきている。可児市文化創造センターの指定管理者である公益財団法人可児市文化芸術振興財団は、人事交流と共同制作を目的に、2015年にイギリスのウエストヨークシャー・プレイハウス（現・リーズ・プレイハウス）と業務提携を結んだ[2]。可児市は外国人労働者が多い地域であり、可児市文化創造センターは多文化共生の視点から社会包摂活動に取り組む公立文化施設として知られている。ウエストヨークシャー・プレイハウスは、学習、放校処分、難民などで不安定な状況にいる若者、高齢者や、認知症の人々を対象とした活動に力を入れている。特に前者の分野ではパイオニアとして名高い。イギリスの劇場と業務提携することで、社会包摂を目指した事業と劇場経営のノウハウを吸収し、加えて滞在型の国際共同制作を通じて、質の高い作品を生み出すことを目指している。

　2016年には、公益財団法人日本センチュリー交響楽団（以下、センチュリー交響楽団）がブリティッシュカウンシルと提携し、イギリスの室内管弦楽団マンチェスター・カメラータから専門家を招聘し、認知症の高齢者向け音楽事業をスタートさせた[3]。マンチェスター・カメラータは、学びや参加に重点を置いたプログラムに定評のある団体で、特に認知症（その介護者も含む）や自閉症の人々向けのプログラムで知られている。音楽が学びや認知機能に働きかける効果があることを科学的に示すことにも取り組んでいる。センチュリー交響楽団は、実演団体でありながら豊中市立文化芸術センターの指定管理者という全国的にも珍しい団体である。マンチェスター・カメラータの専門家から高齢者施設での音楽づくり、認知症の人々の生活の質の向上を目的とする音楽プログラムに必要な知識や技術を楽団員やスタッフが学び、これを豊中市内の高齢者の多い地域で展開した。さらに、地元の福祉施設とも連携し、トレーニングを受けた楽団員とマンチェスター・カメラータの専門家が、グループホームやデイハウスに入居または通所する高齢者を対象に音楽プログラムを実践し、その効果は臨床心理を専門とする研究者が検証するという実験的活動にも取り組んできた。

　社会包摂を目指す活動は、文化芸術の専門性だけでは対応することがで

きない場合も多い。対象となる人々への理解はもちろん、専門的知識も必要になる。また、成果が出るまでに時間を要することに加え、一度に多くの人数を対象にすることが難しく、継続的な資金も必要である。つまり、芸術団体が社会包摂活動を続けていくには良い意味でしたたかな経営が求められる。連携を通して先進事例から事業と経営の双方を学び、それらを日本の文脈に置き換えていくことは、芸術団体が社会課題と向き合い続ける上で有益であり、社会における文化芸術の可能性を広げていくことにつながるだろう。

4 福祉施設と文化芸術

　福祉領域における文化芸術と社会包摂活動は、障害者や高齢者を対象としたものが多い。これらの取り組みは劇場や実演団体に加え、アートNPOや文化芸術活動を事業とする福祉施設が牽引している。

　アートNPOの事例として静岡県浜松市にあるNPO法人クリエイティブサポートレッツ（以下、レッツ）をあげたい[4]。知的障害を持つ人々が自分を表現する力を身につけ、文化的で豊かな生活を送ることを目的に、2000年に発足した（法人化は2004年）。音楽、美術、映像等、ジャンルを超えた障害者の芸術表現の場づくり、展覧会等の事業を展開しつつ、浜松市内の養護学校や療育施設との交流事業や出張講座も開催してきた。レッツは、アートNPOとしての活動にとどまらず、アートのヴぁ公民館、障害福祉サービス事業所アルス・ノヴァ、放課後等デイサービスアルス・ノヴァの3種類の施設を経営し、2018年には、たけし文化センター連尺町を建設、開館した。アートのヴぁ公民館は2014年に開館した私設公民館で、障害のある人々とともに障害のない人々が自由に利用することができる場所である。障害福祉サービス事業所アルス・ノヴァは、障害のある人が自分らしく生きることを目指し、どう生きたいかを考えていく場所であり、障害者の生活支援を行う障害者福祉サービス事業所（障害者自立支援法で定められた施設）として運営されている。放課後等デイサービスアルス・ノヴァは、障害のある児童が放課後に通う療育と居場所を兼ねた施

設（児童福祉法で定められた施設）である。2018年、浜松市の街中に開館した、たけし文化センター連尺町は、知的障害のある人々の活動場所であり、音楽スタジオ、図書館、カフェ、観光センター、シェアハウス、ゲストハウス機能を兼ね備えた文化発信拠点になっている。街中に知的障害を持つ人々と障害を持たない人が接する場所があることで街にさまざまな変化が生まれることが期待されている施設である。

　福祉団体が文化芸術活動を行う例に滋賀県近江八幡市にある社会福祉法人グロー（以下、グロー）がある[5]。グローは1967（昭和42）年に社会福祉法人として設立され（当時は社会福祉法人滋賀県福祉事業団）、老人ホームの運営を行ってきた。1980年代後半から障害者の総合療育センターの運営も開始し、現在は社会福祉施設の指定管理者、高齢者や障害者の支援事業等、30以上の福祉施設の管理運営に携わっている。グローは、2004年から近江八幡市の伝統的建造物群保存地区の空き家を活用したギャラリー「ボーダレス・アートミュージアムNO-MA」（博物館相当施設：以下、NO-MA）の運営を行っている。NO-MAは、1946年に設立された知的障害者施設「近江学園」での活動をもとに、滋賀県内の障害者の作品を展示できる常設ギャラリー構想から生まれた。グローでは、企画営業部の中に文化芸術推進課を設けて、NO-MAの運営とアール・ブリュット活動の支援を事業として行っている。文化芸術推進課では、NO-MAにおける海外と連携した展覧会のほか、歌や打楽器、ダンスによる表現を主とした音楽祭の開催や、障害者の芸術作品に関する調査研究、地域の人々との交流事業などを手がけている。

　福祉領域の文化芸術活動では、表現することで生まれる人々の可能性を強く実感し、その表現力に圧倒されることもある。ゆえに、文化芸術の多様性や寛容さ、そこから生み出される力強さ、憂いといったものを改めて認識する機会となるだろう。福祉と文化芸術が互いに領域横断的に活動することで、既存の方法にとらわれない新たな活動を生み出し、それが組織の存在意義を高めていくことにもつながっていく。

5 病院と文化芸術

医療における文化芸術活動は「ホスピタルアート」と呼ばれる[6]。英語圏では arts in health care、arts for health 等と称することが多く、キリスト教精神と結びつき 1950 年代から取り組まれてきた。欧米では第二次世界大戦後、いくつかの国で 1% フォーアーツ（Percent for Art）と呼ばれる制度が成立したこともホスピタルアートの広がりを支えた。この制度は公共建築物の建設費の 1% をその建物に付随する文化芸術に投じるものである。これにより病院建設時に病院内や病院の庭などに芸術作品が設置されることが多い。

ホスピタルアートの目的は活動を行う団体によってさまざまだが、共通することは患者の療養環境の向上である。ややもすれば薄暗く無機質になりなりがちな病院を、文化芸術でより良い環境に変えていこうとする。院内にアーティストの作品を展示したり、壁に装飾を施すなど、物理的に明るくすることで完結する活動もあれば、患者、アーティスト、病院スタッフ、その他の関係者が交流しながら作品を制作するような活動もある。後者では、完成した作品よりもそのプロセスが重視される。この場合、病院側はホスピタルアート活動を通して病院そのものを多様な目で見つめ、病院の理念の再確認や見直しを行い、業務改善につなげていくことを狙いとすることもある。

医療現場に文化芸術という異なる価値観が入ることは、高度な専門性ゆえに時に硬直化してしまう医療現場の価値観を問い直すきっかけになる。また、医療を離れ対等な立場での交流や対話を通して、普段は知り得ない患者や病院スタッフ等の姿を目にすることで、互いの理解や尊重、さらには信頼関係の構築にもつながる。

活動を担う芸術団体やアーティストにとって、さまざまな制約が生じる病院での活動には、患者や病院スタッフへの理解、活動内容そのものの創意工夫が必要となる。ホスピタルアートに関わったことのあるアーティストの中には「ほかのどの場所よりも自分の力を試される」と言う人もいる。使用できる材料や形状などが制限される病院での活動は、過去の経験や固

定概念による自らの当たり前を取り払うという点で、文化芸術に関わる人々にとっても患者の療養環境の改善だけではない意義を持つ。

　日本でホスピタルアートが広がり始めたのは2000年代からである。首都圏と関西圏を中心にホスピタルアートを行うアートNPOが登場し、この活動に関心を持つ病院も現れ、徐々に広がっていった。日本でホスピタルアートを広めた団体の一つにNPO法人アーツプロジェクト（以下、アーツプロジェクト）がある。

　関西圏を中心に数多くの活動を行ってきたアーツプロジェクトは2002年に設立された（法人化は2004年）[7]。設立者たちがイギリスでホスピタルアートに出合い、これを日本でも展開するべく立ち上げた団体である。ホスピタルアート活動の多くは、期間限定の短いプロジェクトである。アートNPOやアーティスト個人が病院と連携して企画し、特定期間のみ病院で活動を行う。資金は病院側が用意することもあれは、アートNPOやアーティスト側が公的支援や寄附等で調達する場合もある。調査等は行われていないが、おそらく全国的には後者のケースが多いのではないだろうか。医療の現場で文化芸術活動に予算を割くことは、経営者の理解と決断が不可欠であり、それができる病院は多くはない。このようななか、アーツプロジェクトが手がける活動は前者のケースが複数みられる。

　アーツプロジェクトは、ホスピタルアート活動が一時的な活動ではなく、病院に根ざすこと、全国の病院でホスピタルアートディレクターが雇用されることを目指してきた。2013年に開院した独立行政法人国立病院機構四国こどもとおとなの医療センターは、日本で初めて開院時からホスピタルアートに取り組み、ホスピタルアートディレクターを雇用した医療機関である。建物はホスピタルアート活動を見据えて設計され、患者、病院ボランティア、病院スタッフ、アーティストが交流できる仕掛けが院内に施されている。同医療センターの取り組みの背景には、その前身である香川小児病院でアーツプロジェクトとともに行ったホスピタルアート活動がある。プロジェクトの積み重ねが、ホスピタルアートを病院の恒常的な活動に位置づけるという結果に至ったといえるだろう。

　医療と文化芸術は一見するとつながりがないようにもみえる。しかし、

先述したようにその組織や志向には共通点があり、協働しやすい側面を持っている。医療現場には、文化芸術に資金を投じるくらいなら、最新のパソコンを入れた方が良いと考える人もいる。そういった意見に向き合いながら活動を進めることも、文化芸術と社会を結びつけ、その価値を考えるうえでは大いに役立つ。文化芸術に理解のある人ばかりではない場所に身を投じることで得られる発見がある。そして何よりも、超高齢社会を迎えている日本において、病院はだれもが避けては通れない場所である。病院にかかれば、嫌でも生きることとは何かを考えさせられる。医療と文化芸術の連携は、生きることと文化芸術の関係に真摯に向き合い、自らの活動を再構築するきっかけになるかもしれない。

　文化芸術が他の領域と結びついていくことには、観光なども含めて否定的な意見がある。文化芸術を何か別の目的に活用する、つまり道具にすることではないかという。確かに、関わる人々や場が変われば、表現内容や方法を含めて想像もしないような制約が伴うこともある。しかし、文化芸術に携わる人々にとって、他では得られない学びや気づきがあった場合、領域横断的な活動は目的と手段という単純な関係には収まらないだろう。つまり、福祉・医療との連携では、双方が他の領域とつながることによる学びや気づきを得られるように活動を設計していくことが求められる。そこで制作された作品や参加者数よりも、皆でつくり上げていくプロセスにこそ意義があるといえる。

　1つの事業で得た学びは担当者だけにとどまりがちである。事業担当者の学びが芸術団体全体の学びになり、それが業界にも広がれば、福祉・医療と文化芸術の双方に有益な活動が増え、社会における文化芸術の可能性を領域を超えて多くの人々と共有できる。福祉・医療の現場で過ごす人々の日々がより良いものへと変わるかもしれない。

　福祉・医療との連携は、生きることと文化芸術の関係を見つめ、既存の価値観にとらわれない活動を構築することにつながるだけではなく、活動を続けていくための経営のあり方や人々の文化芸術への認識を問い直すといった点において多くの気づきがある。多様な挑戦と試行錯誤が積み重ね

られていくことを期待したい。

[1] イギリスの非営利セクターをめぐる政策については塚本一郎・山岸秀雄・柳澤敏勝『イギリ
ス非営利セクターの挑戦──NPO・政府の戦略的パートナーシップ』ミネルヴァ書房、
2007を参照。
[2] 公益財団法人可児市文化芸術振興財団の取り組みは、可児市文化創造センターホームページ
を参照。
可児市文化創造センター・ホームページ「alaがリーズ・プレイハウスと提携」
https://www.kpac.or.jp/outline/wyp.html (2020年8月31日閲覧)
[3] 日本センチュリー交響楽団の取り組みは、同楽団ホームページとブリティッシュカウンシル
ホームページを参照。
公益財団法人日本センチュリー交響楽団ホームページ「〈参加者募集！〉高齢者を対象とした
音楽ワークショップ実施のためのファシリテーター育成トレーニング」
https://www.century-orchestra.jp/topics/高齢者を対象とした音楽ワークショップ実施の
た/ (2020年8月31日閲覧)
ブリティッシュカウンシル・ホームページ「高齢社会と音楽：日英共同プログラム (2016年)」
https://www.britishcouncil.jp/programmes/arts/ageing-society/music-2016 (2020年
8月31日閲覧)
ブリティッシュカウンシル・ホームページ「高齢社会と音楽：日英共同プログラム (2017年)」
https://www.britishcouncil.jp/programmes/arts/ageing-society/music-2017 (2020年
8月31日閲覧)
[4] レッツの取り組みは、同法人のホームページを参照。
http://cslets.net (2020年8月31日閲覧)
[5] グローの取り組みは、同法人のホームページを参照。
http://glow.or.jp (2020年8月31日閲覧)
[6] ホスピタルアートについては筆者の取り組みのほか、森口ゆたか・山口悦子『病院のアート
医療現場の再生と未来』(アートミーツケア学会、2014)、森口ゆたか「ホスピタルアートの
可能性」松本茂章編著『文化で地域をデザインする──社会の課題と文化をつなぐ現場か
ら』学芸出版社、2020、215-226頁を参照。
[7] アーツプロジェクトの取り組みは、同法人のホームページ、前掲書森口 (2020) を参照。
https://arts-project.com (2020年8月31日閲覧)

インタビュー**05**

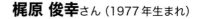

梶原 俊幸さん（1977年生まれ）

シネマ・ジャック&ベティ支配人

　「シネマ・ジャック&ベティ」は伊勢佐木町商店街近くの横浜市中区若葉町に位置する。スクリーンは2つ。96席の「ジャック」の内装は青色、115席の「ベティ」の内装は赤色で、幅広いジャンルの新旧作品を上映している。

「シネマ・ジャック&ベティ」の概要は？

　年間12万人が訪れる。上映作品の80％は新作で、うち東京との同時上映は10％程度。残りは旧作（リバイバル作品）という構成。しかし新型コロナウイルス感染拡大に伴い、2020年4月8日から臨時休館し、6月1日から再開した。

　毎週何らかの行事を実施している。作品を上映する際、監督や俳優の舞台挨拶、トークショー、交流会などを開く。大きな映画館ではなかなか監督や俳優の生の声は聴けない。たとえば2008年から横浜市生まれの美空ひばりさんの映画上映会を続けている。毎月第3日曜に上映する。120回ほどに達して多い日には70人が来場する。支配人の私が冒頭に挨拶する。終映後の午前11時からは映画館1階で魚を販売する。ひばりさんの実家は魚屋さん。店を継いだ親戚の方が魚を売りに来る。ファンの方が笑顔で買って帰られる。毎月1回、そばのアトリエを借りて、支配人を囲むサロンを開いてきた。毎回10〜20人が参加される。

なぜ映画館経営を？

　父は東京・吉祥寺の生まれ育ち。母は横浜出身。母が実家に戻って出産したので、私は横浜生まれで、吉祥寺に育った。母の実家は京急・戸部駅近くにあったので、子どものころ横浜によく遊びに訪れ、伊勢佐木町の松坂屋（当時）にも来ていた。慶應義塾大学環境情報学部の2年から4年まで、そして卒業後もしばらく、吉祥寺のライブハウスで受付と

接客のアルバイトに熱中した。人々が集まって文化やムーブメントが生まれていく体験を重ねた。楽しかった。店はクラブ営業も兼ねていたので、朝まで働いた。人と場を共有する点では、今の映画館経営の仕事に通じています。

その後、学習塾に就職して数学を担当した。正社員だったので、教えるだけでなく保護者対応や営業も経験した。数学を教えることに興味を持ち、勉強し直そうと東京理科大学理学部第二部の数学科（理数教育）3年に編入。そのため学習塾を退職してIT系企業に勤めながら3年かけて卒業した。ブログが出始めたころで、ネットを通じてコミュニケーションを図る仕事に就きたいと考えた。

慶應の同期生が横浜の印刷会社に勤務していた縁で、伊勢佐木町や黄金町の周辺エリアによく訪れるようになった。任意団体「エデュイットジャパン」を設立して、「黄金町プロジェクト」と名づけた地域活動を始めた。うちの館のある若葉町や黄金町は独特の雰囲気が残されている。まち歩きしてブログを書いたり、当時の「ジャック＆ベティ」のロビーを借りてオフ会を開いたりした。

うちの館の前身は1952年開館の「横浜名画座」。1991年の建て替え時に今の劇場名に変更した。2005年にいったん閉館したあと、2005年から別の運営会社が再開させたが、2006年の終わりになって私たちに「映画館経営を引き継がないか」と打診してきた。同年12月、仲間と共同出資して株式会社「エデュイットジャパン」（資本金210万円）を設立。上映を途切れさせないまま2007年3月に経営を引き継いだ。当初の2年間は無給で働いた。3年目からお給料を支給できる状況に。現在（2020年1月）は正社員5人、アルバイトも10人を雇用する。

映画館経営の面白さと悩みは？

「ジャック＆ベティ」にはコミュニティビジネス的な面があるから面白い。2つのコミュニティに向かい合う。1つは映画好きのコミュニティ。もう1つは伊勢佐木町界隈の地域コミュニティ。初めて訪れる方は必ず伊勢佐木町や黄金町の商店街で「映画館はどこですか」と尋ねて

やって来る。映画館は商店街というコミュニティの一員でありたい。うちのような映画館の経営は、エンターテインメントやアートのビジネスとして見られがちだが、コミュニティビジネスとして成り立っていることを知っていただきたい。

　民間企業なので当たる作品を上映して多くの観客を入れたい。でも国内外の作品とも、大きな映画祭で受賞するとチェーン系の映画館で上映されてしまう。アート系の単館には回ってこない。大動員はできないけれど、良質の映画を地道に上映していく。

■■■横浜市が設けた第68回横浜文化賞（2019年）の文化・芸術奨励賞を受賞した

　地道に取り組んできたことが行政から評価していただいた。映画館内の上映だけでなく、まちに飛び出した出張上映会を続けてきた。たとえば横浜市内の公会堂での映画上映、運河を埋め立てた大通り公園での野外上映会など。春なら大岡川の桜まつりに参加し、9〜10月には「横浜中華街映画祭」を開く。この映画祭は2012年から主催してきた取り組みで、横浜中華街の著名な中華菜館「同發」の新館を会場に行っている。新館はかつて映画館「新光映画劇場」だった建物を改築した店舗。そこで香港・台湾の映画を上映して、上映前後には中華街で食事や買い物を楽しんでもらう。

　いずれも採算ギリギリの取り組みで、時には横浜市から補助金をいただく。横浜市の文化事業に合わせて私たちの事業を行い、横浜の文化を盛り上げてきた。出版にも挑んでいる。映画館の経営を引き受けた2016年には「ジャックと豆の木」を創刊し、これまでに6冊を刊行してきた。

　視覚障害者の方々に映画を楽しんでもらいたいと願い、毎月第1日曜には音声ガイド付きのバリアフリー上映会を続けている。ボランティア団体「ヨコハマらいぶシネマ」の協力を得て、音声ガイドをFMラジオで流す。お客様はラジオ受信機を持ってイヤホンで聞く。毎回20〜30人が参加され、東京から盲導犬を連れてお越しになる方もいらっしゃる。

聴覚障害者への上映会にも取り組んでいる。

営業の努力は？

　感染拡大の2020年度は例外として、年間事業規模は1億8,000万円から2億円。数年はこの数字で推移してきた。収入の内訳は、全体の85％がチケット販売によるもので、10％は売店売り上げ。5％は出張して行う上映会収入と劇場貸し館収入となっている。古い映画館なので、昔の雰囲気が残されており、化粧品メーカーのテレビCM、映画のロケなどで撮影収入も得られる。綾瀬はるか主演のテレビドラマ「きょうは会社休みます。」の撮影でも、うちの館が使われた。さらにトートバッグ、缶バッジなどのオリジナルグッズをつくり販売している。2020年7月末からチケット販売のキャッシュレス化も実現した。メンバーズクラブの会員は現在2,000人弱。これからもっと増やしていきたい。

　2020年6月1日の営業再開後も入場者は席数の約半分に制限した（10月から全客席の販売を再開）。20年度は相当深刻な売り上げ減が予想される。席数が半減した分、1席1席を大切にして埋めていくしかない。支援を仰ぎたいと「再開後に使える鑑賞券＋支援者氏名のスクリーン掲出＋特製ポストカード」のセットをつくり、1人3,000円でネット販売した。2週間で2,000人以上が購入してくださった。本当に有り難かった。

アートマネジャーを志す人たちに助言を

　映画館はサービス業なので、人におもてなしをする気持ちが、何においても重要になる。逆に、それさえあれば何とかなる。入社する時点で映画に詳しくなくても大丈夫。あらゆる方々が映画館の観客としてお越しになるので、お客様を優先して映画を楽しんでいただく姿勢が何よりも大切であると考えています。

（松本 茂章　インタビュー：2020年1月19日、8月1日）

7章

アートマネジメントの大きな可能性

松本 茂章

拡大するアートマネジメント

　政策（Policy）と実践（Management）はコインの表裏である。このた
め本書の1章では文化を巡る政策の変遷を語った。2003年の地方自治法
改正、2012年の劇場法制定、2017年の文化芸術基本法制定などを丁寧
に説明し、公益財団法人改革にも触れた。アートマネジメントの仕事に関
わるならば、法整備や制度設計のありように留意しておきたい。

　アートマネジメントを語るとき、以前から、アートと社会をつなぐ取り
組みである、という理解は広がっていた。しかしアートマネジメントの展
開する現場が近年、相当広がってきたと筆者は受け止めている。2017年
に制定された文化芸術基本法の第2条で、文化政策が「観光、まちづくり、
国際交流、福祉、教育、産業」その他の関連分野と有機的な連携を求めら
れたとき、アートマネジメントの対象も随分と広がっていくだろうと予想
されていた。ところが本書の事例編で紹介された多数のケースに触れてみ
ると、アートマネジメントに携わる仕事が実にこれほど幅広いことに驚き
を隠せない。芸術経営を学ぶためには文化芸術の理解だけでは足りない時
代なのだ。

　具体的に触れていこう。パリの美術館が大勢の外国人観光客を集めてい
るように、観光と文化には密接な関係があるので、文化・観光施設にアー
トマネジメント人材を配置することも考えられる。文化財保護法の改正に
伴い、文化財を広く観光に役立てようとする流れが強まっているなかでは
十分にあり得よう。まちづくりとの関係でいえば、3章2節で前橋市立の
美術館・アーツ前橋を紹介した。閉店した百貨店跡の建物を改装してつく
られ、人通りの減った中心市街地の活性化に貢献している事例である。国
際交流ではアーティスト・イン・レジデンスの事例がよく知られている。
福祉・医療ならばホスピタルアートの取り組みがある。英国では院内に学
芸員が常駐する病院もある。6章3節の高島知佐子原稿で言及されたよう
に福祉・医療とアートの現場は共通点を有する。

　教育でいえば、子どもたち等向けの鑑賞者開発が文化施設で取り組まれ、
観客・聴衆育成に尽力する様子が6章2節の志村聖子原稿で記述されてい

る。あるいは京都市が設置した京都芸術センターは、閉校した明倫小学校校舎を改装した取り組みで、元学校校舎が若手芸術家を孵化(ふか)させる装置（インキュベーター）に変身した事例もある。

　産業振興面ならば、全国各地にある伝統産業会館等はこれからアートマネジャーが活躍できる施設であることを指摘したい。工芸など伝統産業の文化的価値を広く伝えるとともに一定の販売努力を重ねるためには文化的素養と経営的能力を兼ね備えたアートマネジメント人材が必要になる。

　これまでのアートマネジメントは、いかなる事業を企画して実施するのか、どのようにして観客・聴衆を獲得するか、を中心に考える面が強かった。この取り組みの大切さは揺るがないものの、新たなアートマネジメントでは組織・団体をいかに持続的に経営し、切り盛りするか、に主眼が移ってきた。どんなに素晴らしい文化や芸術を展開したとしても、資金が枯渇したり、人材が不在になったりしてしまえば、活動は停止してしまう。活動を持続できるように資金を貯め、人材を育てることが肝心なのだ。

② アートマネジメント人材を大切に

　以上のように、アートマネジメント人材は一層重要さを増すとみられるが、どのような職場環境が用意されるのか、が今後の課題に浮上する。

　4章1節で紹介した静岡文化芸術大学のSUAC芸術経営統計（2012年度版）は、美術館、劇場・音楽堂、実演芸術団体、自治体文化財団を合わせた調査であり、回答した891の総職員数は1万4,127人だった。うち常勤職員は1万542人で、非常勤は1,256人、パート・アルバイトは2,089人、協力会社からの派遣職員は240人。常勤職員のなかには他機関からの出向者554人、任期付き職員2,167人が含まれる。すなわち、任期なしの正規常勤職員は7,821人で、総職員数の55.4%にとどまっていた。

　「文化の現場」において非正規雇用が横行する現状はとても気がかりだ。文化芸術のためには雇用が安定していなくても歯を食いしばって頑張る。そんな熱意には頭が下がるものの、仕事が安定しないと優れた人材が集まりにくいのも現実だろう。詳しくは5章5節の長津結一郎原稿をご覧いた

だきたい。

　指定管理者制度の導入後、任期付き職員採用が目立つ自治体文化財団や公立文化施設は非正規雇用が少なくないうえ、地域活性化の妙手とされるアートプロジェクトも2～3年に1度の開催だけにアートマネジメント人材を雇う場合、正規雇用という訳ではない。

　公立文化ホールを現地調査した際、職員は筆者に次のように語った[1]。

————文化施設の現場で働いていると「あなたたちはとても素敵な仕事をやっている。従事できるだけでも幸いではないか」と思われがちであると痛感します。実際、やりがいを強く感じる仕事で、市民から感謝される。市民の方から「ありがとう」とこんなに言っていただける市の仕事は少ないのではないかと思います。しかし、社会的に意義のある仕事ならば、仕事に見合った対価を受けなくていいのか……と疑問に感じる。実際、ホールの多くの現場では経費が過度に縮減され、職員の人件費が削られ、雇用環境が悪化し、離職率が高まり、就職希望者も減り、ますます現場の職員に負荷がかかり、負のスパイラルに陥っている。今の公立文化施設の現場は職員たちの犠牲の上に成り立っている面がある。「やりがいの搾取」なのかもしれない。現状のままでは継続性がないと心配になります。

　現場からの貴重な指摘である。文化振興の取り組みが観光・まちづくり・国際交流・福祉・教育・産業等に貢献するためには、アートマネジメント人材の活躍を抜きには語れない。人材を大切に育てなくて、あるいは人材が社会的に生活できなくては、持続的な活躍は難しい。中央政府であれ、自治体であれ、行政職員に心得てほしい点である。

　現代日本では、アートマネジメントの専門的能力に対しての敬意が少ないと感じられる。文化芸術の経営は「だれにでもできる」「好きだからやっている」と思われがちである。一方で、文化芸術を提供する側にも反省点は残される。アートマネジメントの専門的能力について「可視化する」「見える化する」努力は十分であったのかどうか。アートの世界がアートの専門家たちだけで成り立つ狭いものだったのではないか。「わか

る人だけがわかる」というリトルワールドに閉じこもってきたのではなかったか。

③ 真のアートマネジメントを求めて

　2020年に入って猛威を振るった新型コロナウイルス感染拡大をどう見るか？ 感染防止のために休館したり、密集を避けるために入場者を抑制したりすることを迫られた。報道機関は文化芸術現場への大打撃、エンターテインメント産業の消滅などをセンセーショナルに報じた。文化芸術現場に経営の危機が迫ったことは事実だ。しかし筆者はアートマネジメントの可能性を信じる。必ずや文化芸術現場は回復すると考えたい。ただし条件がある。

　2020年の危機から教訓を学び、今後の対策をしっかりと講じることである。文化施設や実演団体等は乗り越えるすべを身につけなくてはならない。前年準拠のまま、決まりきった手順を従来通りに踏襲するところの前途は暗い。

　もちろん、筆者は中央政府・自治体の文化政策や文化産業支援がこのままで良いと考えている訳ではない。行政による文化支援のありようを変更させるべきだ。前年準拠的な文化行政は、文化施設や実演団体等が事業を行う際に「半額分を補助する」などと事業補助の姿勢で臨んできた。この場合、1,000万円の事業を企画するならば主催者側は500万円の自己資金が必要になる。そして事業は当該年度中に実施しなくてはならず、翌年度に繰り越しをできない悩みがあった。これからの文化政策は現場の実情を考慮しながら、柔軟に制度変更していくべきだ。長年の慣例を取っ払いたい。

　リスクマネジメントを取り上げた5章3節の伊東正示原稿では、感染症にとどまらず、大規模地震、テロ、傲慢や過失による信用失墜行為にまで言及している。

　パンデミック後の「文化の現場」では、事業数を増やして収益を上げる手法は終わりを迎えていくことになるだろう。美術展覧会であれ、音楽会

であれ、演劇公演であれ、大量動員して稼ぐビジネスモデルの維持は難しくなる。これからは事業数や観客数の多さを競うよりも質を重視する時代を迎えると予想される。この際、どのような資金を得て文化施設や文化団体の持続可能性を担保すればいいのだろうか。札幌交響楽団のようにファンドレイジング（寄附による資金調達）に力を入れたり、インターネット等を用いたリモート文化事業等を強化したり、などが予想されるものの、すぐに答えは出せそうもない。今後のアートマネジメント研究の充実が望まれる。

　いずれにしろ、文化施設や実演団体等は、現場の現状を考えながら、自らのミッション（使命）を実現する可能性を最大限に高めることがアートマネジメントの真の姿であろう。経営の危機を乗り越え、自分たちの活動を広げていく取り組み、と言い換えてもいい。新型コロナウイルス感染拡大後の現代社会は、改めてアートマネジメントが問い直されている時代なのである。

4　日本型のアートマネジメント教育を目指して

　日本におけるアートマネジメントは、米国とも欧州とも異なり、独自の発展を重ねてきた。20世紀の終わりに導入され、日本アートマネジメント学会が1998年に発足してから20年余りが経過した。アートマネジメントの実践にとどまらず、アートマネジメント教育も日本型の内容充実が急がれる。

　日本において、かつて文化行政は教育委員会の所管だった。大きな都市では文化行政部署が首長部局に移され、都市戦略的に取り組まれているところも見受けられる。しかし小さな市町村では教育委員会のもとに置かれている。教育委員会は実際の政治と一定の距離を置くので、学校教育には適切な組織だと思うものの、社会情勢の変化に対応したり、他部署との連携を図ったりするには、首長部局で担当する方が適切かもしれない。実際、2018年に改正された文化財保護法では、文化財行政を教育委員会から首長部局に移すことが可能になった。

アートマネジメントにおいても、アートNPOが登場して市民協働社会の実現に寄与したり、アートプロジェクトが隆盛して観光開発や地域の誇り形成に役立ったりするなどの事例が各地でみられる。こうなると首長部局が文化行政を所管する方が各分野との連携はスムーズになる。

　こういう新時代に、アートマネジメントの学びをいかに展開していけばいいのか。大学教員である筆者にとって長年の課題であり続けている。

　6章1節の武濤京子・佐藤良子原稿では、海外におけるアートマネジメントの学びについて言及した。米国のネットワーク組織「AAAE」がカリキュラムスタンダードを策定するなどの努力を積み重ねてきただけに、わが国での学びが変革を迫られていることを浮き彫りにした。6章2節の志村聖子原稿では日本の文化施設・団体が観客・聴衆を増やそうと尽力する様子に言及した。文化施設・団体はアートマネジメントの学びを提供することにも留意したい。この点で日本型のアートマネジメント教育は社会教育・生涯学習を抜きに語れないのかもしれない。学校現場から美術教育・音楽教育の授業時間が減少するなか、文化施設や実演団体等による鑑賞者開発は貴重なアートマネジメントの試みであろう。

　社会包摂を考えるとき、多様性や寛容性にあふれた社会をつくる試みは、自分自身の「生きること」の充実を考えるきっかけになる。だからこそ、違う領域の人々が出会う社会包摂の取り組みは大切だと思うのだ。たとえば病院、福祉施設、自然教育施設、刑務所などは、一見するとアートとは異なる場に映るが、アートマネジメントと密接な関係を有することが6章3節の高島知佐子原稿で詳しく述べられている。

5　これからのアートマネジメント

　文化や芸術は生きることを豊かにする。文化芸術は目の前の辛い現実に振り回されず、自分の人生として、どのように生きていくのか、を考える礎になる。こう考えるとき、人文科学系の学部で学ぶ学生らが本書を読むと、1章で文化政策をめぐる法整備が語られ、2章で経営学の理論が登場したことに驚いたかもしれない。しかし人文系の学問を学ぶ学生には社会

科学の素養や知識を、社会科学の学問を学ぶ学生には人文科学の素養や知識を、それぞれ兼ね備えてもらいたい。アートマネジメントは学際的なものであり、縦割りを排して社会に横串を刺すものなのだ。さらに文化芸術を特定の人たちのものにせず、日常の生活に根づかせる努力を地道に続けていくしくしかない。

21世紀のアートマネジメントはどのように進化していくのだろうか？結論を言い切ることはできないが、進化の前提は明らかだ。

1つには、行政等の評価システムの改善が求められる。これまでは質を評価せず、事業数や観客・聴衆数ばかりに注目していたことは否めない。密集を避けた感染防止が求められるなか、事業数や観客・聴衆数に頼らない、新たな評価システムを構築する必要がある。ロジックモデルをきちんとつくらないとマネジメントも正しい方向に向かない。

2つには、評価を行うために行政職員自身が〈文化専門官〉的な素養を身につける必要に迫られる。短期的に異動を繰り返す現状では評価を行う能力を養う時間がない。事態を飲み込める時期になると次の職場に異動する。たとえば水道局から文化現場に赴任して財団の監督を行い、数年後には次の職場に移るといった具合だ。これではアートマネジメントの評価をきちんと行うことが難しい。政策を評価して修正できなければ、車の両輪である「政策」と「実践」がちぐはぐになってしまう。あるいは行政は民間人らに〈文化専門官〉的な仕事を委ねてほしい。

3つには、自治体が単年度主義なので、自治体の文化財団も同様に1年ごとに会計処理される。ゆえに目先のことを追い求めざるを得ない。派手で目立つことを目指す。資金を貯めることができない。内部留保がなければ次の危機に備えられない。本来は専門職員を育てるために設置したはずの自治体文化財団の職員も、公務員的な思考を帯び、単年度主義の狭い視野に陥りやすいと指摘されている。こうした前例を何とか取り払いたい。

以上の3点は、文化行政の欠点がアートマネジメントの実践に影を落とし、良くない影響を与えているのではないか。一層の改善が求められる。

今後、アートマネジメント人材に専門資格を設けることもあり得よう。しかし現実的には音楽、美術、演劇などのジャンル分けが存在するうえ、

同じ音楽といってもクラシック音楽から伝統的な邦楽、J－POPまでと幅広い。運営形態も異なる。あらゆる文化芸術の中身と運営に精通したオールマイティな人材はそう多くいない。むしろ専門性を強調すればするほど「アートがアートの専門家だけで成り立つ」「わかる人だけがわかる」という狭い世界に再び閉じこもる恐れも生じる。現代社会では、領域横断的に文化事業を展開する必要が生じており、実態に合わなくなる事態も否めない。

　資格や称号というものには、世間から専門性を認めてもらえる有利さがあるのも事実だ。すぐにアートマネジメントの資格ができそうにない現状のなか、筆者は2020年度に新設された称号「社会教育士」に関心を有している。文部科学省の省令改正によって名刺や履歴書に明記できるようになった。「表現する」文化芸術は、「学び」が前提にあるので、文化芸術表現と社会教育・生涯学習にはつながりがある。同称号をうまく活かせば、アートマネジメント概念を巧みに社会に広げることが可能になるかもしれない。

　アートマネジメント人材は「アートの人」である必要はない。文化施設や文化芸術団体を経営するとともに、行政とタフな交渉を重ね、市民らと連携し、企業などの民間から寄附を集める。こうした総合的な能力が問われる。英語で「I manage to do」という場合、「何とかうまくやっていく」という意味だ。状況に応じて臨機応変に動けるかどうか、が分岐点になる。

　これからのアートマネジメントを実践していくのは読者のみなさんだ。目先の動きに振り回されず、10年先、20年先を丁寧に見据えながら、前に進んでいってもらいたい。

---

[1] かすがい市民文化財団チーフマネジャー米本一成へのインタビュー。松本茂章編著『岐路に立つ指定管理者制度——変容するパートナーシップ』水曜社、2019、175頁。

おわりに

　アートマネジメント人材は、病院長や学校長等と相通じるところがある
のかもしれない……。本書を編纂し終えた今、このように感じている。た
とえば文化施設の館長や実演団体の代表は、自由奔放な芸術家たちと親身
になって付き合い、職員を牽引し、鑑賞者により良いサービスを提供し、
行政と意思疎通を図り、地域住民の理解を得て、出資者の意向もくみ取る。
一方で、病院長や学校長は、志を有する個性豊かな医師や教員を率いて人
事評価を引き受け、患者や生徒等に丁寧に接し、家族らの理解を得て治療
や教育を行い、行政の指導や意向にも応じる。いずれも、多彩な相手それ
ぞれに合わせてわかりやすい言葉を用い、意思の疎通を実現するオールラ
ウンダーなのだ。複数の〈言語チャンネル〉を用いる点で、両者には共通
する面があると感じた。

　たとえ話から書き始めて恐縮である。『はじまりのアートマネジメント』
と題した本書を企画したとき、わかりやすく、本質的で、今日的な内容に
したいと願った。公立文化施設や自治体文化財団、民間の非営利組織、さ
らには企業のことまで、できるだけ幅広く取り上げようと誓った。ここま
で間口の広いアートマネジメント関連書籍が出版されるのは初めてのこと
だ。

　単独で編者を務めた『岐路に立つ指定管理者制度——変容するパート
ナーシップ』(水曜社、2019年7月) を出版したあと、文化施設の管理と
運営から転じて、次にはアートマネジメントの現場が多様化している現実
を伝えたくなった。アートマネジメント人材は今後、文化施設で働くだけ
でなく、多彩な職場が広がっていることを紹介したい、と切望した。この
熱い気持ちは今も変わらない。編者の思いに賛同した執筆者が本書に集
まってくださった。

　本書では、いきなり現場の話に入らなかった。1章で編者が文化をめぐ
る法的整備を語り、2章でアートマネジメントの理論を紹介した。2章は
組織のマネジメント (高島知佐子)、事業のプロデュース (桧森隆一)、ファ
ンづくりのマーケティング (太田幸治) の3節で成り立っている。

アートマネジメントのリアルな現場を伝えるために3～5章を設けた。公立文化ホール、博物館・美術館・図書館、自治体文化財団（いずれも松本茂章）、実演団体（志村聖子）という従来型の「文化の現場」ではどのようなアートマネジメントの取り組みが繰り広げられているのかを丁寧に記述した。次にアートNPO、地域のアートプロジェクト（いずれも朝倉由希）に焦点を当てて、新たに登場した「文化の現場」のありように言及した。加えて、企業とアートマネジメント（桧森隆一）、舞台芸術の産業化（李知映）の2節を設けた。従来、アートマネジメントは非営利な取り組みとされてきたが、民間企業との関係性について新たな視点で見つめ直したいと考えたからだ。

　2020年以降の新型コロナウイルス感染拡大に伴い、目次を修正した。感染拡大の前後ではアートマネジメントの意義や重要性が変容したと思ったからだ。そこで劇場、音楽堂等のリスクマネジメント（伊東正示）、フリーランスの仕事（長津結一郎）の2節を新たに設けた。

　6章では、どのようにアートマネジメントを学ぶのか、に焦点を当て、海外の学び（武濤京子・佐藤良子）、わが国の学び（志村聖子）、福祉・医療からの学び（高島知佐子）を配置した。

　さらに編者自身が関係者5人にインタビューを試みた。「文化の現場」で働く人たちの生の姿に触れてもらいたい、キャリアパスの参考になれば……と念じたためである。

　執筆者11人のうち9人は日本アートマネジメント学会の会員である。執筆者は真摯に現実と向き合い、2020年夏までの状況を描いてくれた。実にリアルな書籍に仕上がったと振り返っている。執筆者の尽力に感謝の気持ちを伝えたい。加えて調査に協力してくださった関係者のみなさんに心より御礼申し上げる。本書では敬称を省略させていただいた。

　アートマネジメント研究は学際的な研究なので、芸術学、音楽学、美学、演劇学、法学、経済学、経営学、政策学、社会学、建築学など、さまざまなアプローチがある。もとになるディシプリン（学問）が異なる執筆者の専門分野は幅広いのだが、その分、本書の記述にふぞろいの面があるとしたら、ひとえに編者の力不足によるものである。

入門書として編纂したので、本書のなかで言及できなかった領域もいくつかあった。1つには文化政策あるいは文化行政の実態である。行政組織そのものの限界性、政府組織の持つ縦割り体質など構造的な課題に触れていない。2つには、文化における東京一極集中の弊害や地方分散の大切さについての言及が不足している。文化庁の京都移転など重要な政策を語っていない。反省がある。しかし今回は「文化の現場」のありように焦点を当てることに決めた。3つには文化芸術の持つ価値や創造性について詳しく言及できなかった。国の力は工業製品等出荷額の多さだけでなく、ソフトパワーが外交の力や国防の力になること、あるいは文化芸術が都市の経済や産業構造を変容させること、などについて詳しく述べることができなかった。4つには本書の性格上アートマネジメントに焦点を絞ったので、文化政策学、文化経済学など他のディシプリン（学問）のありように触れることができなかった。

　これらの現状や課題については優れた先行研究が蓄積されている。これから学びを深めていくのであれば、より専門的な書籍を読んでほしい。

　いずれにしても、本格的なアートマネジメント関連書籍の出版は久しぶりである。読者の中心層は、大学・大学院を卒業・修了後にアートマネジメント現場で働きたいと希望する若者たち、あるいは財団やアートNPOなどに採用されたばかりの若手職員などであろう。しかしすでに文化財団、文化施設、文化芸術団体等に勤める中堅職員にもぜひご覧いただきたい。最新の情報を盛り込んでいるので、アートマネジメントの教育や研修に活用できる書籍に仕上がったと振り返っている。指定管理者制度に新規参入を目指す企業・非営利組織等の参考資料としても広く用いていただきたい。本書の企画をすぐに理解して出版を後押ししてくださった水曜社の仙道弘生社長に感謝する。

　理論編からでも、事例編からでも、自由に読み進められるように工夫して編纂した。本書を通じて、アートマネジメントに関わる仕事の魅力やアートマネジメント新時代の息吹を感じてもらえることができたとすれば、本書出版の役割を果たせたと考えている。

松本　茂章

分担執筆者　プロフィール

松本 茂章（まつもと・しげあき）　編著者
はじめに、1章、3章、4章1節、7章、インタビュー編、おわりに

別掲

高島 知佐子（たかしま・ちさこ）　2章1節、6章3節

静岡文化芸術大学文化政策学部芸術文化学科・准教授。専門は経営学・アートマネジメント。博士（商学）。（独）中小企業基盤整備機構で中小企業支援に携わり、大阪市立大学都市研究プラザ、京都外国語大学を経て現職。文楽や能楽、邦楽、地域の民俗芸能など、伝統芸能の上演組織を中心に、芸術団体の長期的な経営について研究。また、2015年より静岡県内の病院におけるホスピタルアート活動に従事。

桧森 隆一（ひもり・りゅういち）　2章2節、5章2節

北陸大学副学長・国際コミュニケーション学部教授。（一社）指定管理者協会理事長、（一社）浜松創造都市協議会理事、静岡県パートナーシップ委員会副委員長など。1976年ヤマハ株式会社入社。営業、商品企画、経営企画を経て音楽企画制作室長として、自治体や公立文化ホールが主催するコンサート、音楽イベントのプロデュースに従事。2008年より嘉悦大学教授。2015年より現職。公共経営論、文化政策、アートマネジメント、指定管理者制度等を研究。

太田 幸治（おおた・こうじ）　2章3節

愛知大学経営学部経営学科教授。1974年静岡県生まれ。専攻は流通論、マーケティング。主な共著に、『マーケティング戦略論』（芙蓉書房、2008）、『グローバルな視野とローカルの思考』（あるむ、2020）がある。また「すみだトリフォニーホールA・B」（慶應義塾大学大学院経営管理研究科）、「サンリオピューロランド」（慶應義塾大学アートセンター）などアートマネジメントの教材ケースも作成している。

志村 聖子（しむら・せいこ）　4章2節、6章2節

相愛大学音楽学部音楽学科アートプロデュース専攻・准教授。東京藝術大学音楽学部楽理科卒業。九州大学大学院芸術工学府博士後期課程修了。博士（芸術工学）。専門はアートマネジメント、人材育成。政策研究大学院大学文化政策プログラム研究助手を経て、2017年より現職。2019年度より文化庁助成・相愛大学「伝統芸能コーディネーター育成プログラム」統括責任者。著書に『舞台芸術マネジメント論——聴衆との共創を目指して』（九州大学出版会、2017）ほか。

朝倉 由希（あさくら・ゆき）　4章3節、5章1節

文化庁地域文化創生本部研究官。京都大学文学部卒業。東京藝術大学大学院音楽研究科博士後期課程（応用音楽学）修了。博士（学術）。文化芸術の多様な意義を考慮に入れた評価のあり方について研究を進める。2017年より現職。文化政策の国際比較調査研究、大学等研究機関と文化庁との共同研究の推進等を担当。2021年4月から公立小松大学国際文化交流学部准教授（文科省に申請予定）。共書に『文化で地域をデザインする——社会の課題と文化をつなぐ現場から』（学芸出版社、2020）。

伊東 正示 (いとう・まさじ)　5章3節
　株式会社シアターワークショップ代表。1952年生まれ。早稲田大学建築学科卒。大学院
で劇場建築の研究を行う。1981～94年文化庁非常勤調査員 (新国立劇場担当)。1983年
シアターワークショップを設立。施設計画から運営まで劇場・ホールに関することは何でも
も行う総合劇場プロデューサーとして、「彩の国さいたま芸術劇場」「東京国際フォーラ
ム」「茅野市民館」など250館を超えるプロジェクトに参加。2008年日本建築学会賞 (業
績) を受賞。

李 知映 (イ・ジヨン)　5章4節
　成蹊大学文学部客員准教授。東京大学大学院人文社会系研究科文化資源学研究専攻博士課
程修了、博士 (文学)。東京大学政策ビジョン研究センター特任研究員を経て2019年から
現職。跡見学園女子大学兼任講師。専門分野は文化政策学、文化経営学、文化資源学、演
劇学。自治体の芸術文化振興、文化のまちづくりに関する取り組み、文化施設を取り巻く
社会環境、文化施設のよりよい運営、などの研究を行っている。2021年4月から芸術文
化観光専門職大学講師 (予定)。

長津 結一郎 (ながつ・ゆういちろう)　5章5節
　九州大学大学院芸術工学研究院助教。博士 (学術・東京藝術大学)。東京藝術大学音楽学
部教育研究助手、慶應義塾大学研究員、NPO法人多様性と境界に関する対話と表現の研
究所代理理事等を経て現職。専門は文化政策学、アーツ・マネジメント。近年は舞台芸術
分野のワークショップや作品創作プロセスへのフィールドワークや分析を試みる。著書に
『舞台の上の障害者──境界から生まれる表現』(九州大学出版会、2018) など。

武濤 京子 (たけなみ・きょうこ)　6章1節
　昭和音楽大学音楽学部音楽芸術運営学科教授。東京外国語大学卒業。慶應義塾大学アー
ト・プロデュース講座、ルーズベルト大学経営大学院修了。MBA (経営管理学修士)。(一
財) ヤマハ音楽振興会を経て現職。文化庁、自治体や芸術文化関連組織の委員、慶應義塾
大学非常勤講師等を歴任。日本アートマネジメント学会関東部会委員。編著書に『クラ
シック音楽マネジメント』(ヤマハミュージックメディア、2011)。

佐藤 良子 (さとう・よしこ)　6章1節
　(一財) 地域創造芸術環境部職員。京都市立芸術大学音楽学部 (ピアノ専攻) 卒業、同大学
院音楽研究科修士課程 (ピアノ専攻) 修了。東京藝術大学大学院音楽研究博士後期課程
(応用音楽学) 修了。博士 (学術)。専攻は舞台芸術政策論。昭和音楽大学専任講師を経て、
2018年から現職。著書 (共著) に『文化芸術振興の基本法と条例──文化政策の法的基
盤Ⅰ』『公共ホールと劇場・音楽堂法──文化政策の法的基盤Ⅱ』(いずれも水曜社、
2013) ほか。

柿塚 拓真 (かきつか・たくま)

豊中市立文化芸術センター事業課プロデューサー・(公財) 日本センチュリー交響楽団コミュニティプログラム担当マネジャー。福岡第一高等学校音楽科、相愛大学音楽学部卒業。社会保険庁福岡社会保険事務局を経て大阪センチュリー交響楽団事務局に入局。2013年にブリティッシュ・カウンシルが主催する英国派遣プログラムに参加。2019年には国際交流基金アジア・フェローシップとして国立ミャンマー交響楽団、王立バンコク交響楽団に滞在。

住友 文彦 (すみとも・ふみひこ)

アーツ前橋館長。東京藝術大学大学院国際芸術創造研究科准教授として、学芸員の育成も行う。これまで東京都現代美術館などに勤務し「川俣正 [通路]」展や「Possible Futures：アート&テクノロジー過去と未来」展などを企画。美術評論家連盟常任委員。中国を巡回した「美麗新世界」展 (2007)、メディアシティソウル2010 (ソウル市美術館)、あいちトリエンナーレ2013などの共同キュレーターを務める。

古賀 弥生 (こが・やよい)

アートサポートふくおか代表。九州産業大学地域共創学部教授。九州大学法学部卒業後、福岡市役所入庁。在職中から芸術文化と社会をつなぐアートマネジメントを学び、芸術文化を身近に楽しめるまちづくりのための提言やフォーラム開催など実践活動を行う。2001年12月、福岡市を退職。2002年1月、アートサポートふくおか設立、代表に就任。博士 (文化政策学・京都橘大学)。

中川 広一 (なかがわ・こういち)

(公財) 札幌交響楽団総務営業部次長。1975年生まれ。1994年から札幌交響楽団ステージ業務に携わる。2001年からPMF組織委員会で営業担当としてチケット、協賛、補助金の担当、2003年から札響事務局で企画制作、広報宣伝、パトロネージュ担当を歴任。2012年から文化庁新進芸術家海外派遣員として英国 BBCフィルハーモニックで研修を行った。帰国後、業務のかたわら経営学を学び経営管理修士 (MBA) を取得。

梶原 俊幸 (かじわら・としゆき)

シネマ・ジャック&ベティ支配人。1977年、神奈川県横浜市生まれ、東京都育ち。慶應義塾大学環境情報学部卒業後、ライブハウスに勤務。その後、学習塾やIT企業勤務を経て、黄金町エリアのまちおこし活動に参加したことを契機に、2007年3月からシネマ・ジャック&ベティの運営を引き継ぐこととなり、株式会社エデュイットジャパンを設立。横浜市が設けた第68回横浜文化賞 (2019) の文化・芸術奨励賞を受賞。

索　引

294

松本 茂章 (まつもと・しげあき)

公立大学法人静岡文化芸術大学文化政策学部／大学院文化政策研究科教授。早稲田
大学教育学部地理歴史専修卒業。同志社大学総合政策科学研究科博士課程 (後期課
程) 修了。博士 (政策科学)。専門は自治体文化政策。文化を活かしたまちづくりに
関心があり、国内外で文化の現場を調査している。読売新聞記者、支局長、県立高
知女子大学 (現・高知県立大学) 教授を経て現職。文化と地域デザイン研究所代表。
日本アートマネジメント学会会長、日本文化政策学会理事。単著に『芸術創造拠点
と自治体文化政策——京都芸術センターの試み』『官民協働の文化政策——人材・
資金・場』『日本の文化施設を歩く——官民協働のまちづくり』(以上、水曜社)。
単独編著に『岐路に立つ指定管理者制度』(水曜社)、『文化で地域をデザインする』
(学芸出版社)。共著多数。

はじまりのアートマネジメント

芸術経営の現場力を学び、未来を構想する

発行日　2021年3月28日　初版第一刷発行

編著者　松本 茂章

発行人　仙道 弘生

発行所　株式会社 水曜社
　　　　〒160-0022 東京都新宿区新宿1-14-12
　　　　TEL: 03-3351-8768　FAX: 03-5362-7279
　　　　URL: suiyosha.hondana.jp

装　幀　井川 祥子 (iga3 office)

ＤＴＰ　有限会社 グランビット

印　刷　モリモト印刷 株式会社

全国の書店でお買い求めください。価格はすべて税別です。